KB196661

파밧

초판 인쇄 2018년 03월 05일
초판 발행 2018년 03월 15일
지은이   김진일
펴낸이   이진곤
펴낸곳
출판등록 제 313-2003-00192호.(2003년 5월 22일)
주소   경기도 파주시 문발로 405 제2출판단지 씨앤톡사옥 3층
전화   02-338-0092
팩스   02-338-0097
홈페이지 www.seentalk.co.kr
E-mail   seentalk@naver.com
ISBN   978-89-6098-494-3 03810

이 도서의 국립중앙도서관 출판예정도서목록(CIP)은 서지정보유통지원시스템
홈페이지(http://seoji.nl.go.kr)와 국가자료공동목록시스템(http://www.nl.go.kr/kolisnet)에서
이용하실 수 있습니다.(CIP제어번호: CIP2018005148)

ⓒ2018. 김진일
· 본 책은 저작권법에 의해 보호를 받는 저작물이므로 무단 전재와 복제를 금합니다.

파발

충무공의
일급비밀 문서

• 저자 김진일 •

씨앤톡
See&Talk

차례

줄거리

조선 선조 25년(1592년) 제비들이 평화롭게 하늘을 가르던 따스한 봄날 아침, 남산에 있는 봉수대에서 다섯 줄기의 시꺼먼 연기가 하늘을 찔렀다. 임진왜란의 시작이었다. 15세기 후반까지 조선의 군사 첩보 방식은 삼국시대부터 전해진 봉수제였다. 불을 피워 사태의 시급함을 알리는, 신속하지만 단순한 1차원적인 발상이었다.

선조는 광해와 분조를 결심했다. 분조란 말 그대로 조정을 두 개로 나누는 것이다. 하지만 대신들의 반대가 심각했다. 정보의 공유가 어려워 배가 산으로 갈 수 있다는 이유에서였다. 그런 대신들의 불만을 한 방에 잠재운 것이 조선 최초의 군사 첩보 기관인 파발이었다.

파발은 한양에서 남쪽으로 향하는 남파발, 한양에서 북쪽으로 향하는 북파발, 한양에서 서쪽으로 향하는 서파발로 나누어져 정보를 공유했다. 분조의 취약점을 보완하기 위해 만든 파발의 왕성한 활동으로 전쟁은 점점 조선의 손을 들어주었다. 이때 광해가 다른 뜻을 품기 시작한다. 정보를 가진 자가 세상을 다스린다고 생각한 광해는 남파발, 북파발, 서파발을 손에 넣기 위해 음모를 꾸미기 시작한다.

파발 소개

남파발 - 한성에서 동래까지 움직이며 정보를 공유했다. 경기도에 아홉 개의 참을, 충청도에 다섯 개의 참을, 경상도에 스무 개의 참을 설치해 말을 갈아 탈 수 있게 했다. 남쪽은 길이 험하고 산이 많아 남파발꾼들 중에는 작고 단단한 소양인들이 많았다. 차돌 같은 사내들의 집단이었다. 자신의 신분을 숨기며 살아가야 했기 때문에 주로 보부상으로 위장했다. 좁은 숲속에서의 전투가 많아 짧은 단도나 철질려처럼 적의 발을 묶을 수 있는 무기를 사용했다. 남파발은 남인과 깊은 유대관계를 맺어왔다. 선조와 이순신을 도왔다.

북파발 - 한성에서 경흥까지 움직이며 정보를 공유했다. 경기도에 세 개의 참을, 강원도에 여섯 개의 참을, 함경도에 쉰다섯 개의 참을, 북청에서 삼수까지 열 개의 참을 설치했다. 북쪽은 드넓은 대지가 많아 북파발꾼들은 팔 척 장신의 태양인들이 주를 이루었다. 한마디로 짐승남들의 집단이었다. 말들 역시 지구력이 뛰어난 북방의 호마를 이용했다. 북파발꾼들은 주로 기방에서 문지기로 일하며 자신의 신분을 숨겼다. 무기 또한 넓은 들판에서의 전투가 많아 날이 긴 마상월도나 마상쌍도를 사용했다. 북파발은 북인과 깊은 유대관계를 맺어왔다. 광해를 도왔다.

서파발 – 한성에서 의주까지 움직이며 정보를 공유했다. 경기도에 일곱 개의 참을, 황해도에 열세 개의 참을, 평안도에 열여덟 개의 참을, 평양에서 해주까지 다섯 개의 참을, 박천에서 압록강까지 마흔세 개의 참을 설치해 말을 갈아 탈 수 있게 했다. 서쪽은 상업이 발달되어 상단들이 많았다. 서파발꾼들은 상단에서 호위무사를 하며 자신의 신분을 숨겼다. 외모가 깔끔한 소음인들이 많았다. 말하자면 꽃미남들의 집단이었다. 무기는 주로 눈에 띄지 않은 외날의 도나 활을 사용했다. 서파발은 어느 누구와도 유대관계를 맺지 않은 신비로운 집단이었다.

1. 이순신의 일급비밀 문서

1598년 겨울, 살이 찢겨나갈 정도로 혹독한 추위가 조선 땅을 덮쳤다. 온 천지가 눈으로 뒤덮인 조선의 산과 들에는 얼어 죽거나 굶어 죽은 시체들이 즐비했다. 시체를 치워도 다음 날이면 또다시 시체가 쌓였다. 일본을 통일한 도요토미 히데요시가 임진왜란을 일으켜 조선 땅을 생지옥으로 만든 지도 어느덧 칠 년. 혹독한 겨울 추위는 조선 백성들의 몸과 마음을 더욱 얼어붙게 만들었다. 민가에서는 밥 짓는 연기가 끊긴 지 오래였고, 아이들의 웃음소리가 사라진 지 한참이었다. 눈 덮인 숲속의 계곡은 짐승의 몸에 난 상처처럼 깊게 패여 있었다.

저 멀리 계곡 주위로 희뿌연 눈 먼지를 흩날리며 도롱이에 삿갓을 쓴 남파발꾼 넷이 말을 타고 달려오고 있었다.

그들은 모두 작은 체구에 야무진 몸을 지니고 있었다. 남파발의 노선에는 대부분 산이 많고 길이 좁았기에, 남파발에는 작고 탄탄한 소양인들이 많았다. 말들의 거친 숨소리와 남파발꾼들의 얼굴에 여독이 가시지 않은 것으로 보아 꽤나 먼 길을 달려온 것이 분명했다.

선두에서 달리고 있는 자가 바로 남파발 사맹 김성태였다. 나이는 대략 삼십 대 중반으로 눈은 살짝 찢어져서 위로 올라가 있었고, 코는 매부리코에 이마가 살짝 벗겨진 것이 강한 인상을 내뿜고 있었다. 오른팔에는 화상 자국이 있었고, 허리춤에는 방울 세 개가 달려 있었다. 소리가 나지 않는 방울, 파발의 신분과 완급은 바로 이 방울의 수로 식별되었다. 방울이 하나면 일반 문서를, 둘이면 중요 문서를 수발하는 것이다. 방울이 셋이면 국가적 초비상 상황이다. 병조판서나 왕이 직접 보내는 문서를 수발하기에 그들도 생사를 걸어야 한다. 김성태 허리춤에 세 개의 방울이 달려 있는 것으로 보아, 그가 얼마나 촉각을 다투고 있는지 알 수 있다.

'번쩍'

순간 그의 시야로 반사된 빛이 들어왔다. 즉시 오른팔을 들어 소지와 약지를 펴 신호를 보내자 뒤따르던 남파발꾼들이 일제히 가죽 방패를 꺼내 들었다. 곧 방패 위로 화살이 벼락처럼 쏟아졌다. 그는 본능적으로 주변을 살폈다. 땡땡 얼어붙은 강가, 앙상한 가지만 남아 있는 커다란 소나무, 눈 덮인 바위 덩어리. 모든 사물이 물 흐르듯이 연속적으로 스쳐 지나갔다. 그러다가 대나무 숲에서 그의 시선이 멈췄다.

잠시 후, 기다렸다는 듯이 대나무 숲에서 앞니 두 개가 빠진 대머리 사내가 나타났다. 대머리 사내의 손에는 김성태의 얼굴이 그려진 용모화가 들려 있었다. 대머리 사내가 휘파람을 불자 숲속에 매복해 있던 자들이 말을 타고 뛰쳐나왔다. 어림잡아도 백여 명은 되어 보였다. 김성태는 즉시 명을 내렸다.

"말머리를 동쪽으로 돌린다!"

남파발 부사맹 마철은 김성태의 명을 선뜻 이해할 수 없었다. 동쪽으로 가면 참과 참을 연결하는 선로가 길어져 사실상 길을 돌아가게 되는 것이다. 마철은 당장 반문하고 싶었지만 대장의 명이었다. 부모님 말은 듣지 않아도 대장 말이라면 무조건 따르는 마초적인 사내였다. 마철과 두 명의 남파발꾼은 김성태를 따라 말머리를 동쪽으로 돌려 대나무 사이사이를 미꾸라지처럼 빠져 나갔다. 말들도 대단했지만 말을 모는 그들의 솜씨 또한 귀신같았다.

마철은 허리춤에 있는 대나무 통을 열어 뒤따라오는 자객들을 향해 철질려(네 개의 뾰족한 날이 달린 철 조각으로 능철, 여철, 마름쇠라고도 불렸다. 철질려는 아무렇게나 던져도 네 개의 날 중 세 개의 날이 땅을 받치고 나머지 한 개의 날은 위를 향해 솟은 모양이 된다.)를 던졌다. 자객들의 말은 철질려에 찔려 하나, 둘 쓰러져갔다. 이를 바라보는 대머리 사내는 놀라움을 금치 못했다. 일명 '소리 나지 않는 방울'이라 불리는 파발의 솜씨가 이 정도

라니……. 떠도는 헛소문이라고만 생각했는데 직접 보니 감탄이 튀어
나올 정도였다.

뒤늦게 정신을 차리고 보니 남파발꾼들의 모습이 어디에도 보이지
않았다. 귀신이 곡할 노릇이었다. 잠시 후, 전방에서 달리고 있던 남파
발꾼이 후미에서 튀어나와 자객들을 공격하기 시작했다. 자객들이 철
질려를 피해 우회할 때 반원을 그리며 후미로 돌아 들어간 것이었다.
남파발꾼들이 칼을 휘두르자 자객들은 감나무에서 감 떨어지듯 말에
서 하나, 둘 떨어져나갔다. 네 명의 남파발꾼은 성난 파도처럼 자객들
을 휩쓸고 지나갔다.

김성태는 한 가지 의문이 생겼다.

'파발이 다니는 길은 파발만 알고 있는 것이 아닌가? 그런데 저들이
이 길을 어찌 알고 매복을 하고 있었단 말인가?'

이때 마철이 김성태에게 물었다.

"대장! 거시기 그게 시방 자객들이 매복을 하고 있던 것이 틀림없당
게요!"

마철도 김성태와 같은 생각을 하고 있었던 것이다. 김성태는 품고 있
던 빛바랜 피각대(대나무로 만들어진 원통으로, 파발의 비밀 문서를 이 피각대

안에 봉인한 후, 관인을 찍어 전송하였다.)를 바라보았다. 그의 미간이 구겨졌다.

"자객들이 노린 것은 아무래도 이 피각대 안에 들어 있는 문서일 것이다."

"아따 고럼! 자객들이 노린 긋이 슬마!"

"이순신 장군의 일급비밀 문서."

남파발꾼들은 심상치 않은 일이 벌어지고 있다는 걸 본능적으로 직감했다. 그들은 더욱 속도를 내어 달렸다. 눈이 쌓인 숲속을 지나 끝없이 이어진 산줄기를 타고 달렸다. 눈꺼풀이 무겁게 그들을 내리 눌러도, 살이 찢길 만한 한파가 그들의 앞을 가로 막아도, 꽁꽁 얼어붙은 강이 그들을 가로 막아도, 오르지 못할 거대한 산이 그들의 앞을 가로 막아도 그들은 멈추지 않고 거침없이 달려갔다. 파발은 그랬다.

2. 신의 능력을 가진 자

용맹스러운 용의 모습을 수놓은 황금빛 용상 위에 물 빠진 미역 줄거리처럼 축 늘어진 선조가 앉아 있었다. 칠 년 동안이나 지속된 지긋지긋한 전쟁의 고뇌가 고스란히 그의 표정에 담겨 있는 듯했다. 그의 목소리는 깊은 우물 속에 있는 듯처럼 자고 고요했다.

"김성태가 노량으로 떠난 지 벌써 사흘이 다 되어가는데 어찌 소식이 없는 것이냐?"

선조의 물음에 누구 하나 선뜻 답을 내놓는 사람이 없었다. 파발을 관장하고 있는 병조판서 박승종이 한 발 앞으로 나서며 떨리는 목소리로 말했다.

"전하……. 파발마는 하루 종일 달려야 사백 리를 달릴 수 있사옵니다. 한성에서 노량까지 천릿길이니, 내려가는 것만 이틀 반나절로, 왕복 닷새가 걸리옵니다. 이것도 닷새 동안 잠 한숨 자지 않고 달려야 가능한 일이옵니다. 김성태와 그의 말 주작이 조선에서 가장 빠르다 해도 닷새 안에 노량까지 갔다가 올 수는 없사옵니다. 하루 정도는 더 지켜봐야 할 듯하옵니다. 그리고 아뢰옵기 황송하오나……, 왜적들이 파발을 잡기 위해 활발한 첩보 활동을 펼치고 있다는 첩보가 입수되었습니다."

"첩보 활동이라?"

"도요토미가 전국을 통일할 수 있도록 어둠에서 움직인 자들이 있었다고 하옵니다."

"닌자를 말하는 것이냐?"

"그러하옵니다, 전하. 닌자는 원래 배부른 자들의 배를 채우기 위한 개인적 정보책들이었는데, 도요토미가 뿔뿔이 흩어져 있는 닌자들을 규합하여 전략적인 첩보 활동을 한다고 하옵니다."

"남파발꾼들의 수가 줄어들고 있다는 소식도 있던데……."

"진상 규명을 위해 백방으로 뛰고 있사오나, 그에 대해선 아직 이렇다 할 원인을 찾지 못했사옵니다."

공기가 차가워 편전 안은 스산했다. 대신들의 입에서 새하얀 입김이 흘러나왔다. 새하얀 입김들은 서로 뒤엉켜 싸우더니 잠시 후에 연기처럼 사라졌다.

선조는 노량에서 무슨 일이 벌어지고 있는지 몹시 궁금했다. 궁금하긴 대신들도 마찬가지였다. 이순신이 왜적을 상대로 잘 싸워주고 있는지 고전하고 있는지 도무지 알 길이 없었다. 이 소식을 들으려면 최소한 하루는 더 기다려야 하는데, 닌자까지 움직이고 있다니 그것도 장담할 수 없는 노릇이다.

박승종 반대편에 서 있던 이승기가 선조를 향해 입을 열었다. 그의 목소리는 가늘고 날카로웠다.

"전하, 불확실한 파발을 이제 그만 파하시고 다시 봉수제를 도입하셔야 하옵니다. 지식을 전달하는 과정에서 가장 중요한 것은 속도. 파발의 속도는 하루 종일 달려야 고작 사백 리이옵니다. 그런데 조선 팔도에서 하루에 사백 리를 달릴 수 있는 사람은 몇 되지 않사옵니다. 남파발 사맹 김성태, 북파발 사맹 사달수, 서파발 사맹 이주영을 제외하고는 하루에 이백 리도 달리지 못하옵니다. 그에 반해 봉수는 반나절에 오백 리를 공유할 수 있는 수단이옵니다."

선조가 난처한 표정을 지으며 침묵을 지키자, 이승기는 이때다 싶어 선조를 계속 몰아갔다.

"전하, 이제 그만 파발을 중단하시옵소서. 통촉하여 주시옵소서."

"통촉하여 주시옵소서, 전하."

이승기를 따르던 대신들이 한 목소리로 따라 외쳤다. 편전은 이승기와 그를 따르는 자들의 목소리로 가득 찼다. 선조의 두통이 다시 시작됐다. 그들은 조금만 틈을 주면 딱따구리처럼 선조의 머리를 쪼아댔다. 전쟁이 시작되었을 때도, 분조를 시작할 때도, 파발을 창시했을 때도. 그들을 대적할 수 있는 사람은 궁에서 딱 한 사람뿐이었다. 딱따구리들의 반대를 무릅쓰고 파발을 창시한 한승겸이었다. 굳게 입을 다물고 있던 그가 한 발 앞으로 나서며 이승기를 향해 입을 열었다.

"봉수는 연기로 정보를 전달하는 수단입니다. 비가 오거나 안개가 끼면 식별하기 어려워 정보를 제대로 전달할 수 없습니다."

한승겸의 목소리는 크지는 않았지만 묘하게 사람을 압도하는 힘이 있었다. 편전에 모인 사람들의 눈은 자연스럽게 그를 향했다. 그는 미소를 지으며 말을 이었다.

"조선은 앞으로 파발을 통해 더 많은 정보를 공유하고, 분석하고, 발전시켜야 합니다. 잘못된 적폐는 버리고 말입니다."

대신들이 하나씩 그의 말에 고개를 끄덕이자, 울화가 치민 이승기가 바로 대응했다.

"봉수는 고려 때부터 이 땅에 뿌리내려온 통신수단이네."

"파발을 창시한 목적은 정확하고 신속하게 정보를 공유해서, 안으로는 도탄에 빠진 백성들을 구하고 밖으로는 은밀한 첩보 활동으로 왜적의 침입에 대비하기 위함입니다."

"해서 이 조선엔 파발보다 봉수가 필요한 것이야. 신속한 걸로 따져도 봉수가 파발보다 빠르고, 정확성을 봐도 봉수가 파발보다 정확하다는 것을 이미 입증하지 않았는가?"

"물론 봉수는 빠르고 정확합니다. 하지만 광범위한 정보를 공유할수는 없습니다. 또한 봉수꾼들도 제대로 역할을 못하고 있지 않습니까? 이런 취약점들을 보완하고자 파발이 창시된 것입니다."

"그 취약점이 많은 봉수가 수많은 적들을 물리쳐 왔다는 것을 어찌부정하려 하는 것인가? 작금의 사태를 보고도 그렇게 말씀하시는가?"

"혹 금산성 전투를 말씀하시는 것입니까?"

"그때 파발이 아닌 봉수를 사용했다면 조선군들이 그리 허무하게 왜적에게 당하진 않았을 것이네!"

"파발은 전쟁 중에 만들어졌습니다. 파발을 창시한 지 채 이 년도 되지 않았단 말입니다. 그때는 미약했지만, 지금은 보십시오. 파발은 땅에 있는 세자 저하와 바다에 있는 이순신 장군의 눈과 귀가 되어 발 빠르게 정보를 공유하고 있습니다. 파발을 통해 얻은 정보가 없었다면 조선은 벌써 불바다가 되었을 것입니다."

"어찌 그리 장담을 하는 것인가?"

"장담이 아니라 현실입니다."

"현실이라?"

정치 싸움은 천 년 전이나 지금이나 언제나 제자리걸음이다. 둘의 갈등은 계속 이어졌다. 멈출 기색이 보이지 않았다.

이승기의 언성이 높아질 때쯤 편전 밖에서 우렁찬 소리가 들려왔다.

"세자 저하께서 도착하셨습니다!"

편전 안은 쥐죽은 듯 조용해졌다. 선조와 한승겸, 이승기까지 달갑지 않은 표정을 지었다. 하지만 병조판서 박승종은 기다렸다는 듯 미소를 지었다.

"세자 저하께서 들어가십니다."

편전 문이 열리며 광해가 성큼성큼 걸어 들어왔다. 그는 선조의 둘째 아들로, 준수한 외모에 몸집은 크고 장대했다. 관우의 몸에 유비의 얼굴을 붙여 놓은 것 같았다. 하지만 그는 이제 막 스물을 넘긴 앳된 청년, 이승기는 그러한 광해를 보자 기다렸다는 듯 입을 열었다.

"저하, 파발을 믿고 조정을 둘로 나누시다니, 이는 있을 수 없는 일이옵니다."

광해는 선조에게 먼저 예를 갖춘 후, 이승기에게는 눈길 한 번 주지 않고 또박또박 말했다.

"하여 지금 이곳에 온 것입니다. 조정의 분조는 더 이상 조선에 도움이 되지 않습니다."

광해는 세자의 신분으로 스물일곱 달 동안 강원도 지역에서 의병을 모아 분조 활동을 해왔다. 분조란 말 그대로 조정을 둘로 나누는 것으로, 대신들은 정권이 둘로 나뉘면 정보를 공유하는 것이 어려워 배가 산으로 갈 수 있다며 반대했었다. 그 반대를 한방에 잠재운 것이 바로 파발의 창시였다. 파발은 빠르고 정확하게 정보를 공유해 분조를 성공적으로 이끌어 왔었다. 그런데 그런 분조를 이제 와 광해가 그만둔다고 하니 선조는 선뜻 이해할 수 없었다.

"세자, 그게 무슨 말이냐?"

"전하, 아뢰옵기 황송하오나, 명나라는 임란이 일어난 이후 지금까지 세 차례에 걸쳐 수많은 병력을 조선에 보내왔사옵니다. 그로 인해 국력은 소모되고 국고도 바닥이 났다 하옵니다. 조선 출병을 포함한

만력의 삼정은 명나라 재정을 크게 고갈시켰사옵니다. 더 이상 명을 의존하기 힘들게 되었습니다. 이제 믿을 건 관음포에서 대치 중인 이순신 장군뿐입니다. 이순신이 이번 전투에서 패한다면 재정난에 허덕이는 명나라는 더는 조선에 출병을 할 수 없게 될 것입니다. 왜에서 첩보 활동을 펼치고 있는 파발들이 알아 온 정보에 의하면, 왜적 역시 이번 전투에 모든 것을 걸었다 하옵니다. 하여 더 이상 조정을 둘로 나누어 전쟁에 임할 필요성이 없어졌사옵니다, 전하.”

선조와 대신들은 나라를 걱정하는 마음에 땅이 꺼져라 긴 한숨을 토해냈다. 하지만 그런 상황에서도 이승기는 자신의 아집을 꺾지 않았다.

“저하, 조선이 재정난에 허덕이는 연유 중 하나가 파발 때문이옵니다. 남파발, 북파발, 서파발을 합친 참의 수만 무려 백구십사 개이옵니다. 각각의 참엔 발장 한 명과 색리, 군정 다섯, 말 다섯 필이 배치되어 있사옵니다. 참에 배치된 인원과 말의 수만 해도 이천이 훌쩍 넘습니다. 또한 피각대를 전송하는 파발꾼의 수가 모두 팔십이옵니다.”
“병마의 노고를 잘 알고 있소. 그 누구보다 조정을 아끼고 백성을 아낀다는 것 또한 익히 들어 알고 있구요. 지금부터 내가 사람들을 호명할 것이니 누구인지 한 번 맞춰보시오. 일월, 초희, 금란, 미란, 환서, 미월……. 이들이 누군지 아시겠소?”

광해가 갑자기 엉뚱한 소리를 하자 선조와 대신들은 모두 의아하게 생각하였다. 단 한 사람, 이승기만 빼고. 쌀쌀한 날씨에도 이승기는 식은땀을 뻘뻘 흘렸다. 지금 광해가 호명한 사람들은 이승기가 전쟁 중에 품었던 여인들이기 때문이다. 아무도 모르게 만났고, 귀신도 속였다고 생각했다. 그런데 강원도에 있는 광해가 그 사실을 알고 있다니……. 광해의 정보력은 어디까지 닿아 있는가? 참으로 그 끝을 알 수 없었다.

'광해는 진정 신의 능력을 가진 자란 말인가?'

이승기의 침묵으로 편전회의는 종결되었다.

광해는 편전 밖으로 나와 흰 눈밭을 걸어갔다. 박승종이 충성스러운 강아지처럼 종종걸음으로 그의 뒤를 따랐다. 둘은 말없이 한참을 걸었다. 눈 밟는 소리와 새 울음소리만 은은하게 들려왔다. 편전에서 멀어지자 광해가 조용히 입을 열었다.

"김성태의 동태를 파악하는 것은 어찌되어 가고 있습니까?"

"십 리 안에 모든 북파발꾼을 배치해 첩보 활동을 펼치고 있습니다, 저하. 개미 새끼 한 마리의 움직임까지 모두 감지하고 있으니 걱정하지 않으셔도 될 것입니다. 독 안에서 김성태가 아무리 움직여봤자 결국 부처님 손바닥 안입니다. 아, 저하! 오늘 꿈을 꾸었는데 낚싯줄에 허벅지만 한 큰 붕어가 잡혔사옵니다. 이게 무엇을 뜻하는 것이겠습니까? 금붕어가 바로 김성태가 아니겠습니까? 하하하."

"돌다리도 두들겨 보라는 말이 있습니다. 파발과 암행어사에 대한 이야기는 실록에도 기록하지 못하도록 되어 있습니다. 그만큼 깊은 어둠 속에 있는 자들이지요. 특히 김성태 그 자는 소리 나지 않는 방울 중에서도 오감이 가장 발달되어 있는 자입니다. 북파발을 십 리 더 전진시키세요. 그리고 북파발 사맹 사달수를 즉시 소환하시고요."

박승종이 대답을 하고 뒤돌아가자 광해는 연못을 향해 조용히 걸어갔다.

왜란이 발발하자 선조는 몽진을 결정하고 북으로 도망쳤다. 피난 중에 광해가 세자로 책봉되었고, 조정은 분조의 길을 택했다. 본 조정은 선조와 영의정, 우의정이 신의주에서 맡았고, 분조는 광해의 지휘 하에 함경도 등 북쪽 지방에서 근왕병을 모집하여 적에게 대항했다. 광해는 아버지인 선조의 빈자리를 대신해 군수 물자를 조달하고 의병을 모집하며 실질적인 군주의 역할을 해냈다. 광해는 왕의 자질을 모두 다 갖추고 있었다. 하지만 그는 적통이 아닌, 후궁의 자식이었다. 후궁의 자식이 옥좌에 차츰 가까워지는 것을 선조와 대신들이 가만히 보고 있을 리 만무했다.

광해는 북파발을 통해 선조와 이순신이 몰래 정보를 공유하고 있다는 정보를 입수했다. 이순신이 선조에게 힘을 실어준다면 자신의 세자

자리를 내어줘야 하는 것은 당연지사이고, 어쩌면 목숨까지 위험해질 수도 있었다. 그는 연못으로 가서 차가운 물에 손을 깨끗이 씻은 후, 연못 위에 둥둥 떠 있는 얼음 조각 하나를 손바닥에 올려놓았다. 얼음은 손의 온기에 조금씩 녹기 시작했다. 이를 지켜보던 광해가 혼잣말을 했다.

"세상의 모든 것이 다들 제자리를 찾아가려 하는데, 어찌 아바마마와 저만 제자리를 찾지 못하는 것입니까?"

3. 광해가 궁으로 돌아온 이유

선조와 한승겸이 편전을 나와 구불구불한 복도를 지나 침전으로 들어갔다. 둘은 침전으로 가는 동안 한 마디도 하지 않았다. 광해가 분조를 그만두고 궁으로 돌아온 이유에 대해 생각하고 있었기 때문이다. 침전으로 들어간 둘은 상선을 밖으로 내보낸 후 흔들리는 촛불 앞에서 은밀한 대화를 나누었다.

"전하, 지금까지 경기도와 강원도에서 분조를 이끌어 오셨던 저하께서 돌연 이곳에 오신 것은 우연을 가장한 구실일 뿐입니다. 진짜 목적은 한 사람을 견제하는 것입니다."

"비로 이순신이겠군."

"네, 전하. 지금 조선의 세력을 이끄시는 분은 두 분이옵니다. 한 분은 전하시고, 또 한 분은 북인의 지지를 받고 있는 세자 저하십니다. 그

중심에 백성의 영웅 이순신이 있사옵니다. 이순신을 얻는 자가 조선을 얻는다는 것을 세자 저하께서는 정확히 알고 계십니다."

"해서 세자가 이곳에 온 것이군. 이순신을 경계하기 위해서."

"그뿐만이 아닙니다, 전하."

선조는 광해를 어릴 때부터 신뢰해왔었다. 하지만 광해가 분조 활동을 하며 힘을 얻게 되자 조금씩 그를 경계하게 되었다. 광해의 힘을 제압하기 위해서 선조는 이순신이 필요했다. 자연스럽게 이순신과의 정보 공유도 필요하게 되었는데, 이를 도와주는 자가 바로 남파발 사맹 김성태였다. 그는 광해의 눈을 피해 이 년 넘게 선조와 이순신의 눈과 귀가 되어 주고 있었다.

"전하, 아뢰옵기 황송하오나, 세자 저하께서 전하와 이순신 장군의 관계를 알고 계신 듯하옵니다."

선조가 갑자기 마른기침을 하기 시작했다. 선조는 일부러 이순신을 싫어하는 척했다. 암행어사를 보내 규율을 어긴 이순신 장군을 질책하기도 하고 군사들을 빼앗기도 했다. 건방지다고 욕을 하기도 하고 옥사에 가두기도 했었다. 이 모든 것이 광해를 견제하기 위해서 일부러 꾸민 행동들이었다.

"대체 짐과 이순신의 관계가 우호적이라는 것을 세자가 언제부터 알았단 말인가?"

"정황상 그리 오래 되진 않아 보입니다."

"짐과 이순신의 관계를 알면서도 태연하게 거짓말을 하고 있었다? 이런 고얀 놈을 보았나. 분조의 취약점을 보완하기 위해 만든 파발을 자신을 위해 이용하다니."

"그리고 암행어사들까지도 저하를 따르고 있다는 첩보가 입수되었습니다."

"뭐라? 파발도 모자라 이제 암행어사까지! 십마, 십마가 등을 돌렸단 말이냐?"

선조가 분을 참지 못하고 목에서 붉은 피를 토해냈다. 소스라치게 놀란 한승겸이 벌떡 일어나 선조를 부축했다. 선조는 괜찮다며 손을 흔들었다.

"전하, 어의를 부르겠사옵니다."

"그러지 말게."

"전하."

"짐의 병이 알려지면 누구에게 득이겠는가. 가벼운 것이니 개의치 말게나."

"하오나……."

선조의 뜻이 완강해서 한승겸은 더 이상 병에 대한 말을 하지 않았다.

"전하, 정보를 입수한 자들은 틀림없이 북인의 첩보 세력인 북파발일 것입니다."

"세자가 짐과 이순신의 관계를 알고 있다면……."

"전하와 이순신 장군을 연결시켜주는 이 역시 노출되었을 것입니다."

"그 말은?"

"남파발 사맹 김성태가 위험에 노출되었단 말이지요."

"그러하다면 세자가 앞으로 취할 행동은……."

"세자 저하께서는 이순신 장군이 충신이란 것을 누구보다 잘 알고 계십니다. 이순신 장군을 손에 넣을 수도, 벨 수도 없다는 것 역시 잘 아시겠지요. 따라서 세자 저하께서 취할 수 있는 최상의 방편은 전하와 이순신 장군이 더 이상 정보를 공유할 수 없도록 김성태의 발을 묶어 두는 것입니다."

"김성태와 남파발이 세자의 도마 위에 올라가겠군."

"세자 저하께서는 첩보에 있어 주저하시는 분이 아닙니다. 이미 세자 저하께서 남파발을 섬멸하기 위해 북파발을 움직였을지도 모르는 일이옵니다."

"닌자도 모자라 북파발까지 남파발을 노리고 있다니."

"하루 빨리 남파발 사맹 김성태에게 알려야 합니다."

"하지만 어찌 전한단 말인가. 김성태는 지금 노량에서 올라오고 있네. 노량에서 이곳까지는 수천 개의 길이 있을 텐데……."

"김성태는 아무리 험하고 위험해도 가장 빠른 길을 택했을 것입니다. 그 길을 찾아 파발을 띄우면 될 것입니다."

"잠시 기다리게."

선조는 떨리는 손으로 종이 위에 글을 썼다. 자신이 쓴 글이 마음에 들지 않는지 종이를 찢더니 다시 글을 썼다. 쓰고, 찢고, 쓰고, 찢고를 반복했다. 그러기를 아홉 번, 마침내 쓴 글이 마음에 들었는지 고개를 끄덕였다.

"이 서찰을 은밀히 상선에게 전하게. 아니야, 상선은 믿을 수가 없어. 내금위장? 아니지. 내금위장 역시 믿을 수가 없어. 대체 누굴 믿고 누굴 버려야 하는 건지……."

"전하, 궁 안에는 세자 저하의 눈과 귀가 지척에 깔려 있습니다. 궁밖에서 찾아보심이 좋을 듯하옵니다."

"마음에 둔 자라도 있는가?"

"남파발꾼들 중에 김성태의 심복으로 발이 가장 빠른, 개발이라는 자가 있습니다."

"그렇다면 그에게 이 서찰을 전하게. 반드시 김성태가 오는 길을 열어줘야 할 것이야. 어서 가게. 어서!"

"네, 전하."

4. 흔들리는 이성

선조에게 서찰을 받은 한승겸이 침전을 빠져나와 편전을 지나서 보경당을 향해 걸어갔다. 내금위 병사 둘이 그를 미행했다. 그는 둘의 미행을 눈치챘지만 내색은 하지 않았다. 한승겸은 보경당 문을 열고 안으로 들어갔다. 내금위 병사 둘은 보경당 입구에서 보초를 서는 척하며 그가 나오기만을 기다렸다. 하지만 이각이 지나도록 그는 나오지 않았다. 잠시 후 후문에서 한승겸이 삿갓을 쓰고 남루한 옷차림으로 걸어나왔다.

병사들을 지나친 한승겸은 조심스럽게 주변을 살펴보았다. 다행히 쫓아오는 자는 없었다. 미리 준비해둔 말을 타고 쪽문을 지나 흥인지문을 통해 궁을 빠져 나갔다. 혹시라도 뒤를 쫓을 자객들을 대비해 저잣거리를 지나 달렸다. 다시 한 시진을 달리자 한산한 오솔길이 나왔다. 그의 눈에 마차에 깔려 괴로워하는 노인의 모습이 들어왔다. 노인을 구해줄 시간이 없었다. 하지만 그 마음이 어디 가겠는가. 그는 말에서 내려 묵직한 나무 하나를 주워 마차 바퀴 사이에 끼운 후 있는 힘껏 들어올렸다. 노인이 엉금엉금 기어 나왔다.

"다친 곳은 없으시오, 노인장?"

"아이고, 이 보잘것없는 늙은 목숨을 구해주시고……. 감사합니다, 나리."

"저자에 나가 치료를 받도록 하시오."

"아이고, 이 미천한 것을 위해 이리도 신경을 써주시다니, 몸 둘 바를 모르겠습니다요. 복 받으실 겁니다. 그나저나 한승겸 나리께서는 지금 이러고 있을 시간이 없을 텐데요. 김성태 사맹에게 파발을 띄우셔야죠."

한승겸은 소스라치게 놀랐다.

"네가, 네가 그것을 어찌 알고 있느냐?"

그의 말이 끝남과 동시에 십여 명의 포졸이 달려와 원을 그리며 그를 포위했다. 포졸들 중 유난히 입이 크고 얼굴에서 기름기가 흐르는 자가 한승겸을 향해 호통을 쳤다.

"잠시 몸수색을 하겠소!"

"어디에서 온 누구더냐?"

"내금위 도사 풍진이오! 파발의 비밀 자금을 빼돌리는 자가 있다는 제보가 들어왔소!"

"대체 누가 그런 제보를 한 것이냐? 증좌가 있는 것이냐?"

"제보자의 신변 보호를 위해 그건 말할 수 없소이다! 잠시 몸수색을 하겠소!"

그는 말에서 내려 한승겸의 의사와는 상관없이 몸을 수색했다. 한승겸의 품에서 서찰 한 장이 나왔다. 선조가 한승겸에게 준 서찰이었다. 이 서찰이 광해의 귀에 들어가기라도 하는 날에는 조정에 또 한 번의 피바람이 불 것이 뻔했다. 한승겸은 서찰을 빼앗아 도망쳤지만, 얼마 가지 못해 잡히고 말았다. 내금위 도사는 그의 손에 들려 있는 서찰을 빼앗아 읽고 난 후, 서찰을 흔들며 소리쳤다.

"똑바로 보시오! 이것이 파발의 비밀 자금을 빼돌린 증좌가 아니면 무엇이오? 이래도 발뺌을 할 것입니까?"

"파발의 비밀 자금이라니!"

한승겸은 내금위 도사 손에 들려 있는 서찰을 빼앗아 읽었다. 이럴 수가! 내금위 도사의 말대로 그 서찰은 파발의 비밀 자금에 관한 것이었다. 귀신이 곡할 노릇이었다. 이 서찰은 분명 선조가 한승겸에게 준 것 아닌가? 도대체 언제 바뀐 것인가? 한승겸은 궁을 나오면서부터 지금까지 겪었던 일들을 하나하나 돌이켜 보았다. 의심이 가는 자는 딱히 없었다.

'설마?'

한승겸은 즉시 뒤를 돌아보았지만, 그가 구해준 노인은 어디에도 없었다. 한승겸이 마차를 드는 사이 노인이 서찰을 바꿔치기한 것이 틀림없었다.

'그 노인은 대체 누구란 말인가? 보경당에서 나를 미행했던 두 명의 내금위 병사는 무엇이며, 지금 나를 포위하고 있는 포졸들은 또 어디에서 나타난 것인가? 이 모든 것이 처음부터 계획된 것이란 말인가? 내가 이 길로 갈 것을 어찌 알고……?'

순간 한승겸의 뇌리에 한 사람의 얼굴이 스쳐 지나갔다.

5. 북파발 사맹 사달수

광해의 집무실 안은 책장과 책상, 의자만 있었다. 사방에 세워져 있는 책장에는 신진사대부들의 정보에서부터 각 나라의 군사 정보에 이르기까지 상세하게 기록되어 있는 책들이 가득 채워져 있었다. 이곳에서 광해와 박승종, 그리고 십여 명의 학자들이 탁자에 앉아 파발들이 가져온 첩보를 분석했다. 모든 자료를 구체적으로 정보화한 후, 마지막으로 세분화하는 중이었다.

잠시 후, 칠을 하지 않은 거친 나무문이 열리며 노인이 들어왔다. 그의 쭈글쭈글한 손엔 한승겸이 마차를 드는 사이 몰래 바꿔치기한 선조의 어찰 한 장이 들려 있었다.

"저하, 원하시는 것을 가져왔습니다."

"서찰을 한승겸에게 돌려주세요. 한승겸 역시 풀어주시고요."

문서를 정리하고 있던 박승종이 화들짝 놀라며 말했다.

"저하, 어찌 다 잡은 물고기를 놓아주려 하십니까? 회를 떠야 합니다."

"한승겸은 칼과 권력에 굴복할 위인이 아닙니다. 그 자는 고려 때부터 내려온 봉수를 뒤엎고, 수많은 대신의 반대를 무릅쓰고 파발을 창시한 장본인입니다. 병판께서는 누군가 자신의 일거수일투족을 지켜보고 있다면 어떡하시겠습니까? 밥을 먹을 때, 일어날 때, 잠자리에 들 때도 말입니다. 병판의 일거수일투족을 지켜보고 있다면 어떻겠습니까?"

"그런 자를 가만히 두고 볼 수는 당연히 없지요. 당장에 잡아서 다리 몽둥이를……. 그게, 그러니까……. 만약 그러하다면 생각만 해도 끔찍하옵니다."

"누군가 자신을 지켜보고 있다는 공포가 한승겸의 이성을 집어 삼킬 것입니다. 동시에 한승겸을 믿고 있는 전하의 심기마저 흔들릴 것이고요. 전하와 한승겸의 이성이 흔들릴 때, 바로 그때를 노려야 합니다."

박승종은 광해의 지략에 혀를 내둘렀다. 노인은 광해에게 예를 갖춘 후, 나무 문을 안에서 밖으로 열었다.

문 밖에 누군가가 서 있었다. 북파발 사맹 사달수였다. 나이는 대략 삼십 대 중반으로, 팔 척이 넘는 키에 부리부리한 눈, 툭 튀어나온 광대와 짙은 눈썹을 갖고 있었다. 눈에선 굶주린 짐승에게서나 느껴질 법한 살기가 느껴졌고, 왼쪽 팔에는 화상 자국까지 진하게 있었다. 한마디로 짐승 같은 사내였다.

북파발의 노선은 복잡한 남파발과는 달리 드넓은 대지로 이루어져 있었다. 해서 지구력이 뛰어나고 체격이 좋은 태양인들이 북파발의 첩보원으로 활동했다. 사달수의 허리춤에도 남파발 사맹 김성태와 마찬가지로 소리 나지 않는 방울이 세 개 달려 있었다. 노인은 범상치 않은 그의 모습을 보자 자신도 모르게 길을 열어주었다. 그는 노인의 옆을 지나 성큼성큼 안으로 들어와 소리쳤다.

"북파발 사맹 사달수! 저하의 부름을 받고 왔사옵니다!"

목소리가 어찌나 크고 웅장한지 집무실 안이 쩌렁쩌렁 울렸다. 광해가 너털웃음을 지으며 말했다.

"지붕 주저앉겠네. 자, 이쪽으로 오게."

사달수는 광해의 맞은편 의자에 앉았다. 그의 몸 크기에 비해 의자가 작았다. 마치 어른이 아이 의자에 앉은 것처럼 보였다. 김이 모락모락 나는 차 한 잔을 마신 광해는 박승종에게 모두 나가 있으라는 명을 내렸다.

다 나가고 박승종과 사달수만 남아 있자 광해가 박승종을 향해 부드럽게 말했다.

"병판."
"네? 혹시, 저도요?"

광해가 고개를 끄덕이자 박승종은 아쉬움을 뒤로하고 천천히 일어나 밖으로 나갔다. 모두 나가고 사달수만 남게 되자, 광해는 사달수를 향해 조용히 입을 열었다.

"전하와 이순신이 정보를 은밀하게 공유하고 있다는 정보가 입수되었다."
"이번에도 역시 전하의 일방적인 독선일 것입니다."
"하지만 이순신은 충신이다. 이 사실로 더욱더 명확해졌다. 아바마마께서는 날 허수아비로 생각하고 계셨던 것이다."
"그건 전하만의 어심이십니다. 다른 이들은 그리 생각하지 않습니다, 저하."
"내가 왕이 되는 것을 어렵게 하는 불안 요소가 두 가지 있다. 하나는 이순신이다. 전하와 이순신은 지금껏 모든 자를 속여 왔다. 실제적으론 우호적인 관계였으나, 서로 미워하는 척, 서로 죽이려는 척, 서로 앙숙인 척하며 모든 자를 기만했다."

"모든 것이 바로 저하를 경계하기 위함이었습니다."

"이순신은 지금 백성들에게 왕 이상의 지지를 받고 있다. 그런 그가 전하의 손을 들어주는 날에는, 아니 들어줄 수밖에 없을 것이다. 이순신은 충신이니까. 두 번째는 바로 남파발이다. 남쪽에서 올라오는 첩보를 남파발이 확보하고 있다."

"남파발을 잡기 위해선 남파발 사맹 김성태를 저희 편으로 만들어야 합니다. 하지만 그 자는 권력과 협박에 움직이는 자가 절대 아닙니다, 저하."

"가질 수 없다면 버려야겠지. 남쪽의 다람쥐들은 어찌 되어 가고 있는가?"

"아홉을 잡아들였습니다, 저하. 그런데 닌자가 움직인다는 유언비어를 퍼트려 놓은 연유가 있으신 겁니까?"

"김성태와 남파발을 모두 섬멸한 후, 수사에 혼돈을 주기 위한 작은 움직임이었다. 하지만 왜적도 언젠가는 파발의 존재를 파악할 것이다. 그때가 되면 도요토미의 닌자가 움직이겠지. 사달수 사맹은 이순신이 한성에 입성하기 전까지 반드시 남파발꾼들을 섬멸해야만 한다. 그런 후에 북파발의 믿을 만한 자들로 남파발을 재정비하거라. 시간이 없다. 모든 것이 달포 안에 이루어져야 한다."

"저하의 명 받들겠습니다! 그런데, 서쪽의 여우들은 어찌 하실 겁니까, 저하?"

"그들은 정치에 관심이 없는 자들이다. 고조선의 상을 가진 자를 기다리고 있다고 한다. 정확한 정보가 아닌 미신이나 믿고 있는 자들이니 신경 쓸 거 없다. 하지만 돌다리도 두들겨 보라는 말이 있다. 해서 서파발에 믿을 만한 첩자들을 심어 놓았다. 서파발도 조만간 접수해야겠지."

남파발과 서파발을 접수한다는 말에 사달수는 묘한 흥분을 느끼고 있었다.

"그건 그렇고, 저하, 누르하치의 움직임이 심상치 않습니다. 명나라의 동창과 같은 첩보 기관을 만들었다는 정보가 입수되었습니다."

"명나라는 이번 전쟁으로 누르하치까지 신경 쓸 여력이 없을 것이다."

"누르하치가 명나라와 조선에 이미 첩자를 보냈다는 첩보가 떠돌고 있습니다."

"사달수 사맹."

"네, 저하."

"앞으로는 명나라가 아닌 누르하치를 경계해야 한다."

"하지만 저하, 작은 부족국가들뿐이옵니다. 지금껏 수많은 영웅호걸들이 그들을 일통하려 했지만, 아무도 그 일을 이루어내지 못했습니다."

"그들은 힘을 사용했기 때문이다."

"네?"

"누르하치는 나와 같은 생각을 하고 있어."

"……."

"정보를 가진 자가 세상을 다스린다."

"정보!"

"누르하치는 지금 힘이 아닌 정보로 일통을 이루어 내려 하고 있다."

"그래도 명나라는 호랑이 같은 존재이고, 그에 비하면 누르하치는 새끼 고양이에 불과합니다."

"정보가 있다면 고양이가 호랑이를 잡을 수도 있다. 그것이 바로 정보의 힘이다. 지금은 서파발과 누르하치도 중요하지만, 남파발 섬멸이 우선이다. 안방 불부터 꺼야겠지. 나는 사달수 사맹만 믿겠다. 지금 즉시 노량에서 올라오는 김성태를 잡아들여라. 틀림없이 이순신의 문서를 가지고 궁을 향해 올라올 것이다. 전하께서 어떠한 정보를 공유하고 계시는지 꼭 알아야겠다."

"전하와 이순신이 정보를 공유하지 못하도록 반드시 김성태를 잡아들이겠나이다, 저하!"

사달수는 결심이 섰는지 광해의 눈을 똑바로 응시했다. 병조판서 박승종은 단 한 번도 광해의 눈을 똑바로 응시한 적이 없었다. 하지만 사달수는 확고한 결단이 섰을 때 광해의 눈을 똑바로 응시해왔다. 목숨을 걸겠다는 의미와도 같았다. 광해는 그런 사달수를 그 누구보다 신뢰했다.

광해는 의자에서 일어나더니 서편에 위치한 책장으로 걸어가 책장에 꽂혀 있는 책들을 다시 배치했다. 그러자 둔탁한 소리와 함께 책장이 양쪽으로 열렸다. 그 안에는 떡갈나무로 만든 작은 공간이 있었고, 공간 안엔 세 개의 대나무 통이 들어 있었다. 각각의 통엔 南, 北, 西라는 글이 새겨져 있었다. 파발도였다. (파발도는 파발꾼들이 정보를 보다 빠르게 공유할 수 있도록 만든 지도로, 백구십사 개의 참의 위치와 조선에서 가장 빠른 지름길이 그려져 있다. 크게는 궁에서 의주에 이르는 서파발, 궁에서 경흥까지의 북파발, 궁에서 동래까지의 남파발로 이루어졌으며, 각 파발은 지역에 따라 직로와 간로로 나뉘어졌고, 여기에 각 요충지마다 참을 설치한 것이 전국 팔 도에 백구십사 개나 되었다. 서파발에는 직선으로 뻗은 직로에 서른여덟 곳의 참, 가지처럼 뻗은 간로에 마흔여덟 곳의 참이 설치되었고, 북파발은 직로에 예순네 곳, 간로에 열 곳 그리고 남파발에는 직로에만 서른넷 곳의 참이 설치되었다. 직로에는 크게 세 개의 노선이 있었고, 간로에는 모두 다섯 개의 노선이 거미줄처럼 연결되어 있다.)

광해가 파발도를 들고 와 사달수에게 내밀자 사달수는 눈이 휘둥그레졌다. 그는 파발도의 존재 가치를 너무도 잘 알고 있었다. 만에 하나 파발도가 적의 손에 넘어가는 날엔 조선의 모든 통신수단이 마비되고 말 것이다. 그는 이것이 너무나도 큰 짐이라 생각하여 선뜻 손을 내밀지 못했다. 하지만 그만큼 광해의 신임을 얻고 있다는 뜻이기도 했다.

"팔 떨어지겠다."

"저하, 하지만 이 파발도가 적들의 손에 넘어가는 날에는 조선의 모든 정보 체계가 마비되고 말 것입니다."

"이 파발도는 앞으로 조선의 국력이 될 것이다. 하지만 아직은 완성된 게 아니야. 파발도는 만들어진 지가 불과 일 년도 되지 않았어. 분명 지금보다 더 빠른 길이 있을 것이고, 더 안전한 참이 있을 것이다. 사달수 사맹은 남쪽의 다람쥐들을 모두 잡아들인 다음, 이 파발도를 더욱 발전시키도록 하라. 그것이 바로 이 조선이 강해지는 길이다."

"저하, 김성태를 기필코 잡아 전하와 이순신이 더 이상 정보를 공유할 수 없게 하겠나이다! 더불어 파발도 역시 저하에게 온전하게 돌려드리겠나이다!"

사달수가 파발도를 공손하게 받자, 광해는 너털웃음을 지은 후 술잔을 내밀었다. 사달수는 광해가 따라주는 술 세 잔을 연거푸 마신 후, 예를 갖추고 밖으로 나갔다.

➤•◄

누군가 땀을 뻘뻘 흘리며 말을 정성껏 빗질하고 있었다. 북파발 부사맹 사주였다. 그 역시 팔 척 장신의 짐승 같은 사내였다. 눈썹은 짙고, 턱에는 털이 수북하게 나 있었고, 광대뼈는 툭 튀어 나와 있었고, 입술은 두툼했다. 하지만 눈이 밑으로 쳐져 웃는 상이었다. 나이는 대략 이십 대 초반이었다. 그는 사달수 손에 들려 있는 세 개의 통을 보자 호기가 생겼다.

"아주바이, 기거 혹시 파발도 아닙메? 저하께서 파발도를 아주바이
에게 위임한 것입메까?"

"그 방정맞은 호기심에 엿을 발라주랴? 말은 어디에 있느냐?"

사주가 어깨를 들썩이며 뒤를 돌아봤다. 말 두 필이 깨끗하게 손질되
어 있었다. 다른 말들에 비해 몸집이 유난히 크고 장대한 말들, 북방에
서만 서식하는 호마였다. 북쪽 길은 넓은 들판이 많아 지구력이 뛰어
난 북방의 호마를 주로 사용했다.

사달수가 혀를 찼다.

"쯧쯧쯧. 흰 쌀밥 먹고 할 짓이 이리도 없더냐?"

"아주바이도 말을 좀 꾸미라우. 말이나 애미나이는 장식해야 멋뜨레
지는기요. 을마나 좋습매까. 윤기가 좌르르르 사간인 것이 에미나이 머
릿결 같지 않습메? 기리고 거 데발 말 리름 좀 짓자우. 아주바이의 말
은 북켠에서도 따라 올 말이 없다는 명마 중의 명마인데 리름이 없어
리름이. 기림자조차 보이지 않는다는 조조의 말 절영! 하루에 천 리를
댈린다는 관우의 적토마! 이 조선을 세우는 데 큰 공을 세운 리성계의
팔준마! 남파발 사맹 김성태의 주작! 서파발 사맹 이주영의 백영! 헌
데 아주바이는 뭐드메? 말을 기냥 말이라고 부르잖습메? 말을 말이라

부르는 것은 사람한테 기냥 사람이라고 부르는 것 하고 똑같지 않습메까?"

"말이 잘 먹고, 잘 싸고, 잘 달리면 되는 것이지, 이름 따위가 뭐가 그리 대수더냐? 김성태 잡으러 간다."

"김…… 뉘기요? 남파발 사맹 김성태 말입메까? 내래 자심감이 없다우. 딱 한 번 말을 가티 몰아 본 적이 있었는데, 말 모는 솜씨가 귀신 뺨 칩메다. 김성태가 타는 기 주작이라는 말, 무슨 말이 높은 땅을 오르는데 기리도 가볍게 오르는디? 이기는 말이 아니라 사슴입메다. 김성태를 잡느니 기럴 바에는 범을 잡갔소. 내래 여기 중켠에 남아 있갔소."

사주가 고개를 흔들며 뒤를 돌아보자, 사달수는 이미 말을 타고 저 멀리 달려가 버렸다. 사주는 입술을 쭈뻿거리며 자기 말 심상사성(마음 먹은 대로 이뤄진다는 뜻으로 《금강경》에 있는 말)에 올라, 양 발로 허리를 차며 소리쳤다.

"어쩔 수 없지메. 가자, 심상사성. 김성태 사냥하러!"

사달수와 사주는 물 한 모금 마시지 않고 남쪽을 향해 반나절을 달렸다. 말들의 입에서 거친 숨소리가 들려왔다. 시냇가로 가 얼음을 깨고 말들에게 물을 먹인 후, 곧바로 다시 달렸다. 둘은 달리는 말 위에서 땡땡 얼어붙은 고구마로 끼니를 때웠다. 사달수가 봇짐에서 "南(남)"이라 써져 있는 통을 꺼내 뚜껑을 열어보니, 그 안에는 종이 뭉치가 오십여 장 들어 있었다. 그중 한 장을 꺼내 사주에게 내밀었다. 종이 위에는 남파발의 참 위치와 참과 참을 연결하는 수백 줄의 길이 그려져 있었다.

"가장 빠른 길을 찾거라."

사주는 지금 타고 있는 말의 체력과 지구력, 속도 그리고 말을 모는 기수의 체력과 집중력을 고려해 가장 빠른 길을 찾기 시작했다. 잠시 후 지름길을 찾아내고는, 지도의 한쪽을 보여주며 사달수에게 말했다.

"산 능선으로 가면 될 것 같습메다. 아주바이와 내래 기리고 호마가 빨리 뛸 수 있는 최적의 길입메다."
"능선 쪽은 너무 돌아가지 않더냐."
"그럼……, 이켠 강을 건너는 것은……?"
"강 역시 돌아가고 있지 않느냐. 산기슭으로 간다."
"이켠은 나무가 많습메다. 북켠의 호마는 덩치가 커 좁은 숲속에선 불리하단 말입메다."
"시간이 없다."
"아니, 뭐 이런! 아주바이 맴대로 할 거였으면 내한테는 왜 물어 본 겁메까? 첫감부터 아주바이가 찾으면 됐잖습메!"

사달수는 사주의 말을 무시하고 호마를 몰아 달렸다. 사주는 투덜거리며 사달수의 뒤를 따랐다. 산을 두 번 넘고 강을 세 번 건너자 다시 산이 나왔다.

"아주바이, 기나저나 김성태를 왜 사냥하려는 것입메까?"

"전하와 이순신이 정보를 공유하고 있다는 정보가 입수되었다."

"이런 간나! 대체 던하께서는 왜 그럼메? 이젠 하다하다 리순신까지 꼬득여 세자 저하의 힘을 약화시키려는 것입메까? 아니 세자로 한 번 책봉하였으니 나중에 왕위를 물려주면 될 것이디, 이번이 대체 몇 번째요. 아니 무시기 일국의 세자 자리가 포청의 포졸 자리도 아니고, 세자 책봉했다가 철회하고, 다시 책봉했다가 다시 철회하고! 무슨 왕이 이리도 우유부단하단 말입메까? 그 우유부단함이 백성 삼십만 명의 목심을 잃게 한 것입메다!"

"이놈. 주둥이 나불거리는 것이 꼭 선술집 주모 같구나! 길은 잘 찾아가고 있는 것이냐?"

"내래 어찌 보시고! 내래 외우는 능력 하나는 조선 최고 아니갔소?"

말은 이렇게 당당하게 했지만 이 길이 저 길 같고, 저 길이 꼭 이 길 같았다. 사달수는 눈동자를 굴리며 불안해하는 사주를 보자 수상한 생각이 들었다.

"뭐하는 것이냐?"

"좀 작게 말하시라요. 귀빵맹이 찢어지갔소! 은밀하게 움직여야 하는 파발의 목소리가 그리 커서 되겠수? 알았소, 거 좀 기렇게 낮도깨비처럼 째려보지 마시라요. 기게 기니까데⋯⋯. 이켠으로 왔으니께니 이젠 저 너머로 가야 되지 않칸나? 아닌가? 조금 전에 이켠으로 왔으니⋯⋯. 아니, 남켠의 길은 왜 이렇게 복잡한지 모르갔네. 돌도 많고, 산도 많고, 물도 많고."

"네놈! 혹시, 길치더냐?"

"내래 기런 사람 아니야요."

"이런 개 대가리 같은 놈을 보았나! 길치였구나!"

사달수는 마상월도를 들어 사주를 향해 휘둘렀다.

6. 주작의 하혈

김성태와 남파발꾼들은 쉬지 않고 숲속을 달렸다. 갑자기 김성태의 말, 주작의 엉덩이에서 피가 흘렀다. 김성태는 급히 멈추고 포골과 발굽, 제관, 비절을 살펴보았다. 다리에는 이상이 없어보였다. 이번엔 등에 배부추골과 요추골을 눌러봤다. 역시 별다른 반응이 없었다.

'이상이 없는데 왜 하혈을 한단 말인가?'

설마 하는 마음에 주작의 배를 만져봤다. 주변을 경계하고 있던 마철이 김성태의 심각한 표정을 보고 물었다.

"대장, 주작이 맥없이 하혈을 하고 있소. 몽니 부리지 말고 싸게 싸게 말을 해보쇼! 갑갑질 나 죽겠소. 어디 탈이라도 난 것이오?"

"주작이…… 새끼를 가졌구나."

"네?"

태조 이성계에게는 조선을 세울 때 큰 공을 세운 여덟 마리의 명마가 있었다. 유린청(遊麟靑), 횡운골(橫雲鶻), 추풍오(追風鳥), 발뢰자(發雷赭), 용등자(龍騰紫), 응상백(凝霜白), 사자황(獅子黃), 현표(玄豹). 이렇게 여덟 마리의 말을 통칭해 이성계의 팔준마라 불렀다. 그중 이성계가 가장 아꼈던 말은 유린청으로, 이성계의 목숨을 두 번이나 구해준 명마 중의 명마였다.

이성계는 유린청이 죽었을 때 석조에 넣어 제사까지 지내줄 정도로 유린청을 아꼈다. 김성태의 주작은 그 유린청의 피를 이어받은 말로, 암컷임에도 수컷의 힘을 갖춘 명마였다. 선조는 김성태에게 그 명마를 하사하였다.

주작이 새끼를 가졌다는 것은 김성태도 모르고 있던 일이었다. 아마도 선조에게 하사받기 전에 이미 새끼를 가졌을 가능성이 가장 높았다. 김성태는 주작이 새끼를 뱄다는 사실이 기뻤지만, 지금은 이순신의 서찰을 한시라도 빨리 선조에게 전달해야 하는 일이 급선무였다. 즉시 주변을 철저하게 경계하고 있던 남파발꾼 세 명을 불러 명을 내렸다.

"이순신 장군의 문서를 노리는 자들이 주변에 있을지 모르니 마철은 나와 함께 움직이고, 동석과 영춘 너희 둘은 가장 가까운 남파발 참으로 가 주작의 하혈을 멈출 수 있게 따뜻한 물을 준비해 두거라. 나와 마철이 도착하는 즉시 말을 바꿔 타고 갈 것이다."

7. 남파발 참

땅거미가 지는 한적한 숲속은 온통 흰 눈으로 덮여 있었다. 숲 오른쪽
으로 작은 오솔길이 보였고, 굵직한 고드름이 주렁주렁 매달린 폭포수
는 일대 장관을 이루고 있었다. 저 멀리 구름에 가려진 산봉우리들은
흰 병풍을 연상케 했다.

폭포 오른쪽 오솔길을 따라 가다 보면 마구간이 딸려 있는 작은 통
나무집이 하나 보였다. 마구간 앞에는 오줌장군과 고무래, 끙게, 소매
구뎅이가 잘 정리되어 있었고, 통나무집 굴뚝에는 연기가 피어오르고
있었다. 궁에서 경기도, 충청도, 경상도에 이르는 남파발에는 모두 서
른네 곳의 참이 비밀리에 설치되었는데, 이곳은 바로 충청도 깊은 산
골에 위치한 남파발의 열일곱 번째 참이었다. 군정 두 명은 발목까지
쌓인 눈을 치우고 있었고, 군정 한 명은 말에게 여물을 주고 있었다. 또
다른 군정 한 명은 부엌에서 음식을 만들고 있었고, 뚱뚱한 군정은 코

를 훌쩍거리며 땔감을 만들기 위해 도끼질을 하고 있었다. 참의 우두머리인 발장과 그의 조수인 색리는 따뜻한 참 안에 있는 의자에 앉아 대력(파발꾼들이 참을 거쳐 갈 때마다 기록해 놓는 문서로 발장이 관리한다.)을 정리하고 있었다. 이렇듯 각각의 참엔 발장 한 명과 색리 한 명 그리고 참을 지키는 군정 다섯이 한 조를 이루고 있었다.

대력을 훑어보던 발장이 미간을 구기며 색리를 바라보았다.

"남파발이 미시(오후 1~3시)에 도착했는데, 어찌 대력에는 나선 시각이 보이지 않는 것이냐?"

색리는 머리를 긁적거리며 대력을 확인했다. 하지만 아무리 확인해도 남파발꾼이 들어온 시간만 있지 나선 시간은 없었다. 땔감을 가지고 들어오던 뚱뚱한 군정이 발장과 색리의 대화를 들었는지 둘의 대화에 끼어들었다.

"미시에 오신 남파발꾼은 간단하게 배만 채우시고 바로 길을 나섰습니다. 먹은 음식을 제가 치웠으니 정확할 것입니다. 육포와 철질려를 챙겨 드렸고, 말 한 마리와 안장 하나를 바꿔 줬습니다."

뚱뚱한 군정의 말을 끝까지 경청한 발장은 색리를 향해 혀를 찼다.

"쯧쯧. 색리라는 자가 군정보다 못하다니. 그리고 보니 얼마 전에도 이런 일이 있지 않았더냐? 네놈은 이곳 참에 배치된 것이 달포가 넘었는데 어찌 아직까지도 밥벌이 하나 못하는 것이냐? 대력을 등한시한 자, 회피한 자는 모두 엄벌에 처해지는 것을 모르느냐? 또다시 이런 일이 있을 시에는 군법으로 엄히 다스릴 것이다. 한 식경 후라고 기록하거라."

그때 둔탁한 나무 문이 열리며 겨울 한파를 등지고 남파발꾼 두 명이 들어왔다. 이 둘은 김성태의 명을 받고 먼저 길을 나선 동석과 영춘이었다. 둘은 눈을 털고 들어와 탁자 앞으로 가서 필요한 말의 수와 무기, 식량 등을 대력에 기록한 후에 자신들의 품에서 소력(대력은 참에서 관리하였고 소력은 파발꾼들 각자가 관리하였다. 파손되거나 거짓으로 적어 대력의 내용과 다르게 될 시 엄벌에 처해졌다.)을 꺼내 기록을 남겼다.

대력을 확인한 색리가 고개를 갸우뚱하더니 동석에게 물었다.

"사람은 둘인데 어찌 말은 네 필이나 필요한 것입니까? 파발꾼 한 명에게 말 한 마리만 지원됩니다. 무기와 식량 역시 두 분이 쓰기엔 좀 많아 보이고요."

"김성태 사맹님과 마철 부사맹님이 도착할 것이오. 두 분이 도착하믄 바로 말을 바꿔 한성으로 갈 것이니, 필요한 것들을 준비해 주쇼. 타고 온 말들은 맬겁시 건드리지 말고, 여물이랑 물이나 넉넉히 주고……, 한 식경 후에 뜨끈뜨근한 물도 좀 준비해 주쇼."

"아이고 미리 말씀을 하시지. 잠시만 기다리쇼. 내 언능 가서 준비하겠습니다요."

색리는 코를 훌쩍거리며, 화로에 땔감을 넣고 있는 뚱뚱한 군정을 데리고 밖으로 나갔다. 동석과 영춘은 화로 앞으로 가서 꽁꽁 얼어붙은 몸을 녹였다. 잠시 후 색리가 차 두 잔을 가지고 들어와 동석과 영춘에게 주며 말했다.

"안장 네 개와 말 네 필 그리고 철질려와 육포를 준비해뒀습니다. 일행이 오실 동안 따뜻한 차라도 한 잔 하면서 기다리시죠."

"고맙소."

동석과 영춘은 차를 받아 마셨다. 색리가 동석에게 물었다.

"어디에서 올라오는 길입니까?"

"노량인디요."

"노량이라면 이순신 장군님께서 왜적과 대치하고 있는 곳 아닙니까?"

"그렇소만."

"어찌 되어 가고 있습니까?"

"고것이 우열을 가리기가 참말로……, 차 향이 좋소이다. 무슨 차요?"

"민들레차입니다."

"아따, 민들레 냄시가 이리 좋은지 내 첨 알았소. 군산으로 돌아가면 어매도 찐하게 한 잔 맹글어 줘야겄소."

"향만 좋은 것이 아닙니다."

차를 한 모금에 마신 동석이 창밖을 응시했다. 그런데 갑자기 눈앞이 흐릿해지며 다리의 힘이 풀리고 말았다. 영춘이 다가가 동석을 부축했다.

"갑자기 왜 근다냐?"

"이상스럽고만……, 맥없이 대그빡이 뽀개질 것 같고만."

"어허, 파발꾼 그만둘 때도 됐네 그려."

"시방 뭔 소리여! 앞으로 십 년은 더 김성태 사맹님 곁에 있는당께."

"또 꺼덕댄다 꺼덕대. 그나저나 괜찮은 것이여? 하긴 하루 종일 잠도 안 자고 담박질을 했으니 탈이 날만도 혀. 아따 저 멀리 굴뚝 연기를 보니께 마누라가 대아지개기 푸짐허게 넣고 끓여 준 김치찌개가 생각나는고만……."

"그나저나 대장이 좀 늦는 것 같지 않은가?"

"어허, 걱정도 팔자고만. 조선 팔도에서 우리 대장에게 칼침 놓을 수 있는 자는 몇 안 된 당께. 북파발 사맹 사달수, 서파발 사맹 이주영은 삐까삐까 허고, 금군의 수장 내금위장도 대장보단 한 수 밑이고……."

"한 명 있잖여, 범접할 수 없는 인물."

"설마 암행어사의 수장인 십마가 이곳에 있겄어? 갈 길이 멀고만. 궁둥이 좀 붙이고 있으랑께. 나가 잠시 나가서 주변을 꼬꼬비 살피고 올 테니께. 아따, 왜 그런다냐……, 갑자기 대갈빡이 빙빙……."

순간 영춘의 눈앞도 흐릿해지며 온몸에 힘이 빠지기 시작했다. 영춘은 집히는 바가 있어 고개를 돌려 탁자 위에 있는 민들레차를 응시했다. 그와 동시에 문이 열리며 군정 넷이 창을 들고 들어와 동석과 영춘을 포위했다. 군정들이 갑자기 엉뚱한 행동을 하자 발장은 칼을 뽑아 들었다.

"이놈들 대체 이게 무슨 짓이더냐! 파발꾼들을 지켜야 할 군정들이 감히 파발꾼들에게 창을 겨누느냐! 당장 내려 놓거라! 그렇지 않으면 너희들을 군법으로 다스릴 것이다."

발장 뒤로 숨어든 색리가 발장의 목을 그었다. 발장은 그 자리에 쓰러져 숨을 거두고 말았다.

"그놈의 군법! 군법! 아주 그냥 듣기 싫어 죽겠어!"

색리가 군정들을 향해 말했다.

"이거 치우고 남파발꾼 둘을 밧줄로 묶어."

군정들은 발장의 시체를 치우고 동석과 영춘을 포박했다. 색리는 피묻은 칼을 소매로 닦으며, 약 기운에 취해 있는 동석과 영춘을 향해 소리쳤다.

"이순신 장군의 피각대는 어디에 있을까?"

"이런 후리아덜 놈들이 뒈질려고, 아주 환장을 헸고만! 어따 대고 병조판서도 맘대로 헐 수 없는 방울 세 개인 피각대를 넘봐 넘보긴! 모가지가 몇 개라도 되는 겨!"

"이놈의 파발들은 언제 죽을지 모르는 상황에서도 당황하질 않아. 곰은 쓸개 때문에 죽고, 사람은 뭐 때문에 죽는지 알아? 바로 주둥이 때문에 죽어, 이놈아!"

"그래서 아까부터 숲에서 몰래 숨어 기다렸다냐? 쥐새끼 마냥?"

"그래. 집 나간 마누라도 안 기다리는데 이 지긋지긋한 곳에서 달포나 기다렸어!"

"근디 어찌 알았디야? 우리가 그쪽으로 갈 것을? 혹시 니들도 파발이여? 어디여? 서파발이여, 북파발이여? 싸게 말 허랑께! 설마……, 우리랑 같은 남파발은 아니겄지?"

"정승 집 곳간에 보리쌀 몇 포대가 있는지가 왜 궁금해? 아서. 알면 다쳐."

말을 마친 색리는 동석과 영춘의 품을 뒤졌다. 하지만 피각대는 보이지 않았다. 둘의 품에서 소력을 빼앗아 읽어 내려갔다. 소력에는 파발꾼들의 이동 경로뿐 아니라 개인적인 내영까지 정리해두기 때문이다. 하지만 소력에는 별다른 사항이 기록되어 있지 않았다.

그때 밖에서 발자국 소리가 들려왔다. 색리와 군정들은 창을 고쳐 잡고 문을 향해 조용히 걸어갔다. 잠시 후, 문이 서서히 열렸다. 문을 열고 들어온 사람은 다름 아닌 뚱뚱한 군정이었다. 긴장이 풀린 색리는 뚱뚱한 군정의 뺨을 때렸다. 영문도 모른 체 뺨을 얻어맞은 군정은 두 눈을 부릅떴다. 바닥에 피가 홍건히 고여 있고, 남파발꾼 둘이 쓰러져 있었다. 그리고 한솥밥을 같이 먹었던 군정들은 창을 들고 있었다. 뭔가 심상치 않은 일이 벌어지고 있다고 생각한 군정은 마른 침을 꿀꺽 삼켰다. 그가 들고 있는 따뜻한 물에서 김이 모락모락 피어올랐다. 색리는 그 전과는 달리 날카로운 목소리로 뚱뚱한 군정을 대했다.

"다들 먹을 것이 없어 굶어 죽어가는 판에 네 놈은 뭘 먹고 그리 몸이 분 것이야?"

"물만 마셔도 살이 찌는 체질입니다."

"그럼 물도 마시지 마! 한심하고 우둔한 놈. 늑대 밥이 되고 싶지 않

거든 화로에 나무나 넣어. 참 안이 지글지글 끓게 팍팍 넣으라고! 그동
안 추워 뒈지는 줄 알았네."

"네, 나으리."

뚱뚱한 군정은 뜨거운 물을 탁자 위에 올려놓은 후에 화로에 나무를
넣었다. 동석과 영춘은 몽롱한 정신이었지만 빠져나갈 방법을 생각하
려고 애를 썼다. 동석은 뚱뚱한 군정에게 구원을 청하는 눈빛을 보냈
다. 군정은 난처한 듯 주위를 둘러보며 고민했다. 포박당한 남파발꾼들
을 도와줘야 할 것 같지만 자신의 목숨이 위태로웠다. 어머니가 늘 말
했던 '불의를 보면 참지 말거라.'와 아버지가 늘 말했던 '남의 싸움에
끼어들지 말거라.'가 뒤섞이며 잠시 고민에 빠졌다. 하지만 불의를 보
고 참는 것은 사내의 길이 아니라고 생각한 그는 조심스럽게 움직여
동석과 영춘의 포박을 끊었다. 그리고 동석과 영춘을 향해 무언의 신
호를 보낸 후, 밖에서 경계를 서고 있는 군정들에게 뜨거운 물을 퍼부
었다. 군정들은 방방 뛰며 욕을 해댔다. 그 틈을 타 동석과 영춘이 군정
들에게 칼을 휘둘렀다. 검광이 휘날리며 혼전이 벌어졌지만 독에 취한
동석과 영춘은 끝내 무릎을 꿇고 말았다.

다시 눈이 내리기 시작했다. 까마귀 울음소리가 들려왔다.

→•←

잠시 후, 김성태와 마철이 남파발 참 문을 열고 들어왔다. 순간 피 비

린내가 진동했다. 김성태는 날카로운 시선으로 주변을 둘러보았다. 색리는 의자에 앉아 대력을 정리하고 있었고, 군정 넷은 삐거덕거리는 나무 바닥에 앉아 녹이 쓴 창과 가죽 방패를 손질하고 있었다. 그중 한 놈이 불안한 듯 다리를 떨었다. 김성태가 한 발 내딛자 나무 바닥이 '삐거덕' 하고 소리를 냈다. 고개를 숙여 밑을 바라보았다. 나무 바닥 틈새에 미처 닦지 못한 붉은 피가 엷게 고여 있었다. 그는 의자에 앉아 있는 색리에게 방울 세 개를 보여주며 물었다.

"혹 남파발꾼 둘이 오지 않았소?"
"어디 보자. 사시(오전 9~11시)에 남파발꾼 두 분이 다녀갔는데······."
"한 식경 안에는 없었소?"
"한 식경이요? 한 식경 안엔 없었습니다. 이곳의 산세가 워낙 험해서 한두 번 오신 분들도 길을 잘 찾지 못하십니다. 곧 오시겠죠. 아이고, 이럴 것이 아니라 화로 가까이에서 몸이라도 녹이면서 기다리시죠. 자, 이쪽으로."

색리는 군정 한 명에게 차를 내오라는 명을 내린 후, 김성태와 마철을 따뜻한 화로 가까이 안내했다. 자연스럽게 창과 방패를 손질하고 있는 군정들에게 등을 보였다. 김성태가 색리에게 물었다.
"참의 두 명은 어디 간 것이오?"
"두 명이요?"

"참을 책임지고 있는 발장과 그를 돕는 색리 한 명 그리고 참을 지키는 군정 다섯, 이렇게 일곱이 있어야 하는데 어찌 두 명이 보이지 않는 것이오?"

"아! 발장 나리께서 군정 하나를 데리고 토끼 사냥을 나갔습죠. 전쟁으로 참마다 먹을 음식이 부족해서 말입니다. 이 지긋지긋한 전쟁이어서 끝나야 할 텐데……. 그래야 설날에 연도 날리고, 단오에 널뛰기도 할 것 아닙니까. 풍등 구경한 지도 오래되었습니다. 어머니가 풍등을 참 좋아하셨는데……."

색리는 그럴싸하게 한숨을 내쉬었다. 김성태는 색리를 의심했다. 이 추운 겨울에 발장이 직접 토끼 사냥을 나갔다는 것도 수상했지만, 별 것 아닌 질문에 당황한 기색이 드러났기 때문이다. 하지만 김성태는 아무런 내색도 하지 않았다. 잠시 후, 군정 한 명이 따뜻한 차를 가져와 마철에게 내밀었다. 한파에 몸이 얼어 있던 터라 마철은 망설임 없이 차를 받아들었다. 김이 모락모락 나는 차가 마철의 입 속으로 들어가려는 순간, 김성태가 찻잔을 손으로 쳤다. 찻잔이 허공으로 날아갔다. 그와 동시에 군정들이 손질하고 있던 창을 고쳐 잡고 김성태와 마철을 포위했다. 김성태는 아무 말 없이 눈동자를 굴리며 적들의 위치와 움직임을 살폈다. 적은 모두 다섯. 좁은 공간에서 칼이 아닌 날이 긴 창을 들고 있는 것으로 보아 고수는 아닌 듯했다. 다섯을 제압하는 건 혼자서도 충분했다. 하지만 지금은 동석과 영춘의 행방을 알아내는 것이 급선무였다. 죽여서도 안 됐다.

　김성태가 고민을 하는 사이 색리가 뒤돌아가는 척하며 품에서 단도를 조용히 꺼내 그의 옆구리를 향해 달려들었다. 순간 김성태의 손이 단도를 들고 있는 색리의 오른손을 감아쥐었다. 색리는 얼굴을 찌푸리며 김성태의 손에서 빠져나오려 발버둥 쳤지만 어림없었다.

　"동석과 영춘은 어디 있느냐!"

　김성태의 목소리에 군정들은 움찔하며 뒤로 한 발 물러섰다. 그의 살기에 군정들의 몸이 자연스럽게 반응한 것이다. 군정들은 서로 눈치를 보았다. 그중 인중이 유난히 긴 군정 한 명이 창을 한 일자로 눕혀 김성태의 가슴을 향해 찔러 들어갔다. 하지만 김성태는 당황하지 않고 색리를 던진 후 몸을 왼쪽으로 살짝 틀며 창을 흘려보냈다. 그와 동시에 군정 뒤에 있던 또 다른 군정의 창이 김성태의 목을 향해 날아왔고, 오른쪽과 왼쪽에서도 그리고 뒤에서도 창이 날아와 그의 팔과 어깨를 동시에 노렸다. 하지만 김성태의 옷깃 하나 스치지 못했다. 그는 재빨리 단도 손잡이 끝으로 군정들의 목과 어깨, 명치를 차례로 가격했다. 순식간에 군정들은 모두 나가 자빠졌다. 김성태는 고개를 돌려 겁에 질린 색리를 노려보았다.

　"다시 묻는다. 동석과 영춘은 어디 있느냐!"

안색이 노랗게 변한 색리는 도망치려고 했으나 팔과 다리에 힘이 들어가지 않았다. 쓰러져 있는 군정들 역시 귀신같은 그의 움직임에 잔뜩 겁을 먹고 있었다. 색리는 자신이 김성태의 상대가 될 수 없음을 깨달았다. 목숨이라도 건져볼 심정으로 간곡하게 말했다.

"남파발꾼 두 분은 마구간에 계십니다. 제발 이 미천한 목숨만은 살려주십시오, 나리. 홀어머니께서 이 못난 놈만 눈 빠지게 기다리고 있습니다요."

마구간 문을 열자 동석과 영춘, 뚱뚱한 군정이 힘없이 쓰러져 있었다. 김성태는 동석과 영춘의 얼굴색이 검게 물들어 있는 것을 보고 급히 맥을 짚었다. 맥이 빨라졌다 느려졌다 춤을 추고 있었다. 독에 중독된 것이 틀림없었다. 김성태는 고개를 돌려 마철을 쳐다보았다.

"마철, 이곳을 벗어나야겠다! 즉시 필요한 말과 식량을 챙겨라!"

마철이 밖으로 뛰어나갔다. 김성태는 품에서 두 개의 환을 꺼내 동석과 영춘의 입에 넣었다. 그리고 오늘 일어난 일들을 복기했다. 남파발 선로에 매복이 있었고 남파발 참에도 매복이 있었다. 적이 누군지는 정확히 알 수 없었지만, 적들이 노리는 건 이순신의 문서가 확실했다. 그는 세 사람을 의심했다. 첫 번째는 병권을 장악하고 있는 병조판서 박승종이다. 하지만 박승종은 우유부단한 인물로 이런 엄청난 일을 혼자서 진두지휘할 만한 위인이 되지 못한다. 두 번째는 파발을 창시한 한승겸이다. 한승겸은 선조의 충신이었다. 마지막으로 광해. 광해는 분조를 이끄느라 그 행적이 묘연했다. 대체 누구란 말인가? 김성태가 이런저런 생각을 굴리고 있는 사이 마철이 다급하게 뛰어 들어와 보고를 올렸다.

"대장! 난리 나붓소! 이놈들이 꼬라지가 나서 말들에게 전부 독을 먹였소! 육포랑 철질려도 어따가 꼬불쳤는지 보이지도 않는단 말이오! 안장은 모두 갈기갈기 찢겨져 있고……, 어쩐다요?"

"우리의 발과 입을 묶어보겠단 것이겠지."

"이런 염병할 놈들! 남파발 직로에 매복이 있었소! 그리고 참에도 적들이 매복해 있었소! 대체 요것이 어찌 돌아가는지……. 조선 팔도 백구십사 개 참의 위치는 철저하게 감춰져 있는데, 갑갑질 나 죽겠소! 어째서……. 대장, 혹시 남파발 안에 끄나풀이 있는 거 아니요?"

"내부의 첩자는 아닐 것이다. 남파발 사맹인 나도 아직 남파발 참의 위치를 모두 파악하지 못했으니 말이다."

"대장, 남파발꾼들이 하나둘씩 깜깜 무소식이 되고 있소! 아따, 이번 사건과 관계가 있는 것은 아니겄죠? 자꾸 그 짝으로 대가리가 가는디 떨쳐지지가 않는당게요."

"지금은 아무것도 알 수가 없구나……."

"대체 어떤 씨부랄 자슥이 이순신 장군의 일급비밀 문서를 노리고 있느냐 이겁니다."

"마철, 남파발의 참의 위치와 선로의 위치가 모두 적들에게 노출되었다. 남파발의 선로는 그만 포기해야겠다."

"남파발의 선로를 포기하믄…… 대장, 남파발의 모든 피각대는 남파발 일 번 참에서 공유하게 되어 있는디요."

"직접 궁으로 향할 것이다."

김성태는 한참을 고민한 후, 단호하게 말했다.

"서쪽으로 간다."

"서쪽이라믄……."

"그를 만나야겠다."

"아따, 시방 설마……, 대장!"

마철의 얼굴이 급격히 굳어져 갔다. 마치 귀신이라도 본 듯한 표정이었다.

8. 김성태가 서쪽으로 간 이유

겁에 질려 울상을 하고 있던 색리와 군정들은 김성태가 마구간으로 간 틈을 타 헐레벌떡 도망쳤다. 그들은 무릎까지 쌓인 눈을 밀치며 한참을 도망친 후, 땡땡 얼어붙은 바위 뒤에 몸을 숨겼다. 광대뼈가 큰 군정이 거친 숨을 내쉬며 색리에게 불만을 토해냈다.

"대체 이게 무슨 꼴이오! 나리만 믿고 마누라와 애들도 팽개치고 그 먼 한양에서 여기까지 왔는데 말이오."

"나야말로 네놈들의 힘만 철석같이 믿고 있었다! 주먹 한 번 제대로 휘두르지도 못하드만!"

"김성태의 무예가 그 정도인지 내가 어찌 알았겠소!"

"서쪽의 여우 이주영, 남쪽의 다람쥐 김성태, 북쪽의 호랑이 사달수. 이건 세 살 먹은 어린아이들도 안다, 이놈아!"

급기야 둘은 서로의 멱살을 잡았다. 주먹질이 오가기 바로 직전에 군정 한 명이 벌떡 일어나 손가락으로 북동쪽을 가리켰다. 둘은 멱살을 잡은 채 군정의 시선을 따라갔다. 저 멀리 강줄기를 타고 두 사람이 달려오고 있었다. 광대뼈가 큰 군정이 냉소를 날리며 색리에게 말했다.

"오늘 김성태에게 수모를 당한 것을 저놈들에게 풀어야겠소. 어차피 말도 필요했으니……. 그 뱁새 같이 작은 눈을 크게 뜨고 보시오."

광대뼈가 큰 군정이 성큼성큼 걸어가 두 사람이 오는 길목에 서서 두 팔을 쫙 벌렸다. 그가 하나 밖에 없는 길목을 가로막자 두 사람은 어쩔 수 없이 말을 멈출 수밖에 없게 되었다. 군정은 손가락으로 우두둑 소리를 내며 두 사람에게 호통을 쳤다.

"거기 수염 난 두 놈! 내가 누군지 아느냐? 개성 씨름판에서 황소를 다섯 마리나 탄, 그 이름도 유명하신 박달박 어른이시다. 피난을 가려거든 밑으로 내려갔어야지. 네놈들 말들이 아주 잘 먹었는지 통통해 보이는구나. 이 어르신이 넓은 아량으로 목숨만은 살려줄 터이니 말과 식량을 순순히 내어놓거라."

말 탄 사내 중 하나가 아무 대꾸도 없이 품에서 표창을 꺼내 그 군정을 향해 던졌다. 군정이 피하기도 전에 표창은 오른쪽 가슴에 꽂혔다.

"헉!"

군정은 외마디 비명을 질렀다. 그가 쓰러지기도 전에 또 하나의 표창이 날아왔다. 이번에는 오른팔 그리고 다리와 배, 목, 허벅지, 발목에까지 계속해서 꽂혔다. 마지막 표창이 이마에 꽂히자 그제야 군정은 벌러덩 넘어졌다. 온몸을 벌벌 떨다가 숨이 끊어지자, 그것을 본 색리와 나머지 군정들은 사색이 되었다.

색리는 고개를 들어 표창을 던진 사내를 쳐다보았다. 그에게서 감히 범접할 수 없는 기운이 느껴졌다. 분명 어디서 본 것 같았다. 순간 그의 눈이 커지고 온몸이 굳어버렸다.

"사, 사달수……!"

색리의 외마디 외침에 다른 군정들도 굳어버렸다.

"이런 개대가리 같은 놈들을 보았나!"

사달수 옆에서 사주가 소리쳤다. 온 산에 그의 거친 목소리가 쩌렁쩌렁하게 울렸다. 남파발 사맹 김성태에게 대든 것도 모자라 이번엔 북파발 사맹 사달수에게 시비를 걸다니, 그들은 정말 운도 없었다. 색리와 군정들은 누가 먼저랄 것도 없이 일제히 무릎을 꿇었다.

"천하의 사달수 나리를 알아보지 못하다니. 이놈 죽을죄를 지었습니다요."

"나를 아느냐?"

"한성에서 한 번 뵌 적이 있습니다요. 그 옆에 계신 분은 북파발 부사맹 사주 나리가 맞습죠? 이곳 남쪽까지 사달수 나리와 부사맹 사주 나리의 명성이 자자합니다. 영웅호걸을 알아보지 못하고 무례하게 굴어 송구합니다요."

"사설이 참 길구나."

사달수가 벌벌 떨고 있는 색리에게 다가왔다.

"남파발 참에 김성태가 있습니다, 나리."

"뭐라? 틀림없는 김성태이더냐?"

"아이고, 어느 안전이라고 제가 그런 농을 하겠습니까? 틀림없습니다요."

"다람쥐 같은 놈이 있는 곳이 어디더냐?"

"소인은 병조판서 박승종 나리께서 비밀리에 이곳 참으로 급파한 첩보원입니다. 사달수 사맹님과 같은 첩보원이죠. 소인은 김성태가 오기만을 기다리다가 김성태 일행한테서 문서를 뺏으려고 했습니다. 하지만 그들에겐 피각대가 없었습니다. 그리고 잠시 후 김성태가 왔습니다. 저는 김성태와 혈전을 벌였으나 그만 패하고 말았습니다. 생각한 것

이상으로 김성태가······."

"쓸데없는 소리 그만하고 당장 김성태가 있는 곳이나 말하거라!"

"네? 그러니까, 그게, 저희가 걸어온 발자국을 쭉 따라가면 바로 참이 나오는데, 두 식경 정도면 당도할 것입니다. 영감께 저희의 공을 꼭 말씀해주십시오, 나리. 소인의 이름은 한상입니다. '애미야, 밥 한상 차려와라' 할 때 그 '한상'이요. 잘 부탁드립니다요."

사달수와 사주는 색리의 말이 끝나기도 전에 말을 몰아 달렸다. 눈발이 다시 춤을 추기 시작했다. 색리의 말대로 두 식경 정도를 달리자 남파발 참에 도착할 수 있었다. 사주는 얼굴에 복면을 쓴 후 사달수에게도 복면 하나를 건네주었다.

"쓰시라요."

"됐다, 이놈아."

"어허! 기러다 우리 얼굴이라도 알아보면 어쩌려고 그러는 겁메까."

사달수는 사주를 무시하고 묵직한 발로 참 문을 걷어찼다. 가부좌를 틀고 앉아 독을 치유하고 있던 동석과 영춘은 화들짝 놀라 경계 태세를 취했다. 화로 앞에 앉아 물 문은 대력을 말리고 있던 뚱뚱한 군정이 코를 훌쩍거리며 사달수와 사주를 향해 입을 열었다.

"사정상 지금은 제가 이곳 참을 맡고 있습니다. 필요한 물건이 있다면 대력에 적어주시면 됩니다."

말을 마친 뚱뚱한 군정이 친절하게도 대력을 들고 사달수를 향해 걸어가자 동석이 다급하게 소리쳤다.

"다가가지 마시오! 이짝으로 언능 오란 말이오!"
"네?"
"이짝으로 언능 오란 말이다!"

동석의 말이 채 끝나기도 전에 사달수의 주먹이 날아와 뚱뚱한 군정의 두개골을 박살내버렸다. 사달수가 동석을 향해 소리쳤다.

"김성태는 어디 있느냐?"
"사달수 사맹께서 이곳까진 무슨 일이다요?"

동석이 가부좌를 튼 채로 말하자, 이번에는 사주가 혀를 차며 말했다.

"에헤. 아주바이, 내 뭐라 했소. 복면 쓰라하지 않았소. 단박에 알아보지 않습메까?"

사달수는 사주의 말을 무시하고 동석에게 말했다.

"김성태 어디 있느냐?"

"아따 대그빡이 그렇게 안 돌아가서 어디다 쓴다요! 설마 시방 내가 대장의 위치를 알려줄 것이라 믿소? 그나저나 뭣땀시 남짝에서 대장을 찾는다요? 설마……."

동석과 영춘은 마른 침을 꿀꺽 삼켰다. 북쪽에 있어야 할 사달수가 남쪽에 있을 이유는 단 하나였다. 이순신 장군의 일급비밀 문서!

이 사실을 한시라도 빨리 대장인 김성태에게 알려야 했다. 동석이 영춘에게 속삭였다.

"쪼까 움직일 수 있겄냐?"

"아따, 독이 아작……."

"퍼뜩 정신 좀 차려보랑께. 이러다가 이순신 장군님의 일급비밀 문서를 뺏기고 말어. 나가 길을 열 테니 자네는 서쪽으로 간 대장에게 이 사실을 알려부러. 우리 짝이 덤벼도 호랑이 사달수 사맹은 절대 못 이긍께. 자네는 뜀박질만 허드라고. 절대 뒤돌아보지 말고. 알긋제?"

"아따 시방 무슨 소리를 그리 섭섭하게 한다야."

"자네가 나보다 뜀박질은 잘 허잖여. 아따 싸게 싸게 움직이더라고. 나 먼저 감세."

동석은 사달수와 사주가 서 있는 문 앞쪽에 철질려를 뿌렸다. 영춘이 창문을 통해 도망칠 수 있도록 길을 열어준 것이었다. 하지만 사달수는 눈치를 채고 문 옆에 있는 십 척 높이의 나무 책장을 한 손으로 번쩍 들어 창문 쪽으로 던졌다. 날아간 나무 책장은 창문을 가로막아 버렸다. 길을 잃은 영춘은 어쩔 수 없이 단도를 고쳐 잡고 동석과 함께 철질려를 피하며 사달수의 급소를 향해 달려들었다. 하지만 사달수는 여유롭게 양손으로 그들을 제압했다.

"이놈들! 겨우 이정도 실력으로 이 사달수를 벨 수 있다고 생각한 것이냐!"

사달수는 성난 호랑이처럼 주먹을 휘둘러 자전수광세를 펼치며 영춘의 가슴을 때리고, 마상월도의 손잡이 끝으로 동석의 복부를 후려쳤다. 동석은 배를 잡고 고통을 호소했다. 기회를 놓칠 사달수가 아니었다. 즉시 달려가 한 손으로 동석의 목을 잡고 번쩍 들어올렸다. 동석은 그의 손아귀에서 빠져나오기 위해 발버둥을 쳤지만, 그의 엄청난 완력에 조금씩 힘이 빠져갔다. 그리고 끝내 숨을 거두고 말았다. 이를 지켜본 사주가 복면을 신경질적으로 벗으며 소리쳤다.

"아주바이! 아무리 홍에 겨워도 그러티. 디금 기냥 이렇게 맥 죽이면 어에합메까? 김성태가 어디로 갔는디는 알아내야 할 것 아니갔소?"

"네놈이라면 내가 있는 위치를 적에게 알려주겠느냐?"

"기야 기렇티만……. 내도 모르갔소. 아주바이가 대장이니 마음대로 하시라요! 아주바이는 모든 일을 독단적으로 처리하는 경향이 있습메다."

사주가 서운한 마음을 토해냈지만 사달수는 눈 하나 깜짝하지 않고 생각에 잠겼다. 뭔가 집히는 바가 있는지 급히 밖으로 뛰어나가 눈 위의 발자국을 확인했다. 그 모습을 지켜보던 사주가 혀를 차며 말했다.

"기, 기, 기, 숭례문에서 김서방 찾기요. 이미 내린 눈들이 김성태의 발자국을 다 덮어버렸습메다."

"깨방정 떨지 말고 북쪽으로 향하는 나무 밑이나 확인해보거라."

사주는 북쪽으로 향하는 길에 위치한 나무 밑을 확인해보았다. 하지만 말 발자국은 어디에도 보이지 않았다. 사달수는 이해를 할 수 없었다.

'대체 김성태는 어디로 사라졌단 말인가? 다시 남쪽으로 내려가진 않았을 텐데. 설마?'

사달수는 집히는 바가 있어 봇짐을 풀어, '西(서)'라고 쓰여 있는 대나무 통에서 지도 한 장을 꺼냈다.

"아니 왜 또 갑자기 서파발 지도를 꺼내는 것입메까?"

"네놈은 이쪽 능선에서 이쪽 강까지 가는 길의 나무 밑을 확인해보거라."

"저켠은 서켠으로 가는 길입메다."

"시간 없다, 이놈아."

사달수는 서쪽으로 향하는 나무 밑을 확인했다. 사주 역시 투덜거리며 나무 밑을 확인해봤다. 유난히 큰 소나무 밑에 말 발자국이 있었다.

"아주바이 이게 어드메 된 것일까요?"

"하나는 김성태의 발자국이고, 또 하나는 부사맹인 마철일 것이다."

"기건 내도 알고 있음메. 궁금한 건시리 김성태가 와 서켠으로 간 것이냐 이 말입메다. 파발도가 없이 말이오. 서켠의 길도 모를 텐데."

"서파발 사맹 이주영!"

"내 눈까리로 본 적은 없지만서리 이주영에 대한 소문짝은 익히 들어 알고 있소. 별나고, 이상하고, 재수 없고, 밥만 축내는 별종이라고 하던데. 어해서 김성태가 기런 이주영을 찾아간단 말입메까?"

"이주영 그놈은 어린 나이에 이미 검신에 오른 자다. 이주영을 보면 도망치거라."

"도망치다 잡히면요?"

"그래도 도망치거라."

"무슨 말이 그럽메까? 기냥 도망짝만 치라니요. 잠깐, 김성태가 이주영을 만나 손이라도 잡으려 하는 것은 아니갔죠?"

"만에 하나둘이 손을 잡아 김성태가 이순신의 문서를 가지고 도성으로 들어가는 날엔 세자 저하의 목숨이 위험해질 수도 있다. 시간이 없다. 즉시 출발한다."

사달수와 사주는 말에 올라 서쪽을 향해 쉬지 않고 달려갔다. 꽁꽁 얼어붙은 강을 건너자 산이 나왔고, 산을 넘자 다시 꽁꽁 얼어붙은 강이 나왔다. 산을 넘고, 강을 건너는 동안 얼어 죽은 시체를 수없이 볼 수 있었다. 사달수와 사주 역시 혹독한 추위에 살이 찢겨져 나갔다. 그렇다고 포기할 순 없었다. 파발꾼에게 포기란 곧 죽음이다. 그렇게 훈련받았고, 그렇게 살아왔다. 그게 그들의 삶이었다.

9. 정보와 소통

파발의 비밀 자금을 빼돌렸다는 누명을 벗은 한승겸이 내금위를 나왔
다. 광해가 병조판서 박승종을 시켜 그에게 서찰을 다시 돌려준 것이
었다. 그는 서찰을 한동안 바라보았다. 광해가 서찰을 돌려준 이유는
수십, 아니 수백 번을 생각하고 또 생각해 봐도 모를 일이었다.

'광해는 서찰 안에 있는 내용 따위는 필요 없단 말인가? 광해는 진정
모든 걸 다 알고 있단 말인가?'

한승겸은 누군가 자신을 지켜보고 있다는 불안감에 사로잡혀 주변
사람들을 경계하며 걸었다. 분명 누군가가 지켜보고 있다. 내금위 병
사, 포졸들, 궁녀, 길을 걷고 있는 행인들 모두가 의심스러웠다. 사람들
의 눈을 피해 한산한 숲속으로 들어갔다. 저 멀리 바위 뒤에서 누군가

손을 흔들고 있었다. 침을 꿀꺽 삼킨 그는 조심스럽게 걸어 바위 뒤를 확인해보았다. 하지만 바람에 날리는 나뭇가지를 잘못 본 것이었다. 안도의 숨을 내쉰 그는 궐을 향해 다시 걸어가다가 빙판에 미끄러져 넘어지고 말았다. 광해의 예상대로 그의 이성은 조금씩 흔들리기 시작했다.

→•←

한승겸이 이성을 잃어 가고 있을 때 침전에선 선조가 적통을 낳기 위해 중전과 관계를 맺고 있었다. 둘은 아무 애정 없이 오로지 적통을 잉태해야 한다는 의무 하나만으로 꼭두각시처럼 움직이고 있었다. 그렇게 일다경이 지났다. 온몸에 힘이 풀린 선조는 용포를 두른 후에 탁자 앞으로 가 탕약을 벌컥벌컥 마셨다. 그때 밖에서 소리가 들려왔다.

"전하, 한승겸이 전하를 알현하기를 청하고 있사옵니다."
"기다리라 전하거라."
"네, 전하."

옷을 입은 선조는 침전을 나와 한승겸과 함께 창덕궁 후원으로 향했다. 한승겸은 걷는 내내 주변을 두리번거렸다. 이를 불안하게 바라보던 선조가 물었다.

"승지, 무슨 일이라도 있는 것인가?"

선조는 한승겸이 불안한 듯 눈동자만 이리저리 굴릴 뿐 아무 대답을 하지 않자 조금 더 큰 소리로 다시 물었다.

"승지?"
"송구합니다, 전하……."

잠시 망설이던 한승겸은 선조에게 오늘 있었던 일을 상세하게 이야기했다. 선조는 화를 냈다가, 갑자기 한숨을 쉬기도 하고, 어떤 대목에선 놀라기도 했다. 한승겸의 이야기를 다 들은 선조는 온몸을 부들부들 떨었다.

"이런 고얀 놈을 봤나. 감히 짐을 기만하다니. 세자를 만나야겠다."

창덕궁 후원에서 선조는 광해를 만났다. 광해를 보자마자 광해의 뺨이라도 후려치고 싶었지만 그럴 수는 없었다. 선조는 흥분을 가라앉히기 위해 광해와 바둑을 함께 두었다. 선조는 침착함을 유지하며 선수를 잡기 위해 두 점 머리와 빈삼각, 이선은 절대 피하며 정석으로 바둑을 두었다. 하지만 그와 반대로 광해는 오래 생각하지 않고 거침없이 바둑을 두었다. 침묵을 깨고 선조가 입을 열었다.

"과인과 이순신의 관계를 알고 있었다고?"

"우연히 알게 된 정보이옵니다."

"알고 있었으면서 어찌 그동안 나를 속인 것이더냐?"

"속인 것이 아닙니다. 다만 말씀을 드리지 않았을 뿐이옵니다. 전하께서는 소자와 대화하는 것에 대해 그동안 부정적이지 않으셨습니까?"

"세자 역시 이순신에게 호감을 가지고 있느냐?"

"소자는 이순신이 중요치 않사옵니다."

"그렇다면 세자에게 중요한 것은 무엇이더냐?"

"정보와 소통이옵니다. 정확히 말하면, 이는 소자에게 필요한 것이 아니라 이 나라와 이 나라 백성들에게 필요한 것입니다. 지금의 전쟁으로 수많은 백성이 목숨을 잃었습니다."

선조를 질책하는 뜻이 다분한 말이었다. 검은 돌을 바둑판 위에 올려놓은 광해가 다시 말을 이었다.

"조선 땅에 이순신 같은 영웅은 필요치 않사옵니다. 아니, 필요치 않아야 합니다."

"그게 무슨 말이냐? 이순신이 필요치 않다니?"

"영웅은 난세에 나옵니다. 하지만 난세가 없다면 영웅도 필요 없는 것 아니겠사옵니까? 수백, 수천, 수만, 수십만이 죽은 후에 영웅이 탄생

한들 그게 무슨 소용이 있단 말입니까? 난세를 없애고자 파발과 암행어사 같은 첩보 기관이 필요한 것입니다."

"세자는 지금 과인에게 무능하다 말하고 싶은 것이냐?"

"당치도 않사옵니다. 전하가 아니라 이 조선이라는 나라의 체계가 무능한 것입니다. 조선에는 정보와 소통이 더더욱 필요합니다."

"정보와 소통으로 대체 뭘 할 수 있단 말이냐?"

"왜적들이 조선을 침략하기 위해 준비한 시간이 이 년이옵니다. 그 이 년 동안 이 조선은 대체 무엇을 한 것입니까? 왜적들이 조선을 침략한다는 정확한 정보만 입수했더라면 이렇게 많은 백성들을 잃진 않았을 것입니다."

"정보를 가지고 있다한들 약자가 할 수 있는 것은 아무것도 없다. 군사가 없는 정보는 지푸라기와 같은 존재가 아니더냐?"

"그래서 소통이 필요한 것이옵니다. 아무리 유익한 정보가 있다 하여도 그것을 공유하지 않고, 소통하지 않고, 정확하게 판단하지 못한다면 그 정보는 더 이상 정보가 되지 못합니다. 소통은 일통이 되어야만 합니다."

"소통을 일통하기 위해서는 누군가 그 정점에 있어야겠구나."

"그렇사옵니다. 누군가는 유익한 정보와 유익하지 않은 정보를 통제해야 하고, 정확하게 판단해야 합니다. 아무리 유익한 정보라 해도 그 정보를 정확하게 판단하는 통찰력이 없다면 이 역시 무용지물입니다."

"좋은 정보는 공유하고, 불필요한 정보는 공유하지 않겠다?"

"그 또한 백성을 위하는 것입니다. 불필요한 정보의 공유로 백성들의 삶에 혼란을 줄 필요는 없사옵니다."

"조선은 명나라에 비하면 작은 먼지 같은 존재이니라."

"땅이 작다 하여 약하고, 땅이 크다 하여 강한 것이 아니옵니다. 파발을 통해 수많은 정보를 입수하고 명백한 소통을 이룰 수만 있다면, 조선의 백성은 더 이상 한 사람도 헛되이 목숨을 잃지 않게 될 것이옵니다. 전쟁 역시 일어나지 않을 수 있습니다."

"단 한 사람의 백성도 헛되이 잃지 않겠다? 전쟁도 일어나지 않게 하겠다?"

"정보와 소통이 있고, 그 정보와 소통을 명확하게 판단할 수 있는 통찰력이 있다면 불가능할 것도 없사옵니다."

"한 마을에 역병이 돌았다. 마을에 있던 사람들이 하나둘 죽어가고 있다. 그때 지나가던 도사 한 명이 역병을 치료할 수 있는 약초에 대한 정보를 세자에게 알려주었다. 세자는 그 정보를 마을 사람들과 공유하겠느냐?"

"백성들의 목숨을 살려야겠지요."

"그렇다면 그 약초가 단 하나 밖에 없다면? 그 약초로 살릴 수 있는 사람은 세자를 포함해 단 한 명뿐이라면 어찌 할 것이냐? 하나뿐인 약초에 대한 정보를 백성들과 공유하겠느냐, 아니면 그 하나뿐인 약초를 세자가 먹겠느냐?"

"전하의 두 번째 질문은 왜곡되었습니다."

"세자가 두 번째 물음에 대한 답을 찾는다면 아비와 같은 길을 걷진 않을 것이야. 하지만 그 답을 찾지 못한다면 세자 역시 이 아비와 같은 길을 걷게 될 것이다."

둘은 서로의 신경을 건드리는 대화를 나누면서도 평정심을 잃지 않고 계속 바둑을 두었다. 둘이 원하는 목표는 하나였다. 이순신의 일급 비밀 문서.

10. 서쪽으로 간 남파발과 북파발

김성태와 마철은 눈 덮인 숲속을 쉬지 않고 달려갔다. 눈이 쌓인 산을 넘고, 꽁꽁 얼어붙은 강을 지나고, 넓은 들판을 달려갔다. 김성태와 나란히 달리고 있던 마철이 궁금했는지 입을 열었다.

"아따메, 참말로 서짝으로 가시는 겝니까? 서파발 사맹 이주영은 상종할 나짝이 아니랑게요. 생긴 건 여우맹키로 생겨서 그 속을 알 수가 없고……, 북짝과 남짝, 어떤 정치권에도 관심이 없당게요. 아따 갑갑질 나 죽겄소. 대장, 그럴 일은 없것지만은, 거시기 서파발이 적과 손이라도 잡았다면 그땐 빼도 박도 못혀요, 대장."

"지금 서파발은 무슨 연유인지는 알 수 없지만 전하와 저하 사이에서 중립을 지키고 있다."

"그 말은 대장과도 손을 잡을 일이 없다는 말과 꼭 같당게요."

"이주영과 손을 잡지 않을 것이다."

"그럼 시방……."

"정당한 거래를 해야겠지. 이주영이 가장 좋아하는 것이 무엇인지 아느냐?"

"고 여우가 좋아하는 거시……. 양반집 자식이라 돈은 많을 테고, 명예도 싫어하고, 기집도 싫어하고, 정치에도 관심이 없고……. 아따 대갈빡을 굴려 봐도 이주영 사맹이 좋아하는 것이 없는 것 같은디. 그 여우가 좋아하는 것이 대체 뭐다요?"

주작이 다시 하혈을 시작하자 김성태는 말에서 내려 주작의 상태를 살폈다. 눈은 벌겋게 충혈되어 있었고, 숨소리는 거칠고 불규칙했다. 이대로 가다간 언제 쓰러질지 모를 일이었다. 김성태는 재빨리 나무를 타고 올라가 주변을 살펴보았다. 숲속 깊은 곳에 초가 하나가 희미하게 보였다. 그는 나무에서 내려와 마철과 함께 불빛이 보이는 곳을 향해 걸어갔다.

한참을 걸어서 초가에 도착하니, 부엌에서 연기가 나는 것으로 보아 사람이 살고 있는 것이 분명했다. 김성태와 마철은 싸리문을 열고 안으로 들어갔다. 곡괭이와 삽, 농기구들이 잘 정리되어 있었고, 마당은 비질이 잘 되어 있었다. 김성태는 안쪽을 향해 소리쳤다. 초가 뒤편에서 까마귀 떼가 요란한 소리를 내며 날아갈 뿐, 아무런 대답이 없었다. 그는 좀 더 큰 소리로 외쳐보았다. 잠시 후, 부엌 옆에 위치한 봉놋방에서 백발의 노부부가 방문을 열고 나왔다. 할아범의 얼굴엔 곰보 자국이 있었고, 왼손에는 지팡이를 들고 있었다. 할멈은 오른쪽 다리를 조금 저는 듯했다.

"노인장, 급한 용무가 있어 잠시 신세를 좀 졌으면 합니다."

"보시다시피 누군가에게 베풀 만큼 여유 있는 사람이 아니오. 돌아가시오."

"말이 하혈을 하고 있습니다. 잠시 더운 물로 말을 돌보기만 하면 됩니다. 그리고는 즉시 떠나겠습니다."

"늙은이들에게 횡포라도 부리려는 것이오?"

"저희는 나라에서 녹을 먹는 자들입니다. 노인장을 괴롭힐 마음은 추호도 없습니다. 다만 잠시 도움을 받고자 하는 것뿐입니다."

"이 노인네는 누군가를 도와줄 마음도, 도움을 받고자 하는 마음도 없으니 썩 돌아가시오."

할아범의 완강함에 김성태와 마철은 어쩔 수 없이 뒤돌아섰다. 그때 할멈이 나섰다.

"영감, 말이 하혈을 하고 있다는데 좀 도와줍시다."

"하지만……."

"또 이러실 겝니까?"

"난 이제 그만하고 싶소, 부인. 이런다고 죽은 아들이 돌아오는 것도 아니지 않소. 절대 저들을 도와주지 않을 겝니다. 저들뿐 아니라 그 누구도 도와주지 않을 거요."

"영감은 어찌 예나 지금이나 이토록 이기적이슈."

"날 욕해도 좋고 미워해도 좋지만, 난 더 이상 할 수 없소."

"살면 얼마나 더 산다고……. 나는 저들을 도와야겠어요."

"부인, 제발 이제 그만하시오. 내 죽어 조상님들 얼굴을 어찌 보겠소."

"사람을 돕는 것이 우리가 사는 길이란 걸 정말 모른단 말이에요?"

"부인 제발……. 이제 제발 그만하시오."

할멈은 할아범을 무시하고 김성태와 마철에게 말을 가져오도록 안내했다. 그리고 따뜻한 물을 주어 김성태가 타고 온 주작과 마철이 타고 온 갈불음도천수[*공자가 심한 가뭄철에 길을 걷다가 샘물을 발견했다. 뛰어가 물을 마시려 하는데 샘물 이름이 도천(도둑의 샘)이었다. 공자는 도천을 마시지 않고 가던 길을 걸어갔다. 목이 말라도 도둑의 물은 마시지 않겠다는 도덕적 단호함이 보이는 이름이다.]를 돌보게 해주었다.

얼마의 시간이 지나자 주작은 하혈을 멈췄다. 김성태와 마철은 할멈에게 감사의 말을 전하고 떠나려했다. 그러자 할멈이 그들을 붙잡았다.

"간단하게 요기라도 하고 출발해요, 젊은이들."

김성태와 마철은 이틀 동안 아무것도 먹지 못한 터라 할멈의 제안이 반가웠다. 둘은 방 안으로 들어갔다. 할아범이 아무 말 없이 아랫목에 앉아 맹자를 읽고 있었다. 둘은 그의 눈치를 보며 구멍이 송송 뚫린 문 앞에 앉아 음식이 나오기만을 기다렸다. 책 넘기는 소리와 까마귀 우는 소리가 방안의 정적을 조금이나마 해소해주고 있었다. 김성태가 그에게 말을 걸었다.

"노인장께서는 인보다 의를 더 중요하게 생각하는 것입니까?"

그 말에 할아범은 잠시 책 읽는 것을 멈추고 깊은 고민에 잠겼다. 할아범은 한숨을 쉬었다가 갑자기 미간을 구기기도 하고, 눈물을 글썽이기도 했다. 김성태는 할아범에게 말 못할 사연이 있다는 것을 짐작하고 더 이상 말을 걸지 않았다. 그런데 이번엔 그가 먼저 말을 걸었다.

"젊은이는 어찌 그리 생각한 것인지?"
"어르신의 책들 중 공자에 관한 책은 어디에도 보이지 않았습니다."

할아범은 앉은뱅이책상에 쌓여 있는 책들을 쭉 훑어보았다. 그가 말한 대로 공자에 관한 책은 한 권도 없었고, 오로지 맹자에 관한 책들뿐이었다.

"눈썰미가 날카로운 분이시군."

"공자는 인을 중요시했습니다. 극기복례, 정명사상, 수기안인, 대동
사회. 모두 어진 사람이 되라는 가르침이었습니다. 하지만 맹자는 인의
바탕을 둔 의를 더 중요시했습니다. 옳고 그름을 분명하게 구분할 수
있는 지혜와 덕으로써 나라를 다스리는 왕도정치. 그것이 맹자의 사상
입니다. 맹자의 사상을 가진 이들의 직업은 정해져 있습니다. 노인장께
선 정치를 하셨던 분이 아니신지요?"

할아범은 김성태의 통찰력에 내심 혀를 내둘렀다. 하지만 내색하진
않았다.

"젊은이가 본 그대로요. 잠시 나라의 녹을 먹었소이다. 공자와 맹자
의 사상으로 신분까지 가늠할 수 있는 젊은이도 정치를 하고 있소?"

"정치는 하지 않습니다."

"그렇다면 젊은이는 의보다는 인을 중요시하겠군, 그래."

"바로 보셨습니다."

할아범은 그와 대화를 나누면서도 단 한 번도 눈을 마주치지 않았다.
둘의 대화가 끊기자 곧바로 할멈이 김이 모락모락 나는 고깃국 두 그

릇을 가지고 들어왔다. 그런데 할멈의 손이 가볍게 떨리고 있었다. 김성태는 뭔가 집히는 바가 있는지 고개를 돌려 할아범의 손을 쳐다보았다. 책장을 넘기는 할아범의 손 역시 가볍게 떨리고 있었다.

'설마?'

노부부의 얼굴엔 기름기가 흐르고 있었고, 몸은 살찐 돼지처럼 통통했다. 전쟁이 칠 년 동안이나 지속되어 산과 들에는 먹을 음식이 없었다. 그런데 대체 노부부는 뭘 먹고 살아왔단 말인가? 순간 김성태가 일어나며 말했다.

"지금 즉시 출발한다, 마철."
"아따, 시방 뭔 소리라요. 지금 막 젓가락을 들었소."
"마철!"

마철은 김성태의 갑작스러운 행동에 당황했지만 대장의 명이었다. 즉시 젓가락을 내려놓고 그의 뒤를 따라 밖으로 나갔다.

"대장, 뭐라도 먹어야 움직일 것 아니오. 이틀 동안 아무것도 먹지 못했소."
"노부부의 손이 떨리고 있었다."

"나이를 자시면 손발이 떨리는 건 당연한 거 아니겠소."

"지금은 전쟁으로 인해 음식을 찾아볼 수가 없다. 하루에도 수십 명의 백성이 먹을 음식이 없어 굶어 죽어 가고 있다. 저 노부부가 사냥을 했겠느냐? 농사를 지었겠느냐?"

"아따메, 저 음식! 설마!"

"인육이다."

"들은 적이 있소. 인육을 먹게 되면 팔이 떨린다는 말을."

"음식에선 달콤한 냄새가 났다."

"시방, 음식에 독이 들어 있었단 말이오?"

"독이 아니라 최면제의 일종일 것이다. 너와 나를 잠들게 한 후, 그 뒤에 잡아먹으려 했을 것이다."

"아따, 노인네들 무섭소이……."

갑자기 김성태의 오감이 열렸다. 귀를 땅에 가져갔다. 땅에서 말발굽 소리가 희미하게 들려왔다. 말의 보폭이 큰 것으로 봐 북방에서 서식하는 호마가 틀림없었다.

김성태가 머무르고 있는 곳으로 사달수와 사주가 달려오고 있었다. 희미한 말 발자국을 발견한 사주가 소리쳤다.

"아주바이, 이기 혹시 말 발자국 아닙메?"

"저게 산짐승의 발자국일지 어떻게 아느냐? 희미해서 잘 보이지도 않는데."

"기래도 가봅세다. 혹시 아오? 김성태와 마철이 저켠에 있을 줄."

사달수와 사주는 말머리를 돌려 연기가 피어나는 숲속으로 들어갔다. 초가가 가까워지자 둘은 말에서 내려 신고 있던 진신을 벗어 봇짐에 넣은 후, 맨발로 초가를 향해 은밀하게 움직였다. 둘은 싸리울 뒤에 조용히 숨어 초가 안을 살폈다. 할멈이 할아범에게 잔소리를 하며 마당을 쓸고 있을 뿐 별다른 움직임은 보이지 않았다. 둘은 초가 주변을 은밀히 수색했다. 하지만 다른 사람의 인기척은 느껴지지 않았다. 둘은 초가 뒤편으로 가서 싸리울을 조용히 넘었다. 우선 안방을 뒤져봤으나, 아무도 없었다. 부엌을 지나면 헛간 문이 있다. 부엌으로 들어간 사주는 김이 모락모락 나는 가마솥을 열어보았다. 가마솥 안에는 해골이 들어 있었다. 화들짝 놀란 사주는 손으로 코를 막으며 뒤로 한 보 물러났다.

"아주바이, 가마솥 안에 해골이 들어 있습메다."

"네놈도 그 꼴 되기 싫으면 정신 똑바로 차리거라."

"무슨 악담을 기리하시오. 전쟁터에서 돌아온 외아들도 다시 전쟁터로 돌아가겠소."

사달수와 사주는 밖으로 나와 헛간 문을 열려는 순간 노부부와 맞닥
뜨렸다. 사주는 할아범에게 말을 걸었다.

"할아바이! 이켠에 사내 둘이 오지 않았음메?"
"이곳엔 아무도 오지 않았소. 늙은이 둘이 살고 있는 이 첩첩산중에
누가 찾아온다는 말이오?"
"말 발자국이 이곳까지 나 있소. 꽝포 쏠 생각하디 말고 바른대로 말
하라우."
"그건 우리 것이오."
"이 집엔 말이 없잖소. 어디서 꽝포를 쏘는 것입메."

할아범이 당황하며 말을 잊지 못하자 할멈이 나섰다.

"젊은이, 저 사람이 요즘 노망이 나서 정신이 오락가락해요. 뒤돌아
서면 밥 달라고 하고. 젊은이들을 보니 죽은 자식 놈이 생각나네. 몸도
좀 녹일 겸 괜찮다면 들어와요. 내 따뜻한 밥 한 끼 지어줄 테니."
"할망구는 우리가 먹거리로 보이나 보디?"
"그, 그, 그게…… 무슨……."

사주는 마상쌍도를 들어 할멈의 머리를 내리 찍었다. 할멈은 그 자
리에서 즉사해 버렸다. 소스라치게 놀란 할아범이 곡괭이를 들고 사주

에게 달려들었지만 돌에 걸려 넘어지고 말았다. 사주는 할멈의 시체를 오열하고 있는 할아범에게 던졌다.

"아껴 먹으라우, 할아바이."

틀림없이 말 발자국은 숲속에서 이곳까지 나 있었다. 그런데 말도 없고 사람도 없다니, 대체 어디로 사라졌단 말인가? 그때 사달수의 오감이 반응했다. 그는 마상월도를 한 일자로 눕히더니 헛간의 흙담을 그대로 찔렀다. 흙담이 우르르 무너져 내렸다. 헛간 안에서 김성태와 마철이 단도를 들고 싸울 자세를 취하고 있었다. 사달수는 김성태를 향해 냉소를 날렸다.

"다람쥐 같은 놈들! 이곳에 숨어 있었더냐!"
"북쪽에 있어야 할 자네가 왜 이곳 서쪽에 있는 것인가?"
"네놈 역시 남쪽에 있어야 할 몸. 서쪽에서 생선 비린내가 진동을 해서 말이야."
"이순신 장군의 문서를 노리고 이곳에 온 것인가?"

사달수는 말을 잇지 않고 침묵했다. 김성태가 말을 이었다.

"파발을 움직일 수 있는 인물은 전하와 병권을 장악하고 있는 병조판서 박승종 둘뿐이다. 전하께서 나를 잡기 위해 자네를 이곳으로 보낼 일은 없겠지. 박승종은 우유부단해서 어명을 어기고 이런 엄청난 일을 혼자서 진두지휘할 위인은 되지 못한다. 그렇다면 박승종 뒤에 누군가 있겠지. 병권을 장악하고 있는 병조판서를 손바닥 위에 올려놓을 수 있고, 북파발 사맹 사달수를 감히 부릴 수 있는 단 한 사람. 바로 저하가 아니겠는가?"

"잔머리만 늘었구나."

"이순신 장군의 문서를 원하는 이유가 무엇인가?"

"이 썩어빠진 나라를 바꾸기 위한 독선이라 해두지."

"어찌 변한 것인가?"

"고집불통인 네놈이 변하지 않았기에 내가 변한 것이야."

"파발은 안으로는 도탄에 빠진 백성을 구하고, 밖으로는 은밀한 첩보 활동으로 왜적의 침입에 대비한다. 파발의 정신만은 잃지 말게."

"도탄에 빠진 백성을 구하기 위해 이순신 장군의 문서는 내가 가져가야겠다. 네놈도 알고 있겠지. 지금 왕의 우유부단과 무능함이 수십만의 백성을 죽게 만들었다는 것을. 저하께서는 왕의 자질과 기질을 모두 갖추신 분이다. 지금이라도 늦지 않았네. 나와 함께 저하를 도와 새로운 세상을 열지 않겠나?"

"자네답지 않게 감성적으로 변했군. 좁은 길, 큰 길, 넓은 길, 돌길, 산길, 숲길, 오솔길, 불길, 지름길……. 이 밖에도 더 많은 길이 있네. 그런데 어찌 자네는 이 수많은 길 중에서 가장 위험한 불길을 택한 것인가?

넓은 길로 나오게. 언젠간 그 오염된 불길에 타 죽고 말 것이야. 나는 왕을 따르겠네."

"빌어먹을 충. 충. 충! 네놈도 그렇고 이순신 장군도 그렇고, 어찌 그리 충만 따르는 것이냐? 충보다 중요한 것은 재능인 걸 왜 다들 모른단 말이냐? 이 조선은 충을 따른 정몽주가 세운 나라가 아니라, 재능을 가진 정도전이 세운 나라인 걸 어찌 부정하는 것이야? 고집 그만 부리고 나와 함께 가자, 이놈아. 네놈은 모든 재능을 갖추었는데 어찌 재능을 가진 분을 따르지 않는 것이냐? 충을 따른 자들의 최후는 죽음뿐이란 것을 역사가 증명하고 있지 않느냐?"

"그런 세상을 만들지 않기 위해 난 충을 따를 것이네."

"그리도 정몽주가 되고 싶은 게야? 말로 해서 들을 놈이 아니구나. 칼을 뽑거라!"

말을 마친 사달수는 성난 호랑이처럼 어깨를 쫙 펴고 마상월도 끝에 꽁꽁 쌓인 천을 처음으로 풀었다. 천이 풀리자 푸른색과 붉은색이 뒤섞인 칼날이 번쩍거렸다. 마상월도는 흔히 청룡도, 청룡언월도, 언월도라고 불렸다. 마상월도는 날이 넓고, 자루는 긴 것이 특징이었다. 무경에서는 마상월도를 칼 중에서 으뜸으로 삼는다.(삼국지의 관우가 청룡언월도를 잘 다루었다고 하는데, 실제 후한 시대에는 월도가 존재하지 않았다. 마상월도를 잘 다루었던 사람은 무사 백동수와 사도세자, 사명대사 정도로, 손가락으로 꼽을 만큼 극소수였다. 그만큼 다루기가 어렵고 수련하는 데 오랜 시간이 걸린다.) 아무리 힘이 세고 완력이 좋아도 날이 긴 월도를 자유자재로 다루기 위해선 팔 척 이상의 키가 필수 조건이었다. 사달수의 월도는 빈철(페르시아의 강철로, 쇠나 옥을 무 자르듯 자를 수 있었다.)로 만들어져, 그 무게가 백 근을 훌쩍 뛰어넘었다. 사달수는 월도를 높이 들고 청룡등약세 자세를 취하며 기합소리를 냈다. 마치 한 마리 호랑이 같았다.

"오너라!"

김성태는 먹이를 노리는 늑대처럼 몸을 잔뜩 웅크렸다. 둘은 서로의 빈틈을 찾았다. 그렇게 시간이 흘렀다. 작은 빈틈 하나가 바로 죽음과 연결되는 게 고수들의 싸움이었다. 눈발이 다시 날리기 시작했다. 그때였다. 사달수는 왼발을 내딛으며 월도로 김성태의 가슴을 향해 찔러 들어갔다. 춘강소운세였다. 벽이라도 뚫을 기세였다. 김성태는 당황하지 않고 오른쪽으로 몸을 틀어 월도를 흘려보내려 했다. 순간, 사달수의 월도가 부드러운 띠로 변한 듯 부드럽게 움직이며 그의 오른쪽 허벅지를 노렸다. 마상월도에서 가장 빠른 자선수광세였다. 웬만해선 물러서지 않는 김성태였지만 지금은 감히 월도를 피해 다니며, 사달수 품으로 파고 들어갈 엄두를 내지 못했다. 월도가 어디로 들어올지 전혀 감을 잡을 수 없었기 때문이다. 그는 뒤로 물러서며 갈채를 보냈다.

"월도가 경지에 이르렀구나!"

"추산어풍세!"

사달수는 월도를 한 일자로 눕힌 후, 왼쪽에서 오른쪽으로 월도를 휘둘렀다. 한 줄기 바람과 함께 월도는 김성태의 허리를 무섭게 노렸다. 화들짝 놀란 김성태는 뒤로 물러섰다. 이대로 월도에 베인다면 몸이 두 동강 나고도 남을 위력이었다. 다행히 월도의 사정거리 안에서 벗어났다고 안도하는 순간, 갑자기 월도가 길게 늘어났다. 소스라치게 놀란 그는 즉시 단도를 들어 월도를 흘려보내며 높이 뛰어올랐다. 다행히 월도는 허공을 가르며 김성태의 몸을 아슬아슬하게 빗겨나갔다. 그의 이마에서 식은땀이 흘러내려갔다.

"어찌한 것인가? 월도가 늘어난 것 같은데."
"세상에 늘어나는 월도도 있더냐?"

이상했다. 아무리 살펴봐도 월도의 길이는 그대로였다. 하지만 월도가 늘어난 것은 틀림없는 사실이었다. 사달수는 월도를 오른쪽 겨드랑이에 감추며 백호포휴세를 펼쳐나갔다. 월도는 어떨 때는 빠르게, 또 어떨 때는 부드럽게 날아오며 김성태를 노렸다. 사달수는 월도를 높이 들어 그의 머리를 향해 내리쳤다. 이번에도 월도가 늘어났다.

'월도가 늘어나는 비밀을 알아내야 한다. 그렇지 않다면 사달수에게

당하고 말 것이다.'

이렇게 생각한 김성태는 월도의 움직임을 놓치지 않고 관찰하며 뒤로 물러섰다. 사달수 말대로 세상에 늘어나는 월도는 존재하지 않았다. 그는 사달수의 움직임을 주시했다. 결국 월도가 늘어나는 비밀을 찾아냈다. 하지만 안타깝게도 비밀을 찾아내는 동안 그의 몸은 늘어난 월도에 가슴과 오른쪽 다리를 베이고 말았다. 다행히 심각한 정도까지는 아니었다.

"다람쥐 같은 놈! 월도의 비밀을 어찌 알아낸 것이냐!"
"손잡이 위치! 자넨 평상시에는 손잡이 아래에서 두 뼘 정도 위치를 잡고 있었네. 하지만 공격을 할 때 손잡이 위치를 밑으로 움직여 손잡이 끝을 잡으며 공격했지. 그래서 월도가 늘어난 것처럼 보였던 것이야. 손잡이 끝을 잡고 육중한 마상월도로 공격한다는 것은 불가능한 일. 하지만 짐승 같은 힘을 가지고 있는 자네에게만은 예외였던 거 같군."
"역시 타고난 싸움꾼이군."
"더 이상 움직이지 말게나."
"움직이지 말라니!"
"난 지금껏 단 한 번도 공격을 하지 않았네."

맞는 말이었다. 그는 단 한 번도 사달수를 상대로 공격을 펼치지 않았다. 주변을 둘러보고서야 그 비밀을 알아 낼 수 있었다. 사달수의 주변에는 수많은 철질려가 깔려 있었다.

"다람쥐 같은 놈! 언제 이 많은 철질려를 깔아놓은 것이냐? 이것이 적군 백 명의 발을 묶은 네놈의 팔괘잔상이냐?"
"그리 대단한 것은 아니지만 미친 호랑이를 잡는 데는 충분하겠지."

마침내 김성태의 공격이 시작됐다. 그는 자신이 깔아놓은 수백 개의 철질려 중에 단 하나도 밟지 않고 사달수를 향해 달려갔다. 이를 본 사달수와 사주, 마철은 놀라움을 금치 못했다. 아무리 자신이 깔아놓은 철질려라 하더라도 수많은 철질려를 피하며 달려드는 것은 불가능한 일이었다. 그는 허수아비처럼 가만히 서서 방어만 하는 사달수를 향해 단검을 휘둘렀다. 사달수가 호랑이 같다면 김성태는 재빠른 날다람쥐 같았다. 사달수가 오른쪽으로 오는 그를 향해 마상월도를 휘두르면 그는 어느덧 왼쪽에서 공격을 하고 있었고, 왼쪽에 있는 그를 향해 마상월도를 휘두르면 그는 어느덧 사달수 뒤에 와 있었다. 사라짐과 나타남을 자유자재로 하는 그의 움직임은 예측조차 하기 힘들었다. 사달수가 당하고만 있는데도 사주는 흙담 위에 앉아 구경만 하고 있었다. 그런 사주를 향해 마철이 소리쳤다.

"아따! 지독허다이! 사수가 당하는데도 양반다리 쩍 하고 웃고 자빠졌으니!"

"아주바이는 쌈짓거리할 때 누가 끼어드는 걸 제일 싫어하디. 모두가 바라는 것은 이순신 장군의 일급비밀 문서 아니갔어? 느긋하게 기대리데 보면 내래 뭐 할 일이 생기겠디. 잠깐! 근데 언제 봤다고 반말 찍찍 하는 기야?"

"네놈보다 일 년이나 빨리 파발에 입단했다이."

"아이고 그러십미까? 기럼 언니라고 불러야겠습메다?"

"아따 당돌헌 놈. 긴장감이라곤 찾아볼 수가 없고만!"

"아주바이는 말입메다. 오랑캐들에게 창에 찔리고, 칼에 베여도 절대 죽디 않습메다. 아주바이는 상대가 강하면 강할수록 더 강해지는 사내. 오히려 지금 이 싸움을 즐기고 있는 것입메. 보라우. 아주바이가 웃고 있잖소."

마철은 고개를 오른쪽으로 돌려 사달수의 얼굴을 봤다. 진짜였다. 사달수는 웃고 있었다. 피를 많이 흘렸으면서도 사달수의 움직임은 전혀 느려지지 않았다. 오히려 더 빠르고 날카로워지고 있었다. 인간의 한계를 넘어선 짐승의 움직임이었다. 이렇게 되면 초조해지는 쪽은 김성태였다. 단도로 베고, 단도로 찌르고, 주먹으로 때리고, 발로 차도 사달수는 절대 쓰러지지 않는 거대한 고목 같았다. 그는 사달수의 마상월도를 그림자처럼 따라 움직이며 단도로 사달수의 어깨를 찔러 들어갔다.

그런데 사달수는 전혀 방어를 하지 않았다. 오히려 자신의 어깨를 그에게 내주었다. 김성태는 순간 생각이 복잡해졌다.

'자결이라도 하려는 것인가?'

단도가 사달수의 어깨에 박히고 말았다. 사달수의 능력으로는 충분히 막을 수 있었는데도 어째서 사달수가 방어를 하지 않았는지 이해할 수 없었다. 단도가 사달수의 어깨를 찌르는 순간 사달수는 김성태의 팔을 힘껏 잡아당겼다. 그렇게 되자 그의 몸이 사달수를 향해 끌어당겨졌다. 그와 동시에 김성태의 허리를 와락 끌어안으며 소리쳤다.

"오늘 나와 함께 철질려 밭을 굴러 보자구나!"

사달수는 그를 안은 채 철질려가 깔려 있는 눈밭을 대굴대굴 굴렀다. 둘의 등과 온몸에 수많은 철질려가 박히기 시작했다. 둘의 몸에서 나온 피가 하얀 눈밭을 물들였다. 이대로 가다간 둘 다 치명상을 입을 것이 뻔했다. 하지만 마철과 사주가 도울 일은 없었다. 사달수는 그를 안고 언덕 밑으로 굴러 떨어졌다. 그의 품에 있던 피각대가 빠져나왔다. 그때였다. 침묵을 지키고 있던 사주와 마철이 움직였다. 사달수 역시 그를 감싸고 있던 팔을 풀고 피각대를 차지하기 위해 달려갔다. 김성태는 피각대를 향해 달려가는 마철을 저지했다.

"놔둬라. 그냥 간다, 마철."

"갑자기 먼 복창 두드리는 소리요."

"마철!"

마철은 김성태가 왜 갑자기 멈추라는지 이해할 수 없었다. 하지만 대장의 명이었다. 즉시 피각을 쫓는 것을 멈추고 김성태를 따라 언덕을 올라갔다. 이를 본 사달수가 사주에게 소리쳤다.

"김성태의 뒤를 쫓는다."

"아주바이, 지금 저켠에 피각대가 있슴메."

"저건 가짜다, 이놈아."

"무신 소림메까?"

"저 피각대가 진짜라면 저리 도망을 치겠느냐?"

사주는 어쩔 수 없이 사달수의 뒤를 따라 언덕을 다시 올라갔다. 이를 본 마철이 회심의 미소를 지었다.

"아따, 신통방통헙니다요. 사달수가 돌아올 걸 어찌 알았다요?"

"세상엔 모르고 당하는 자도 있는가 하면 알면서 당하는 자도 있다."

"역시 우리 대장이랑께요."

김성태와 마철은 언덕을 올라 지붕을 넘어 대나무 숲으로 들어갔다. 그곳에는 주작과 갈불음도천수가 있었다. 둘은 말을 타고 능선을 따라 달려갔다. 김성태가 뒤를 돌아봤다. 멀리 사달수와 사주가 말을 타고 쫓아오고 있었다. 사달수가 품에서 표창을 꺼내 던졌다. 하지만 대나무가 많아 김성태와 마철에게 제대로 날아가지 못했다. 대나무 숲을 벗어난 김성태와 마철이 좁은 숲속으로 들어가자 사주가 외쳤다.

"아주바이, 김성태가 좁은 켠으로 들어가고 있습메다! 아주바이와 내가 타고 있는 말은 덩치가 커 좁은 숲에선 불리하단 말입메다!"
"곧 숲을 벗어날 것이다. 멀어져도 좋으니 눈에서 놓치지만 말거라."

예상대로 김성태와 사달수의 거리는 점점 멀어져 갔다. 사주가 소리쳤다.

"김성태가 보이지 않소!"

사달수의 눈에도 김성태가 보이지 않았다. 즉시 말에서 내려 귀를 땅에 댔다. 미세하게 말발굽 소리가 들려왔다. 한 마리는 서쪽을 향해 달려가고, 또 다른 한 마리는 지나온 길을 다시 되돌아가고 있었다. 사달수는 재빨리 말에 올랐다. 그리고 지나온 길로 다시 달려가며 사주에게 명했다.

"당했다! 네놈은 서쪽으로 가거라."

"아니 갑자기시리 무슨 뚱딴지 같은! 아주바이! 아니 서켠 어디로 가라는 말입메까! 아니 무신 명을!"

사달수는 사주를 무시하고 뒤돌아 달려갔다. 사주는 주변을 둘러보았다. 이 길이 저 길 같고, 저 길이 이 길 같았다. 마철의 모습 역시 어디에도 보이지 않았다. 사주는 넓은 들판에서 싸락눈을 맞으며 혼자 덩그러니 서 있었다. 종소리가 바람결에 실려 은은하게 들려왔다.

저 멀리 물안개 속에서 흰색 비단옷을 입은 사람이 백마를 타고 강가를 만유하고 있었다. 사주는 호기심이 일어 그쪽으로 말머리를 돌렸다. 그에게 가까이 갈수록 의아한 생각이 들었다. 머리카락은 허리까지 내려와 여인 같아 보이는데 키는 팔 척 장신이었다. 어깨는 떡 벌어졌는데 몸은 호리호리했다. 남자인지 여자인지 전혀 감을 잡을 수 없었다. 가서 직접 확인할 수밖에 없었다. 가까이 가서 보니 백마 탄 사람의 얼굴은 갸름한 턱에 초승달 같은 눈썹, 오뚝한 콧날, 우수에 찬 눈을 하고 있었다. 백마를 탄 남자의 흰색 검집에 달려 있는 금빛 수술이 바람을 받아 좌우로 흔들리고 있었다.

"보시라요. 뭐 하나 물어 보갔소. 내래 길을 잃어 기러는데, 길 좀 물어봅세다."

사주는 그가 반응을 보이지 않자 좀 더 큰 소리로 말했다.

"나이도 얼추 비슷해 보이는데 길 좀 물어보갔소."

백마 탄 사내는 백마에서 내려 물안개 자욱한 강가로 가 차가운 물에 피 묻은 손을 씻었다. 사주도 말에서 내려 옆으로 가 손을 씻으며 다시 물었다.

"혹시 소리가 안 들리는 것이오? 기렇다면 내가 기리는 지도를 보고 길을 좀 알려주시라요."

사주는 마상쌍도를 들어 땅에 지도를 그렸다.

"알 것 같소? 알면 고개를 끄덕여 보시라요."

그가 고개를 끄덕이자, 사주 역시 고개를 끄덕였다.

"아하! 기켠은 딜리기는 딜리는데 말은 하지 못하는 것입메? 벙어리?"

손을 다 씻은 백마 탄 사내는 칼집에서 칼을 뽑아 칼끝을 사주를 향

해 겨누었다. 사주는 그가 갑자기 생뚱맞은 행동을 하자 의아한 생각
이 들었다.

"검을 겨뤄보고 싶은 겁메까?"

그가 고개를 끄덕이자, 사주는 고개를 저었다.

"기켠이 생각하는 것 이상으로 난 이 나라의 중대한 일을 하고 있습
메. 지도에 나와 있는 곳이나 알려주시라요. 내 사례는 후하게 할 테
니."

사주는 주머니에서 은자를 꺼내 그의 앞에 던졌다. 하지만 그는 돈은
거들떠보지도 않았다.

"하긴 행색이 이리도 귀하니 돈은 필요 없갔지. 검을 겨루어주면 길
을 알려줄 것입메?"

그가 고개를 끄덕이자, 사주도 고개를 끄덕였다.

"기것 참. 어떤 딱한 사연이 있는지 모르겠디만 기렇게 나온다면 내
별수 없디. 기켠에 기 허약한 몸으로 받을 수 있는 검초가 아닌데."

백마 탄 사내는 손가락으로 칼끝을 살짝 튕겼다. 맑고 청아한 소리가 울려 퍼졌다. 사주가 콧방귀를 뀌며 마상쌍도를 고쳐 잡는 동시에 그가 날듯이 달려와 사주의 코앞에서 검집을 휘두르고 다시 뒤로 다섯 보 물러났다. 사주는 뭔가 조롱을 당한 거 같아 불쾌했다. 즉시 마상쌍도를 들어 그의 가슴을 향해 찔러 들어갔다. 그는 칼로 마상쌍도를 막는 척하며 칼집으로 사주의 허리를 쳤다. 당황한 사주가 세 걸음 물러나 자세를 고쳐 잡고, 다시 그의 허리를 향해 무섭게 휘둘렀다. 백마 탄 사내는 칼집으로 마상쌍도를 막고 칼로 사주의 허리를 노렸다. 당황한 사주가 마상쌍도로 검을 막았다. 하지만 날아온 것은 칼이 아닌 칼집이었다. 픽! 허리가 휘며 그 자리에 주저앉은 사주는 혼잣말을 했다.

"빠르메."

사주는 일어나 마상쌍도를 고쳐 잡고 그를 향해 무섭게 찔러 들어갔다. 그러자 그는 칼집으로 마상쌍도를 막고 칼로 사주의 목을 노렸다. 화들짝 놀란 사주는 목이 날아갈 거 같아 제비돌기로 물러섰다. 이번엔 사주가 돌아보기도 전에 흰색 그림자가 번뜩이며 달려와 사주의 마상쌍도를 향해 칼을 휘둘렀다. 순간 마상쌍도가 두 동강 나는 동시에 그의 칼집이 사주의 이마를 찍었다. 사주는 뒤로 벌러덩 넘어지며 생각했다.

'조선 팔도에 이리도 빠른 자가 있었단 말입메?'

　한편 김성태는 피각대가 있는 곳으로 돌아가 떨어진 피각대를 주워 서쪽을 향해 달려갔다. 사달수는 그의 뒤를 끈질기게 쫓았다. 좁은 숲 속을 달릴 때는 거리가 멀어지는가 싶다가도 넓은 들판으로 나오면 또 다시 거리가 좁혀졌다. 주작이 다시 하혈을 시작하자 둘의 거리는 더욱 좁혀졌다. 어느덧 사달수는 김성태를 바짝 쫓았다. 사달수는 주작의 상태가 좋지 않다는 것을 직감했다. 더 이상 김성태가 도망갈 수 없다는 확신이 들자 사달수는 속도를 내어 달려갔다. 김성태가 사정거리 안으로 들어오자 사달수는 거침없이 마상월도를 휘둘렀다. 살기를 느낀 김성태는 즉시 말에서 뛰어내렸다. 사달수 역시 말에서 뛰어 내렸다. 두 사람이 서 있는 곳은 서쪽에 위치한 시전으로, 전쟁이 나기 전에는 사람들의 왕래가 많았지만 전쟁이 나면서 무법천지의 공간으로 변해버린 곳이다. 사달수가 소리쳤다.

　"지금이라도 늦지 않았네. 나와 함께 저하를 도와 새로운 세상을 만드는 것이 어떤가?"
　"자네와 저하께서 원하는 세상은 무엇인가?"
　"파발의 의지와 같지. 빠르고 정확한 정보의 공유로 안으로는 도탄에 빠진 백성을 구하고, 밖으로는 은밀한 첩보 활동으로 전쟁에 대비한다. 저하께서는 정보를 공유하고 소통하는 데 있어 제갈량을 능가할 탁월한 재능을 갖추었네. 자네와 내가 힘을 합쳐 그런 저하 곁에서 힘이 되어 준다면 이 나라는 더욱더 부강한 나라가 될 것이야."

"자네와 난 같이 동냥질하며 살던 이십여 년 전 그때로 돌아갈 수는 없을 것 같군."

"내 오늘 자네의 그 고집을 고쳐놓고야 말 것이야."

사달수는 마상월도를 동서남북으로 휘두르며 김성태를 몰아갔다. 김성태를 빗겨나간 마상월도는 시전의 문과 창문, 기둥, 벽 등을 박살냈다. 김성태는 좁은 객잔 안으로 사달수를 유인했다. 그렇게 되자 창이 긴 사달수의 마상월도는 제 힘을 발휘하지 못했다. 몸이 재빠른 김성태에게는 좁은 시전 안의 전투가 훨씬 유리했다. 그는 몸이 둔해진 사달수를 향해 공격을 시작했다. 사달수가 긴 팔을 뻗어 그의 목을 잡으려는 순간, 그는 사달수의 시야에서 사라졌다. 사라진 그는 어느덧 사달수의 왼쪽으로 돌아와 사달수의 목을 단도로 노렸다. 하지만 사달수는 본능적으로 위험을 느끼고 왼쪽으로 팔을 뻗어 그의 왼쪽 어깨를 노렸다. 그는 순간 고민에 빠졌다.

'사달수의 목을 취하고 왼쪽 어깨를 사달수에게 내줄 것인가. 그게 아니면 사달수의 목을 버리고 왼쪽 어깨를 지킬 것인가.'

결단이 선 김성태는 팔을 뻗어 단도로 사달수의 목을 그었다. 사달수 역시 그의 어깨를 마상월도로 그었다. 둘은 치명상은 입지 않았지만 각각 목과 어깨에서 붉은 선혈이 흘러내렸다. 사달수는 옷을 찢어 목을 감쌌다. 김성태 역시 베인 왼쪽 어깨를 옷가지로 감쌌다.

그때였다. 쿵 소리와 함께 객잔이 무너져 내렸다. 둘은 있는 힘을 다해 밖으로 통하는 문을 향해 달려갔다. 무너져 내린 기둥이 둘을 덮쳐 갔다. 하지만 둘은 아슬아슬하게 기둥을 피해 밖으로 뛰어나왔다. 그와 동시에 객잔이 와르르 무너져 내렸다. 조금만 늦게 나왔다면 둘은 객잔에 깔려 비명횡사했을 것이다. 둘은 숨을 고를 여유조차 없이 서로를 향해 마상월도와 단도를 휘둘렀다. 사달수는 마지막 혼신을 다해 춘강소운세를 펼쳐 그의 허리를 노렸다. 김성태는 이제 더 이상 도망칠 힘이 남아 있지 않았다. 몸을 낮춰 사달수 품을 향해 파고 들어가 다시 사달수의 목을 노렸다. 이대로 가다간 둘 다 목숨을 잃을지도 모르는 위기의 순간이었다.

그때였다. 흰색 그림자가 번뜩이며 백마 탄 사내가 칼로는 사달수의 마상월도를 막고, 칼집으로는 김성태의 단도를 막으며 둘 사이에 우뚝 섰다. 백마 탄 사내의 긴 머리가 바람에 날려 하늘거리고 있었다. 김성태와 사달수의 눈이 휘둥그레졌다.

11. 서파발 사맹 이주영

저 멀리 이마가 벌겋게 부어오른 사주가 심상사성을 타고 달려오고 있었다. 김성태와 사달수, 백마 탄 사내는 고개를 돌려 사주를 쳐다보았다. 김성태와 사달수 사이에 우뚝 서 있는 백마 탄 사내를 확인한 사주는 화들짝 놀라 사달수를 향해 소리쳤다.

"아주바이, 조심하시라요! 기켠에 있는 벙어리 실력이 상상을 초월합메다!"

사달수는 사주의 이마가 벌겋게 부어오른 것을 보고 소리쳤다.

"이놈과 겨룬 것이냐? 만나거든 도망치라 하지 않았느냐."
"도망이라니? 기게 무슨?"

사주는 아무리 생각해도 그런 말을 들은 적이 없었다. 뭔가 집히는 바가 있는지 말을 멈추고 백마 탄 사내를 유심히 지켜보다 탄성을 토해냈다.

"설마 저켠에 있는 자가?"

사달수가 백마 탄 사내를 향해 호통을 쳤다.

"이주영! 이 여우 같은 놈! 네놈이 간덩이가 부어도 단단히 부었구나! 감히 이 사달수 형님에게 칼을 겨누다니!"

이주영은 부드러운 목소리로 답했다.

"그대는 여전히 시끄럽소. 마차 바퀴라도 삶아 먹은 것이오?"

사주는 이주영과 김성태, 사달수를 번갈아보며 감탄사를 토해냈다. 조선에서 가장 빠른 말 백영과 조선에서 가장 빠른 발도술을 지닌 서파발 사맹 이주영. 조선 최고의 타고난 싸움꾼으로 능히 칠백 리를 달린다는 명마 중의 명마, 주작의 소유자인 남파발 사맹 김성태. 그리고 마지막으로 힘으로는 조선 팔도 따라올 자가 없는 북방의 호랑이, 북파발 사맹 사달수. 조선을 움직이는 저 셋이 한 자리에 마주하고 있는 것이다. 김성태가 먼저 한 보 뒤로 물러서며 이주영에게 말했다.

"더 이상 서쪽에서 소란을 피우지 않겠소."

김성태가 한 보 물러서자 이주영은 칼집을 거두었다. 사달수 역시 한 보 물러섰다. 여기서 이주영을 적으로 돌리면 일이 더욱 어려워진다는 건 불 보듯 뻔했기 때문이다. 이주영은 사달수에게 겨눈 칼을 거두었다. 이주영이 사용하는 검술은 신라의 본국검법이었다. 신라 시대 때 황창랑이라는 소년이 백제왕 앞에서 검무를 추다가 왕을 찔러 죽이고 자신도 백제인들에게 살해된 일이 있었다. 황창랑이 이때 쓴 검술이 바로 본국검법이었다. 본국검법은 신라의 화랑들에게 전해져 삼국 통일이라는 대업을 이루는 데 밑바탕이 되기도 했다. 본국검법은 시선을 쓰는 안법 육 수와 칼로 치는 격법 오 수, 칼로 베는 세법 사 수, 칼로 찌르는 자법 칠 수로 이루어져 있었다. 이주영이 조금 전 사달수와 김성태를 상대로 사용한 일초는 본국검법 중 가장 빠른 금계독립세였다.

사주는 이주영의 칼을 보자 의아한 생각이 들었다. 강가에선 경황이 없어 잘 보지 못했지만, 지금 보니 다른 검과는 달리 푸른빛을 띠고 있었다. 이주영이 들고 있는 검은 사인도라 불렸는데, 검을 만드는 장인이 육 십년 동안 공을 들여도 하나 만들까 말까 한다는 명검이었다. 인년(寅年), 인월(寅月), 인일(寅日), 인시(寅時) 이렇게 인(寅) 자가 네 번 겹치는 시간에 맞추어 쇳물을 부어 만든 칼로, 사악한 기운을 물리친다는 염원을 담고 있는 검이기도 했다. 이주영은 사인도를 칼집에 넣은 후, 김성태와 사달수를 번갈아 쳐다보았다.

"김성태 사맹은 남쪽에 있어 할 몸, 사달수 사맹은 북쪽에 있어야 할 몸. 우리 셋은 절대 만날 수 없는데 그대들은 어찌 이곳 서쪽으로 와 소란을 피우는 것입니까? 어떤 이유로 서쪽에 왔는지 내 알 바가 아니지만 하루 빨리 서쪽에서 떠나주세요."

말을 마친 이주영이 양 손을 쫙 폈다. 김성태와 사달수, 사주는 이주영이 갑자기 엉뚱한 행동을 하자 의아한 생각이 들었다. 이주영이 말을 이었다.

"돈을 내셔야겠습니다."

사달수가 미간을 구기며 소리쳤다.

"이런 개대가리 같은 놈! 서쪽에 오면 네놈에게 통행료를 내야 하는 것이냐!"
"주위를 둘러보세요."

김성태와 사달수, 사주는 주변을 둘러보았다. 시전들이 모두 부서져 있었다. 겁에 질린 어린 아이들이 부서진 시전 뒤쪽에 숨어 있었다. 이주영이 말을 이었다.

"그대들이 소란을 피워 망가뜨린 가옥과 시전들이오. 이곳은 배고픈 서쪽의 백성들이 겨우 입에 풀칠이나 하는 시전입니다. 시전을 이리다 망쳤으니 돈을 내는 것은 당연한 것입니다. 돈이 없다면 금이나 은도 받습니다."

사달수가 버럭 화를 냈다.

"시전과 네놈이 대체 무슨 관계이더냐!"
"이곳의 시전은 우리 가문에서 보살펴주던 곳이오."
"그 밴댕이 속은 여전하구나, 이놈!"

침묵을 지키고 있던 김성태가 이주영에게 정중히 부탁했다.

"주작이 새끼를 뺐소. 내 다른 부탁은 안 할 터이니 주작을 좀 맡아주시오. 그리고 따로 말 한 필만 내주면 내 더 이상 이곳에서 소란을 피우지 않고 떠나겠소."
"음……, 그대의 청을 들어주겠소. 대신 한 가지 조건이 있습니다. 주작이 새끼를 낳으면 나에게 주시오. 백영은 사내라 새끼를 낳을 수 없소. 내 일찍이 그대의 주작과 나의 백영을 짝지어 주려 했소. 주작은 태조 임금께서 무척 아꼈던 팔준마 중에서도 가장 뛰어난 명마인 유린청의 후손이 아니오? 그런 주작과 나의 백영이 새끼를 낳는다면 그 말은 조선 최고의 명마가 될 거라 늘 생각했소. 헌데 주작이 새끼를 가졌다니 정말 유감이오. 주작의 새끼를 나에게 주겠소?"

김성태는 말을 좋아하는 이주영이 이렇게 나올 걸 이미 예상하고 있었다. 하지만 흔쾌히 허락한다면 이주영이 눈치를 챌지도 모르는 상황이었다.

"그것이……, 생각할 시간을 좀 주시겠소?"
"천천히 생각해 보시오. 난 그동안 청소를 좀 해야겠소."

이주영이 청소를 시작하자 숨어 있던 아이들이 반갑게 뛰어나왔다. 사주는 그의 행동을 쭉 지켜보다 사달수에게 물었다.

"아주바이, 어찌 저런 파라코 같은 놈이 서파발 사맹인 것입메? 차라리 골목대장이 더 어울리는 것 같습메다."
"단 한 번도 임무를 실패한 적이 없는 놈이다."
"좀 던에 십 년 전이라고 했는데 리주영과 원래 알던 사이였습메까? 기러고 보니 김성태와도 십 년 전부터 알고 지냈던 사이라 하지 않았소? 셋이 무슨 관계인 것입메?”

“마철은 어찌 되었느냐?”

“아니, 사람이 물어보는데시리 엄한 소리를 기렇게……. 아주바이, 과부 맴 홀애비가 알아준다고 했소. 어찌 이래 내 맴을 몰라주는 것입메까? 알갔소. 놓쳤소.”

“한심한 놈.”

“죄송합메다.”

“우둔한 놈.”

“송구합메다.”

“답답한 놈.”

“죽을죄를 졌습메다.”

“마철은 틀림없이 주변에 있을 것이다. 깨방정 떨지 말고 주변을 철저히 경계하거라.”

김성태는 시전을 청소하고 있는 이주영에게 다가가 말했다.

“주작이 새끼를 낳으면 당신에게 주겠소.”

“정말이오? 그럼 따라오시오. 내 그대에게 말 한 필을 내주겠소.”

신이 난 이주영은 어린아이처럼 천진난만하게 웃으며 백영의 고삐를 잡고 먼저 걸어갔다. 김성태는 안도의 숨을 내쉰 후, 주작의 고삐를 잡고 이주영과 어깨를 나란히 하고 걸어갔다. 이 엉뚱하고도 기가 막힌 상황에 사달수와 사주는 잠시 넋을 놓고 있었다. 그렇다고 이대로 포기할 수는 없었다. 사달수는 무작정 이주영과 김성태의 뒤를 따라갔다. 마철은 이 모든 광경을 소나무 위에서 지켜보고 있었다. 어느덧 해가 지기 시작했다.

12. 서파발 참

전쟁 전 개성에 위치한 평온상단은 개성에서도 손꼽히는 상단이었다. 상단은 개성에서 한양으로 가는 길목 중 가장 번화한 거리에 자리 잡고 있었다. 거리의 시전에는 오색 빛깔 비단들과 고운 꽃신들이 진열되어 있었고, 비단옷을 입은 양반들과 상인들의 웃음소리, 아이들의 웃음소리가 끊이지 않았었다. 지금은 비록 병들어 죽은 시체와 굶어 죽은 시체들이 거리를 가득 메우고 있지만, 상단의 모습만큼은 전쟁이 나기 전 그대로 유지하고 있었다.

상단을 들어서는 입구의 대문은 누군가 옻칠을 해놓았는지 반짝거렸고, 처마와 기둥들 역시 자색을 띠고 있었다. 변소 옆에는 길마와 바지게, 다래키가 잘 정리되어 있었고, 마당도 깨끗하게 청소되어 있었다. 마구간과 물건을 보관해두는 창고, 접견실과 계단, 복도 역시 윤이 나고 있었다. 하지만 물건을 보관해두는 창고엔 물건들이 보이지 않았고, 대신 병든 노인들이 치료를 받았으며, 손님을 접대하는 접견실에는 어린아이들이 뛰어놀고 있었다.

서파발에는 한양에서 의주까지 총 여든여섯 개의 참이 숨겨져 있었다. 이곳 평온상단은 서파발 사맹이 직접 관장하는 서파발의 일 번 참으로, 방울 세 개인 초비상을 제외한 모든 피각대는 이곳 일 번 참을 거쳐 가게 되어 있었다. 남파발과 달리 상업의 중심인 서파발은 대부분의 참을 상단으로 위장해 그 직분을 다하고 있었다. 발장과 색리는 창고에서 병든 노인들을 돌봤고, 군정 다섯 명은 상인으로 위장해 어린아이들을 보살피거나, 청소를 하거나, 병든 노인들을 치료했다. 그중 대문을 지키고 있던 군정 한 명이 이주영을 확인하고 예를 갖추었다.

"지금 오십니까, 나리."
"말이 새끼를 가졌소. 그대는 성심성의껏 보살펴 주시오."

군정은 백영과 주작을 데리고 마구간으로 향했다. 김성태가 이주영에게 말했다.

"말을 한 필 빌리겠소."
"군정의 뒤를 따라가시오."
"고맙소."

김성태는 군정의 뒤를 따라갔다. 그때 그의 눈이 흐릿해지며 다리의 힘이 풀렸다. 쓰러지지 않기 위해 다리에 힘을 주었지만, 결국 정신을 잃고 푹 쓰러지고 말았다. 마철이 멀리서 이 모든 것을 지켜보고 있었다. 그는 김성태의 안위가 걱정되어 뛰어나가려 하다가, 이성을 찾고 잠시 지켜보기로 했다. 이주영은 뚱뚱한 색리를 불러 그의 치료를 부탁했다. 이때 사달수가 목에서 흐르는 피를 손으로 막으면서 걸어왔다.

"이주영, 나도 신세 좀 지자!"

이주영은 사달수를 향해 손을 폈다. 돈을 달라는 눈치였다.

"저저저저……"
"돈이 없다면 돌아가시오."
"네놈은 사람이 죽어가도 돈만 생각할 것이냐?"
"세상에 공짜는 없소. 땀을 흘려야 과일이 열매를 맺고, 곡괭이질을 해야 고구마라도 자랄 것 아니오."

사달수가 마상월도를 들어 위협적으로 나오자 군정 두 명이 창을 고쳐 잡았다. 이주영은 손을 들어 군정들을 향해 조용히 말했다.

"창을 내려놓으시오. 그대들의 상대가 아니오."

이주영과의 대화가 무의미하다고 생각한 사달수는 분을 참고 사주에게 말했다.

"이주영에게 돈을 주거라."

사주는 자신의 품을 뒤져 돈을 찾았다. 하지만 돈이 없었다.

"아! 아주바이, 기게…… . 강가에 두고 온 것 같슴메다."
"이런 개대가리 같은 놈을 보았나!"
"흥분하지 마시라요. 기러다 혈관 터짐메다."

이주영은 옷에 묻은 눈을 털며 상단으로 들어갔다. 사달수는 어쩔 수 없이 뒤돌아 상황을 지켜보기로 했다. 사주는 똥마려운 강아지처럼 사달수 주변을 알짱거리다가 서파발 상단의 부엌과 헛간, 마구간, 변소를 기웃거렸다. 하지만 뾰족한 수가 생각나지 않는지 다시 사달수가 있는 대문 앞으로 가 퉁명스럽게 말했다.

"서파발은 북파발과는 좀 다른 게 있음메. 참을 상단으로 위장해 놓다니. 기가 막힙메다, 아주바이! 지금 기렇게 여유로이 잠이나 자고 있을 때가 아니오. 여기서 자다간 입 돌아간단 말이오. 아 거 참, 일어나 보시라요. 기대로 있다가 이주영과 김성태에게 당하는 거 아니갔죠?"

"길이 막혔을 땐 때론 쉬어 가는 것도 좋은 방법이다."

"길이 막혔을 땐 다시 돌아가야지 쉬기는 왜 쉽메까? 답답한 소리만 하십메다. 김성태와 이주영이 손을 잡으면 기땐 아주바이가 다 상대하시라요."

아무런 대답이 없자 사주는 포기하고 소나무에 등을 기댔다. 배에서 꼬르륵 소리가 났다. 사주는 배가 고팠는지 눈을 퍼 먹으며 신세 한탄을 늘어놓았다.

"에잇, 꼬라지 하고는! 천하의 사주가 이켠에서 눈이나 퍼먹고 있으니……. 김성태가 가지고 있는 피각대 안에 이순신 장군의 문서가 들어 있긴 한 것입메?"

"김성태가 움직인다는 것은 방울 세 개인 초비상이 움직인다는 것. 지금 남쪽에서 방울 세 개 초비상이 이순신 말고 또 누가 있겠느냐?"

"기럼 뭐 기렇다고 치고. 기럼 대체 피각대 안에 어떠한 글이 적혀 있는 것입메까?"

"그걸 알면 내가 이 고생을 할 이유가 없지 않느냐?"

"막상 까봤는데 별 볼 일 없는 내용이면 어찌 할 것입메? 책임지실 것입메?"

"방울 세 개 일급이다, 이놈아."

"기람 뭐. 기것도 기렇다고 치고. 김성태가 가디고 있는 피각대를 취했다고 칩세다. 하지만서리 봉인을 풀 수 있는 열쇠가 없지 않소."

"열쇠도 없이 이곳까지 왔겠느냐?"

"방울 세 개 초비상의 봉인을 풀 열쇠는 왕과 김성태만 가지고 있는데, 어찌 얻은 것입메까? 김성태는 이켠에 있으니 아닐 테고. 설마 임금의 침소에 침투해 열쇠를 몰래 훔쳐온 것입메? 하긴 김성태를 잡는 것보단 임금의 침소에 잠입하는 것이 더 수월하겠디."

"그만 그 입 좀 다물거라! 확 찢어버리기 전에."

사주는 입을 잽싸게 다물었다. 저 멀리 피골이 상접한 노인 한 명과 아들로 보이는 두 남자가 걸어오고 있었다. 호기심 많은 사주는 세 명의 행동을 지켜보았다. 세 명은 힘겹게 걸어와 상단을 지키고 있던 군정에게 고개를 숙였다. 군정이 문을 열어 주자 세 명은 상단 안으로 들어갔다. 사주가 군정들에게 화를 냈다.

"이보라오. 아니 디금 상거지들은 딜여보내고 왜 우켠은 안 들여보내는 것입메! 죽고 잡습메?"

"병든 노인과 전쟁고아들이오."

"내래 병든 전쟁고아야! 날래 문 열라우!"

"소란을 피운다면 나리를 부르겠습니다."

"내 다시는 이놈의 서켠에 오나 봐라. 북켠이 기립고만."

사주가 주먹을 꽉 쥐고 분을 참고 있는 사이, 등이 구부정한 군정 한 명이 봇짐 하나를 들고 오더니 사달수와 사주 앞에 던졌다. 사주는 거기에 음식이 들어 있을 것으로 예상하며 봇짐을 풀었다. 그런데 마른 풀만 잔뜩 들어 있었다.

"디금 이것을 우리 보고 먹으라고 준 것임메? 죽고 잡나?"
"그건 먹는 풀이 아니라 상처 난 곳에 바르는 풀이오."
"뭐래는 기야?"
"대체 어디서 왔길래 먹는 풀과 상처에 바르는 풀도 구분하지 못하는 것이오?"

군정이 한숨을 쉬더니 돌아갔다. 사달수가 눈을 감은 채 사주에게 말했다.

"빻아라."
"아니 디금 풀이나 빻을 때요? 허기가 져서 눈을 퍼먹고 있는 부하에게 풀이나 빻으라는 말이 나옵메까? 기렇게도 먼 여정을 떠날 것이었다면 육포라도 좀 챙겨오지 그랬소?"

사달수가 눈을 치켜뜨고 노려보자, 사주는 돌 하나를 들어 풀을 빻았다. 풀이 질퍽해지자 사달수의 상처 부위에 발라줬다.

"아주바이하고 내하고 얼굴 본 지가 벌써 한 해가 지났소. 기때부터 내래 궁금한 게 한 가지 있는데 물어봐도 되겠습메?"

"개소리 하려거든 집어 치워라."

"기것이 말이오. 아주바이는 왜 벗이 없소?"

"……."

"아니, 기렇잖소. 어디를 가나 아주바이의 적밖에 없잖소. 누구 하나 벗으로 반갑게 맞아주는 사람이 없습메다, 눈을 씻고 찾아봐도. 밥 한 끼 줄 수 있는 벗이 기리도 없는 것입메?"

사달수는 앉은 자리에서 사주의 엉덩이를 사정없이 발로 찼다. 사주는 꼬리뼈가 아프다며 호소했지만 사달수의 발길질은 멈추지 않았다. 그때 봇짐 안에 숨겨져 있던 서찰 한 장이 사달수의 시야로 들어왔다. 그는 즉시 봇짐 안에 있는 서찰을 꺼내 읽어 내려갔다. 호기심 많은 사주가 물었다.

"기건 뭐요? 좀 던에 봤을 땐 없었는데 대체 기 서찰은 누가 보낸 것 입메?"

"이곳 서쪽에도 저하를 돕는 무리들이 있을 줄이야."

"참말이오? 기렇다면 조금 던 기자가 저하의 첩보원이었소? 어허 이런. 저하의 정보력은 대체 어디까디 닿아 있단 말이오?"

13. 서쪽의 간자

등이 구부정한 군정은 마구간을 지나 부엌으로 가더니 따뜻한 물을 끓여 접견실로 들어갔다. 접견실엔 따뜻한 화로 옆으로 탁자와 의자가 깔끔하게 정리되어 있었고, 이주영은 다리를 꼬고 의자에 앉아 잠을 자고 있었다. 의식을 잃은 김성태의 신당혈에 마지막으로 침을 놓은 뚱뚱한 색리는 이마의 땀을 닦아냈다. 등이 구부정한 군정이 따뜻한 물을 가지고 들어오자 색리가 그 물에 손을 씻으며 말했다.

"차가운 물로 환자의 이마와 발목을 시원하게 해주거라."

군정은 부엌으로 가서 깨끗한 물을 한 바가지 떠 접견실 안으로 다시 들어갔다. 그런데 김성태만 침상에 누워 있을 뿐, 이주영과 색리의 모습은 어디에도 보이지 않았다. 기회였다. 군정은 수건을 깨끗한 물에 적셔 김성태의 이마와 발목을 닦아주며 안부를 물었다. 아무 대답이 없자 조금 더 큰 소리로 물었다. 역시 아무런 대답이 없었다. 군정은 조심스럽게 김성태의 품을 뒤져보았다. 왼쪽 품 안에 피각대가 있었다. 군정은 바가지에 있는 물을 창밖으로 버린 후, 훔친 피각대를 바가지 안에 숨겨 밖으로 나갔다. 잠시 후, 침상 밑에서 이주영이 모습을 드러냈다. 이주영은 창밖으로 피각대를 들고 도망가는 군정의 뒷모습을 보며 혼잣말을 했다.

"남의 물건을 탐한 자. 그대의 못난 손이 그 죄를 대신할 것이오."

피각대를 훔친 군정의 발걸음은 가벼웠다. 훔친 피각대만 광해에게 넘긴다면 봄날에 유채꽃 피듯 군정의 인생은 활짝 필 테니 말이다. 군정은 사달수가 있는 곳으로 가 사달수의 귀에 대고 은밀하게 말했다.

"나리, 이순신 장군의 문서가 들어 있는 피각대입니다."

사주는 미소를 지으며 말했다.

"아주바이, 이제 끝났습메다. 일이 이렇게도 쉽게 끝날 것을. 자네 고생이 많았어. 기렇게 어려운 일을 해내다니 대단함메. 내 한양에 가면 후한 상을 내릴 것입메."

군정이 쓴웃음을 지으며 대답했다.

"나리께서 내리시는 후한 상은 필요 없습니다. 사달수 나리께서 잘 봐주면 됩니다."

사주는 마상쌍도를 고쳐 잡았다. 당장 군정의 머리를 쪼개고 싶었다. 그런데 갑자기 사달수가 피각대를 들고 어딘가로 뛰어가는 것이 아닌가?

"어디 가십메까? 아주바이!"

사주와 군정은 사달수의 뒤를 따랐다. 사달수는 시냇가에 멈춰서더니 피각대를 시냇물에 담근 후 다시 꺼냈다. 별다른 반응이 없자 피각대를 멀리 던져 버렸다. 사주가 화들짝 놀라 소리쳤다.

"아주바이! 아니 왜 피각대를 버리는 것입메까?"
"가짜다!"

방울 세 개짜리 일급비밀 문서가 봉인된 피각대에는 한 가지 비밀이 있었다. 대나무로 만든 피각대 틈에는 눈에 보이지 않는 색소가 발라져 있는데, 피각대가 물에 닿으면 색소와 물이 섞여 물이 붉은색으로 변한다. 하지만 군정이 훔쳐온 피각대에선 아무런 반응도 나오지 않았다. 이 사실은 임금과 병조판서 그리고 남파발, 북파발, 서파발의 사맹 세 명만 알고 있는 일급비밀이었다. 군정은 믿기지 않았다.

"나리, 틀림없이 김성태 품에서 훔쳐온 것입니다."

"당했다."

"김성태는 계속 의식이 없었습니다. 의식이 없는 자가 어떻게 피각 대를 바꿔치기할 수 있단 말입니까?",

"이주영, 이 여우 같은 놈."

숲속에서 피리 소리가 은은하게 들려왔다. 처음엔 구슬픈 소리였지 만 시간이 지날수록 조금씩 빨라지며 급기야 사달수와 사주의 귀를 자 극했다. 사달수는 귀를 기울여 피리 소리의 근원지를 찾았지만 어떻 게 된 것이 동쪽에서 들려오던 피리 소리가 갑자기 서쪽에서 들려오 고, 다시 남쪽에서, 다시 동쪽을 지나 북쪽에서 들려왔다. 사주가 시끄 럽다며 소리를 질러댔지만 피리 소리는 멈추지 않았다. 순간, 어디선가 화살 하나가 허공을 가르며 빠르게 날아와 군정의 오른손을 관통했다. 피리 소리에 묻혀 갑작스럽게 날아온 화살이라 사달수조차 전혀 예측 할 수 없었다. 사달수는 뒤늦게 주변을 경계했다. 군정은 화살을 맞은 손을 부여잡고 고통스러워했다. 사달수가 군정을 향해 소리쳤다.

"지금 바로 한성으로 가서 이 사실을 병조판서께 전하거라. 어서."

"네."

군정은 즉시 뛰어갔다. 잠시 후 화살 하나가 다시 군정을 향해 날아
갔다. 방금 전에 날아온 화살에 비해 크기가 곱절은 되는 것 같았다. 사
달수는 마상월도를 들고 날아오는 화살을 막으려 나섰다. 그런데 갑자
기 화살이 반으로 갈라지더니 그 안에서 작은 애기 화살들이 쏟아져
나왔다. 사달수와 사주는 마상월도와 마상쌍도를 들어 수많은 화살을
막아냈지만, 미처 막지 못한 애기 화살 하나가 군정의 등을 관통했다.
군정은 거친 숨을 내쉬다가 그 자리에 쓰러지고 말았다. 사달수와 사
주는 언제 다시 날아올지 모르는 화살에 대비했다. 하지만 시간이 흘
러도 화살은 다시 날아오지 않았다. 날카롭게 귀를 자극하던 피리 소
리도 더 이상 들리지 않았다. 사주가 퉁명스럽게 말했다.

"디금 화살 보았습메? 뱀이 허물을 벗는 것처럼 화살 안에 작은 애
기 화살들이 들어 있었소. 이런 활 솜씨를 보인 사람은 평생 리순신뿐
이었소. 대체 화살은 어디에서 날아온 것이란 말입메까?"

사주는 주변을 둘러보았다. 화살이 날아온 방향으로 미루어 보아 평
지가 아닌 높은 곳에서 쏜 것이었다. 그렇다면 지금 위치보다는 위에
있는 곳, 주변에 높은 곳이라고는 상단 처마 위 밖에 없었다. 하지만 그
곳은 화살이 날아온 방향과는 전혀 다른 방향이었다.

"기렇다면 대체 화살은 어디에서 날아온 것이란 말입메?"

사주는 주변을 둘러보았다. 시선이 자연스럽게 북동쪽에 위치한 대나무 숲으로 향했다. 하지만 사주가 서 있는 곳에서 대나무 숲까지의 거리는 무려 오백 보가 넘는다. 인간이 쏠 수 있는 거리가 아니었다. 사주는 입이 근질거려서 참을 수가 없었다.

"아니 대체시리 화살은 어디에서 날아왔습메? 날아올 만한 곳은 오백 보 밖에 있는 저 대나무 숲 밖에 없소. 기런데 저켠에서 이켠까지 움직이는 물체를 맞출 수 있는 자는 조선 팔도에 리순신밖에 없지 않소. 설마 리순신은 아니갔죠?"

"이순신 말고 또 한 명이 있지 않느냐?"

"리순신 정도의 활 솜씨를 가진 자라면……?"

"이역참수!"

"리역참수라면 리순신의 유일한 제자로 알려져 있는 자 아닙메까?"

이순신은 이제까지의 역사를 통틀어 조선에서 손꼽히는 신궁이었다. 그런 그에게 제자가 한 명 있었으니, 그가 바로 이역참수다. 이역참수도 이순신과 맞먹는 활솜씨를 가지고 있었다. 사주가 말을 이었다.

"근데, 리순신의 제자인 리역참수가 왜 이켠에 있는 것입메까?"

"그 이역참수가 서파발 부사맹이다."

"기게 무슨 부엉이 똥 싸는 소리요? 리역참수가 대체 언데 서파발의 부사맹이 된 것입메?"

"한 달 남짓 되었다."

"무시기요? 아니, 왜 기런 중대사를 나에게 말하지 않은 것입메? 답답하고 서운하오. 내래 북파발 부사맹입메다. 우리가 하는 일이 뭐요? 첩보와 정보 공유가 아니갔소. 덩확하고 신속한 정보로 안으로는 도탄에 빠진 백성을 구하고, 밖으로는 은밀한 첩보 활동으로 왜덕의 침입에 대비하는 파발이란 말입메다. 궁수의 수를 알면 뭐하고, 적의 배가 몇 척인지 알면 뭐합메까? 가튼 파발의 부사맹이 뉘인지도 모르는데……."

참을 만큼 참은 사달수가 사주를 노려보자, 사주는 즉시 화제를 돌렸다.

"그나저나 큰일입메다. 리주영과 김성태, 기것도 모자라 리역참수까지 이켠에 있으니……. 설마 남인과 서인의 바보들이 화합한 건 아니갔죠?"

"이역참수는 너와 나에겐 화살을 쏘지 않았다."

"기렇다는 건……."

"서파발은 김성태를 돕지 않는다."

"기럼 망설일 것이 뭐 있습메! 갑세다! 김성태 사냥하러!"

잠을 자고 있던 이주영은 달그락거리는 소리에 눈을 떴다. 뚱뚱한 색리가 뒤뚱거리며 탁자 위에 밥을 차리고 있었다. 이주영은 자리에서 일어나 기지개를 편 후, 탁자 위에 있는 깨끗한 수건으로 손을 깨끗이 닦았다. 허리를 펴고 단정한 자세로 의자에 앉아 숟가락으로 밥을 떠먹더니, 다음엔 젓가락으로 끝을 맞추는 소리가 나지 않도록 조용히 반찬을 집어 먹었다.

이주영과 식사를 할 때는 몇 가지 식사 예절을 갖춰야 했다. 밥을 먹을 땐 말을 하면 안 되고, 쩝쩝거리는 소리를 내도 안 되고, 밥을 먹다가 자리에서 일어나도 안 되고, 찬을 숟가락으로 먹어도 안 되고, 입이 숟가락을 따라가면 안 되고, 국에 있는 건더기를 젓가락으로 먹어서도 안 됐다. 그런데 갑자기 색리가 코를 간질이더니 입을 막고 재채기를 했다.

"에취!"

색리는 억지웃음을 지으며 이주영의 눈치를 봤다. 이주영은 침이 튀긴 반찬들을 말없이 색리 앞에 모두 놓아주었다. 그리고 자기는 밥만 먹었다. 임금과의 식사보다 더 어려운 이주영과의 식사는 오미자차를 마신 후 끝났다. 색리가 조심스럽게 말했다.

"밥이 한 그릇 남았습니다."

"내 것이 아니오."

"그럼……."

이주영은 뒤를 돌아보았다. 김성태가 침상에 늘어져 있었다. 색리가 말을 이었다.

"나리, 저자의 지골과 완골에서 선혈이 많이 나왔고, 모두 일곱 대의 갈비뼈가 부러졌습니다. 팔과 다리의 근육 역시 심각합니다. 나흘 정도는 되어야만 겨우 깨어날 수 있을 것입니다. 어쩌면……."

색리는 어쩌면 영원히 깨어나지 못할 수도 있다는 말을 차마 입 밖으로 꺼내지 못했다. 그런데 그때 시체처럼 늘어져 있던 김성태가 벌떡 일어났다. 색리는 소스라치게 놀라 뒤로 벌러덩 넘어지고 말았다. 이주영이 미소를 지으며 김성태에게 말했다.

"일어나시오. 그대에겐 전해야 할 피각대가 있소."

김성태는 짧은 일성과 함께 붉은 선혈을 토해냈다. 피를 토하자 그의 눈과 얼굴에 다시 화색이 돌았다. 그리고 곧장 자신의 품을 뒤져 피각대를 찾았다. 다행히 피각대는 그의 품에 그대로 있었다. 안도의 숨을 내쉰 그는 설피를 신으며 물었다.

"시간이 얼마나 흘렀소?"

색리가 대신 답했다.

"두 식경을 조금 넘겼소."
"혹, 마철이 오지 않았소?"
"마철이라면……. 남파발 부사맹을 말하는 것이오?"
"수하인데 오지 않았나 보군요."
"마철 부사맹이 수하라면……. 나리께서는……?"
"김성태라 하오."

색리가 벌떡 일어나 예를 갖추었다.

"남파발 사맹 김성태 나리를 이렇게 직접 뵙게 되어 영광입니다."

김성태와 색리가 악수를 하자, 이주영이 젓가락으로 밥그릇을 툭툭
치며 말했다.

"음식에 먼지 들어가니 그대들은 움직이지 말고 모두 앉으시오."

김성태가 이주영에게 말했다.

"말 한 필 빌리겠소."

"잠시 쉬어 가는 것도 방편 중 하나요. 앉아서 식사를 하시오. 그동안 말과 필요한 것들을 준비해주겠소."

이주영은 침이 튀긴 반찬들을 김성태 앞에 다시 가져다주었다. 김성태는 마지못해 식사를 했으나, 긴장은 늦추지 않았다. 사달수와 사주가 언제 어디서 들이닥칠지 모르는 상황이었다. 밥을 다 먹어갈 때쯤 밖에서 요란한 소리가 들려왔다.

"불이야! 불이야!"

이주영과 색리는 자리를 박차고 뛰어나갔다. 두 사람이 나가자 사달수와 사주가 기다렸다는 듯이 창문을 열고 들어와 김성태에게 달려들었다. 역시 두 명을 상대하기는 쉽지 않았다. 사달수가 나무 의자를 번쩍 들어 김성태를 향해 던졌다. 김성태는 껑충 뛰어올라 날아오는 의자를 발판 삼아 뛰어 넘었다. 김성태가 땅에 착지하는 순간, 사주가 던진 두 개의 표창이 김성태의 심장을 향해 날아왔다. 그는 재빨리 고개를 숙여 표창을 피했다. 허공을 날아간 두 개의 표창은 선반 위에 있는 꽃병을 깨트렸다. 김성태는 사달수와 사주의 공격을 피하며 창문 밖을 쳐다보았다. 이주영과 색리, 군정들이 항아리에 물을 떠 헛간에 난 불을 진압하고 있었다. 김성태는 사달수와 사주 사이를 뚫고 창문을 향해 달려갔다. 그 순간 사달수와 사주가 동시에 양 팔을 뻗어 그를 저지했다. 그와 동시에 두 방향에서 두 개의 표창이 그를 향해 다시 날아왔다. 그는 뒤로 물러나며 표창을 피했다. 또 다른 표창이 이번에는 정면에서 날아오자 김성태는 부서진 나무 조각을 재빨리 들어올렸다. 날아온 표창이 나무 조각에 깊게 박혔다. 그는 표창 박힌 나무 조각을 사주에게 던졌다. 사주는 콧방귀를 뀌며 나무 조각을 발로 차버렸다. 사달수가 소리쳤다.

"방심하지 마라!"

그의 말이 끝나기 무섭게 김성태가 사주의 등 뒤로 돌아왔다. 화들짝 놀란 사주는 뒤돌아서며 그를 향해 주먹을 휘둘렀지만, 순식간에 김성태의 주먹이 사주의 허리를 강타했다. 사주가 허리를 숙이자 김성태가 무릎으로 사주의 턱을 찍었다. 사주는 뒤로 벌러덩 넘어졌다. 그 바람에 탁자 위에 있는 음식들이 모두 바닥에 쏟아지고 말았다. 넘어지는 순간에도 사주는 집중력을 유지하여 깨진 사발 그릇을 그에게 던졌다. 그가 그릇을 피하는 순간, 사달수가 그의 등을 향해 마상월도 중 가장 빠른 자전수광세를 펼쳤다. 그는 옆으로 구르며 마상월도를 흘려보냈다. 그와 동시에 사달수의 오른쪽 발이 김성태의 허리를 찼다. 김성태는 그대로 날아가 부서진 식탁 모서리에 이마를 찍었다. 그로 인해 그의 품에 있던 피각대가 바닥으로 굴러 떨어졌다. 김성태가 피각대를 잡으려 손을 뻗는 순간, 사달수가 피각대를 주위 밖으로 뛰어나갔다. 사주도 그의 뒤를 따라 나갔다. 그와 동시에 마철이 들어왔다.

"시방 이게 먼 일이오? 대장!"

"호들갑 떨지 말거라."

"사달수와 사주는 어딨소?"

"피각대를 빼앗겼다."

"아따 고롬 시방 요대로 있을 시간이 없잖소."

"그럴 필요 없다."

"고것이 대체 먼 소리다요?"

"사달수는 다시 돌아올 것이다."

"그니께 그게 시방 대체 먼 소리냐고요? 피각대를 갖고 간 사달수가 참말로 다시 돌아오기라도 한다는 말이오? 시방?"

"열쇠가 바뀌었다."

"쇳대가요?"

14. 열쇠

피각대를 빼앗은 사달수와 사주는 말을 타고 궁을 향해 달려갔다. 사주가 외쳤다.

"내래 설마 했소. 김성태에게 리순신의 피각대를 빼앗다니. 내래 인정했소. 아주바이가 조선 최고의 파발꾼입메다."

"워워."

"기런데 왜 갑자기시리 말을 멈추는 것입메? 볼일 보려고 그런 것이라면 참으시라요. 지금 이 날씨에 밖에서 볼일 보다가 똥꼬가 얼 수도 있습메다."

사달수는 말에서 내려 피각대의 봉인을 푼 후, 안에 있는 문서를 꺼냈다. 두 장의 문서가 있었다. 각각의 문서는 가로로 열 칸, 세로로 열

칸으로 되어 있었고, 총 백 개의 칸에는 언문의 초성 열일곱 자와 중성 열한 자, 각자병서 일곱 자, 합용병서 열 자가 뒤죽박죽 섞여 있었다. 사주가 물었다.

"이것이 대체 무엇입메까? 글은 적혀 있디 않고 이게 무신……, 언문의 초성과 중성이 뒤섞여 있습메다."

"암호다."

"암호요?"

"초비상은 문서가 암호화되어 있다. 이 암호를 풀 열쇠는……."

사달수는 품에서 종이 한 장을 꺼내 쭉 펼쳤다. 신기하게도 사달수가 펼친 문서 역시 가로로 열 칸, 세로로 열 칸으로 이루어진 것이었다. 하지만 일급비밀 문서와는 달리 아무런 글도 적혀 있지 않았다. 그 대신 칸 중간 중간에 구멍이 나 있었다.

"아주바이, 기켠에 난 구멍들은 뭐요? 설마 그 구멍이……. 열쇠가 된단 말이오?"

"보기나 하거라."

사달수는 자신이 펼친 종이를 조심스럽게 들어 이순신의 문서 위에 포갰다. 신기하게도 두 장의 종이 크기가 똑같았다. 백 개의 칸 역시 정확하게 맞아 떨어졌다. 사달수가 사주에게 말했다.

"구멍 난 곳에 있는 초성과 중성을 적거라."

"실로 놀랍소! 문서가 있어도 열쇠가 없으면 아니 되고, 열쇠가 있다 한들 문서가 없으면 아니 되다니⋯⋯."

"잔소리 집어치우고 어서 적기나 해라."

"알았슴메. 구멍난 곳에 있는 초성과 중성이라⋯⋯."

사달수가 문서에 포개 놓은 종이에는 모두 스물한 개의 구멍이 나 있었다. 사주는 오른쪽 상단에서부터 구멍 난 곳에 있는 글자를 차례차례 읽어 내려갔다. 사주가 읽은 글자는 "ㅊ, ㅓ, ㄴ, ㅈ, ㅗ, ㅣ, ㅈ, ㅣ, ㅇ, ㅡ, ㅁ, ㅕ, ㄴ, ㅂ, ㅣ, ㄹ, ㄱ, ㅗ, ㅅ, ㅁ, ㅜ"였다. 사달수는 사주가 불러 준 글자를 연결해봤다.

"처⋯⋯. 첫 글자는 천이오. 기리고 다음 글자는 죄⋯⋯. 그리고 다음 글자는 지⋯⋯ 음⋯⋯. 아니지, 아니지. 으⋯⋯ 면⋯⋯ 비⋯⋯ 아니, 빌⋯⋯ 곳⋯⋯ 무⋯⋯. 아주바이, 무슨 말이오? 천, 죄, 지, 으, 면, 빌, 곳, 무?"

"천, 천은 하늘 천자구나."

"기럼 하늘에 죄 지으면 빌 곳⋯⋯. 무⋯⋯. 없을 무 아닙메까? '하늘에 죄 지으면 빌 곳 없다.' 이게 대체 무슨 뜻입메까?"

"논어에 나오는 말이다. 하늘에 죄를 지으면 빌 곳이 없다. 김성태, 이 개대가리 같은 놈을 보았나!"

갑자기 사달수가 소리를 빽 질렀다.

"무슨 일입메까? 화만 내지 말고 설명을 좀 더 해보시라요."
"피각대가 진짜니 문서 역시 진짜일 것이다."
"기게 대체 무슨 말입메까? 당연히 피각대가 진짜면 문서 역시 진짜 아닙메? 기런데 메가 문제요? 그럼 진짜가 아니다? 뭐가 어찌 돌아가고 있는 건지……"
"열쇠가 맞지 않다."
"아니, 열쇠는 임금에게서 훔쳐온 것 아니었음메?"
"김성태 이놈이 가짜 열쇠를 전하의 처소에 놓아둔 것이 틀림없다. 이런 개대가리 같은 놈을 보았나!"
"열쇠가 없다고 암호를 풀 수 없는 건 아니잖소. 내래 다시 한 번 풀어보갔소. 어차피 초성과 중성을 합쳐 글을 만들면 되는 거. 간단하고만 시리."

사주는 한참 동안 문서를 쳐다봤다. 하지만 도저히 감이 오지 않은지 아무 말도 하지 않았다. 사달수가 한숨을 쉬며 말했다.
"그 암호를 푸는 데 천 년은 족히 걸린다, 이놈아."

"천 년이요?"

"그 문서만으로도 수천 가지의 글자와 수많은 단어, 수백 가지의 문장이 나올 것이다."

"언문이 기리도 대단하단 말입메까?"

"김성태나 잡으러 가자."

"일이 어느니 쉽게 풀린다 했습메다."

→•←

사달수와 사주는 이주영이 이끄는 상단으로 다시 돌아왔다. 김성태는 이주영, 마철과 함께 불을 끄고 있었다. 사달수는 괜히 화가 치밀어 올랐다.

"그리 여유 부릴 시간이 있더냐? 이 다람쥐 같은 놈, 열쇠는 어디 있느냐?"

"이순신 장군의 문서는 어디 있는 것이야?"

김성태가 되묻자 사달수는 품에서 문서를 꺼내 펼쳐 보였다.

"자, 여기 있다, 이놈아. 열쇠를 보여라."

김성태는 군정 한 명에게 술을 가져다 달라고 부탁했다. 사달수와 사주, 마철은 그가 갑자기 이상한 행동을 하자 의아해했다. 잠시 후 군정이 술을 가져왔고 김성태는 술을 마시기 시작했다. 셋은 그저 바라만 보았다. 김성태가 계속 술만 마시자 사달수가 참지 못하고 소리쳤다.

"갑자기 술을 퍼먹다니!"

김성태는 사달수의 말을 무시하고 술만 계속 마셔댔다. 다섯 잔을 연거푸 마시더니 김성태는 웃옷을 벗었다. 그의 기괴한 행동에 사달수는 더 이상 참지 못하고 마상월도를 집어 들었다.

"네놈이 나 사달수를 조롱하는구나! 단숨에 목을 베어주마!"

김성태는 돌아서서 등을 사달수에게 보였다. 그러자 김성태의 등에서 붉은색 선들이 그려지기 시작했다. 사달수는 마상월도를 내려놓고 유심히 그의 등을 지켜보았다. 신기하게도 선은 조금씩 선명해지며 바둑판 모양이 되었다. 사주가 사달수에게 물었다.

"저것이 대체 무엇입메? 술을 마시니 등에 기림이 나타났습메다."
"닭피 문신이다."
"닭피 문신? 닭피로 몸에 그림을 기렸다는 뜻입메까?"
"나 역시 말로만 들어봤지 본 것은 이번이 처음이다."

"닭피든 돼지피든 다 좋다 칩세다. 기런데시리 어떻게 술을 먹으니까 문신이 나타난단 말입메?"

"닭피로 문신을 하게 되면, 문신이 몸에 숨어 있다가 몸에 열이 나면서 서서히 드러난다고 들었다. 김성태 등에 있는 저 그림이 문서를 풀 수 있는 열쇠다."

"기럼, 이순신의 문서를 저 등에 가져가면……."

"암호가 풀리겠지."

"기럼 이제 어찌할 것입메까?"

"저놈의 등가죽을 벗겨야겠지."

김성태는 웃옷을 입으며 마철에게 말했다.

"마철, 넌 즉시 한양으로 가거라."

"아따, 시방 뭔소리요. 그라믄 대장은요?"

"사달수는 한 번 찍은 먹잇감을 절대 놓치지 않는 사내다. 목숨을 걸고서라도 내가 가진 암호를 손에 넣으려 할 것이다. 숭례문 앞에서 기다리고 있거라."

대답을 한 마철은 갈불음도천수를 타고 한성을 향해 달려갔다. 사달수의 명령을 받은 사주는 심상사성을 타고 마철의 뒤를 쫓았다. 이제 남은 사람은 김성태와 사달수 둘뿐이었다. 사달수가 피각대를 흔들며 소리쳤다.

"와서 가져가거라!"

김성태는 사달수를 향해 달려갔다. 사달수는 마상월도를 높이 들며 청룡등약세 자세를 취했다. 바위라도 두 동강 낼 기세였다. 김성태가 사달수의 품을 향해 달려오자 사달수는 마상월도로 김성태의 머리를 내리치려고 했다. 그 순간 김성태가 미끄러지며, 사달수의 품에 있는 피각대를 훔쳐 도망쳤다.

"이 다람쥐 같은 놈! 피각대를 당장 내놓거라!"

김성태는 사달수가 던지는 표창들을 피하며, 불을 끄고 있는 이주영에게 소리쳤다.

"말을 빌리겠소."
"마구간에 있으니 빌려가시오."

김성태는 사달수를 따돌리고 마구간으로 들어갔다. 잠시 후에 김성태가 말 한 마리를 타고 달려 나왔다. 이주영의 백영이었다. 이주영이 화들짝 놀라 소리쳤다.

"김성태 사맹은 멈추시오. 당장 백영에게서 내리란 말이오."

"말을 빌리라 하지 않았소?"

"말을 빌리라 했지 백영을 빌리란 말은 하지 않았소."

"백영을 빌리지 말라는 말 역시 하지 않았소. 주작을 부탁하오. 백영은 달포 안에 돌려드리리다."

김성태는 바람처럼 달려 이주영의 시야에서 사라졌다. 이주영은 그 자리에서 멍하니 백영의 뒷모습만 쳐다보았다.

김성태는 백영을 타고 쏜살같이 달렸다. 백영에 대한 소문은 무성했다. 눈 깜빡할 사이에 십 보를 움직인다는 말도 있었고, 백영이 달리면 형체는 보이지 않고 흰 그림자만 보인다는 말도 있었다.

'세상에 이리도 빠른 말이 있었단 말인가…….'

백영은 순식간에 상단을 벗어나 숲속을 향해 달려갔다.

김성태의 모습은 순식간에 사라져 버렸으나 그렇다고 포기할 수는 없는 노릇, 사달수는 호마를 타고 김성태의 뒤를 쫓기 시작했다. 한식경쯤 쉬지 않고 달려가자 사주가 심상사정 옆에 벌러덩 누워 있었다. 사달수가 혀를 차며 말했다.

"이런 쓸모없는 놈을 봤나. 어서 일어나지 못하겠느냐!"

"아주바이, 김성태에게 허리를 다쳐서 꿈쩍을 못하겠소. 무신 놈의 말이 눈 한 번 감았다 떴는데 그리도 빨리 움직인단 말입메까? 내래 이리 빠른 말은 대륙에서도 본 적이 없었음메. 하지만서리……, 아주바이의 말은 단거리로는 백영에게 미치지 못하지만, 지구력에선 조선 최고의 호마가 아니겠슴메? 궐까지 백 리. 쉬지 않고 달린다면 백영을 따라잡을 수 있을 것입메다."

"아프다는 놈이 입만 살아 있구나. 죽지 않거든 한성으로 오너라."

말을 마친 사달수는 백영의 발자국을 따라 달렸다. 그런데 허리가 아프다던 사주가 갑자기 벌떡 일어나더니 멀어져가는 사달수의 뒷모습을 보며 미소를 지었다.

15. 이순신의 문서는 누구 손에?

김성태는 백영을 타고 쉬지 않고 달렸다. 눈 덮인 계곡, 숲, 논과 밭을 차례대로 지나 다시 숲속을 달렸다. 서쪽 길은 처음이었다. 밤에는 별을 지도 삼아 길을 찾았고, 낮에는 묘지의 비석을 보며 방향을 잡았다. 무덤의 비석은 대부분 남쪽을 가리키고 있었기에 비석의 반대쪽이 북쪽인 것이다.

백영의 발굽에서 피가 흐르자 잠시 쉬어 가기로 했다. 냇가로 가 백영에게 물을 먹인 다음 먹을 것을 찾아봤다. 하지만 추운 겨울이라 여간 힘든 게 아니었다. 그는 강가로 가 얼음을 깨고 물고기를 잡았다. 잡은 물고기는 생으로 씹어 먹었다. 그렇게 다섯 마리를 먹자 다행히 허기진 배는 채울 수 있었다.

그때 김성태의 오감이 반응했다. 그는 고개를 돌려 서쪽을 쳐다보았다. 저 멀리 산기슭에서 누군가 말을 타고 달려오고 있었다. 사달수였다.

"김성태 이놈, 서지 못하겠느냐!"

김성태는 서둘러 말에 올랐다. 오로지 궁을 향해서 달려갔다. 하지만 시간이 지날수록 사달수와의 거리가 조금씩 좁혀지고 있었다. 백영은 중국의 청총마로, 다리가 길어 단거리에는 강했지만, 지구력에선 북방의 호마를 따라갈 수가 없었다. 어느새 사달수의 얼굴 윤곽이 뚜렷해질 정도로 가까워져 버렸다.

"피각대를 당장 내놓거라!"

김성태는 사달수를 따돌리기 위해 나무가 촘촘하게 자란 숲속으로 들어갔다. 숲속에서 백영은 주작보다는 자유롭지 못했지만 사달수의 호마를 따돌리기엔 충분했다. 그의 예상대로 사달수와의 거리는 다시 멀어졌다. 하지만 사달수는 쉬지 않고 김성태의 뒤를 쫓았다. 백영의 숨이 거칠어져 갔다. 당연한 일이었다. 넓은 들판이 아닌 좁은 숲속을 달리면 체력적으로 많은 부담을 느끼기 때문이다. 그는 어쩔 수 없이 넓은 들판으로 나와 달렸다. 사달수와의 거리가 다시 가까워졌다.

그의 시야로 저 멀리 넓은 강이 들어왔다. 강을 넘어야 하는데 좀처럼 다리가 보이지 않는다. 강 상류 쪽을 보니 희미한 게 보인다. 다리 같다. 김성태는 말고삐를 돌려 상류를 향해 달렸다. 하지만 다리는 끊어져 있었다. 김성태는 잠시 주춤했다. 끊어진 거리는 마차 두 개를 합한 정도가 되어 보인다. 주작이라면 끊어진 다리를 넘는 게 역부족이 겠지만 백영이라면 가능할지도 모른다. 다른 말들에 비해 다리가 유난히 긴 백영이었다. 그는 백영을 믿어보기로 했다.

"이럇!"

백영은 도움닫기를 한 후, 끊어진 다리를 향해 높이 뛰어올랐다. 역시 백영이었다. 백영은 김성태를 태우고 마치 천마처럼 공중을 날았다. 김성태는 뒤도 돌아보지 않고 궁을 향해 질주했다.

뒤를 쫓던 사달수는 속도를 멈추지 않았다. 가속도를 받으면 끊어진 다리를 충분히 뛰어넘으리라 생각했다. 하지만 호마는 끊어진 다리 앞에서 갑자기 멈춰 서고 말았다.

"히히힝!"
"이놈, 뭐하는 짓이냐! 당장 뛰어넘지 못하겠느냐? 썩 일어나거라! 밥값을 해야지!"

하지만 호마는 뛰어넘기는커녕 제자리에 주저앉아 버렸다.

그 자리에 멈추게 된 사달수는 생각에 잠겼다. 짐승을 잡을 땐 두 가지 방법이 있다. 하나는 쫓는 것이고, 다른 하나는 함정을 파놓고 기다리는 것이다. 발빠른 김성태를 뒤에서 쫓아봤자 따라잡기는 쉽지 않을 것이다. 그렇다면 남은 것은 기다리는 것뿐. 그는 파발도를 꺼내 가장 빠른 지름길을 찾기 시작했다. 물론 지름길을 찾는다 해도 호마가 달릴 수 없다면 무용지물이다. 하지만 지금은 그런 것을 따질 때가 아니었다. 호마가 달리다 죽는 한이 있어도 가장 빠른 길을 찾아야 한다.

"여기다!"

➤•←

가장 빠른 길을 찾은 사달수는 파발도를 봇짐에 쑤셔 넣고 강줄기를 따라 북쪽으로 올라갔다. 그렇게 반나절 이상을 달렸다. 사달수의 피부는 강한 한파로 붉게 물들어갔고, 입은 말을 할 수 없을 정도로 굳어버렸다. 손과 발에는 물집이 생기기 시작했다.

김성태 역시 몸 상태가 좋지 않은 건 마찬가지였다. 그의 체력은 이미 한계를 넘어선 지 오래였다. 하지만 이대로 멈출 순 없었다. 파발의 서찰 한 장은 일백의 목숨, 아니 일천, 일만의 목숨을 살릴 수도 죽일 수도 있는 것이다.

힘겹게 한성에 도착한 김성태는 마철의 행방을 찾아보았다. 하지만 마철의 모습은 보이지 않았다. 성문 앞에는 병사들에게 먹을 것을 달라고 소리치는 굶주린 백성들 밖에 없었다. 그중 한 명이 김성태에게 음식을 달라며 동냥을 했다.

"나리, 먹을 것 좀 주십쇼."

"도와주세요."

"어린 새끼가 죽어가고 있어요."

"제발 나리……."

어느 새 백성들이 김성태 주위를 에워쌌다. 순간 그의 오감이 반응했다. 백성들 사이에 살기를 띤 자가 있었다. 아니나 다를까 삿갓을 쓴 누군가가 마상월도를 들어 그의 왼쪽 가슴을 향해 찔러 들어왔다. 사달수였다. 김성태는 자신의 눈을 의심했지만, 이런저런 생각할 여유가 없었다. 사달수가 분명했다. 김성태는 즉시 단도를 들어 마상월도를 흘려보낸 후, 말머리를 돌려 달아나려 했다. 하지만 구름처럼 몰려든 백성들이 사방에서 그를 가로막고 있었다. 사달수가 휘파람을 불자 백성들로 위장해 있던 북파발꾼 스무 명이 일제히 도포를 집어 던지며 그를 향해 달려들었다.

"김성태를 잡아라!"

김성태는 말을 몰아 간신히 북파발꾼들을 피해 흥인지문으로 달려갔다. 하지만 경비가 삼엄했다. 혜화문으로 발걸음을 돌렸지만 그곳 역시 경비가 탄탄했다. 여덟 개의 성문 중 가장 허술한 곳을 찾아야 했다.

하지만 숙정문, 창의문, 돈의문, 소의문, 모두 물 샐 틈 없이 경비가 완벽했다. 광해가 여덟 개의 성문을 모두 차단한 것이다.

'성문만 지나면 이순신 장군의 문서를 전하에게 전달할 수 있는데 코앞에서 발목을 잡히고 말다니……'

북파발꾼들을 피해 도망치다 보니 다시 숭례문 앞이다. 더 이상 도망칠 힘이 남아 있지 않았다. 백영의 체력도 한계를 넘어서고 있었다.

그때였다. 김성태의 뒤에서 한 무리의 말발굽 소리가 들려왔다. 마철이 이십여 명의 남파발꾼을 데려온 것이다. 마철이 김성태를 향해 소리쳤다.

"아따 대장! 길을 열겠당께요!"

남파발꾼들은 김성태를 중앙에 두고 동서남북에서 호위를 하며 숭례문을 향해 돌진했다. 화살이 빗발쳤다. 남파발꾼들은 가죽 방패를 들어 김성태만 호위했다. 자신들의 목숨 따위는 안중에도 없었다. 이순신의 문서를 지켜야 했고, 김성태를 지켜야 했다. 남파발꾼들은 칼과 창, 화살에 맞아 하나둘 목숨을 잃어갔다. 이를 바라보는 김성태의 마음은 찢어져만 갔다. 남파발꾼들의 호위를 받은 김성태는 성문을 무사히 지나갈 수 있었다. 하지만 남은 남파발꾼들의 수는 마철을 포함해 겨우 셋뿐이었다. 그 인원으로 사달수와 이십여 명의 북파발꾼, 게다가 백여 명의 병사를 상대해야 했다. 김성태가 말에서 내려 마철을 도우려 하자 마철이 소리쳤다.

"대장! 이짝은 우리들이 책임질 테니 앞만 보고 달리쇼!"

셋으로 일백이 넘는 적을 막는다는 것은 불가능한 일이었다. 적들이 가까이 오고 있는데도 김성태가 선뜻 결단을 내리지 못하자 마철이 다시 소리쳤다.

"대장! 뒤돌아보지 말고 앞만 보고 달리랑께요! 대장은 전해야 할 물건이 있당께요!"

마철과 남파발꾼들은 달려오는 적을 향해 고함을 치며 달려갔다. 김성태는 눈시울을 붉히면서도 부하들의 희생을 무의미하게 만들 수가 없었다. 즉시 백영 위에 올라 대전을 향해 달려갔다.

어느새 사달수가 뒤를 바짝 쫓아왔다. 김성태는 품에서 반달 모양의 단도를 꺼내 사달수를 향해 던졌다. 사달수가 마상월도로 퉁겨냈으나, 허공으로 날아간 단도는 반원을 그리며 사달수를 향해 다시 날아왔다. 단도는 사달수의 오른쪽 어깨에 그대로 꽂혔다. 사달수는 미간을 구겼다. 오른쪽 팔에 힘이 들어가지 않자, 왼쪽 팔로 말고삐를 잡고 달려갔다. 둘의 거리는 조금씩 가까워지고 있었다. 김성태가 마상월도의 사정거리 안으로 들어오자 사달수는 마상월도를 한 일자로 눕힌 후 있는 힘을 다해 김성태의 허리를 향해 추풍세를 펼쳤다. 기나긴 싸움의 종지부를 찍을 최후의 일격이었다. 마상월도는 강한 바람을 일으키며 왼쪽에서 오른쪽으로 김성태의 허리를 향해 베어 들어갔다. 김성태의 오감이 반응했다. 이 일격을 맞는다면 허리가 반 토막 난다는 것을 누구보다 잘 알고 있었다. 김성태는 허리를 앞으로 숙이며 백영에게 소리쳤다.

"이랴!"

백영은 있는 힘을 다해 앞으로 달렸다. 하지만 마상월도는 김성태의 허리를 스치고 말았다. 치명상은 아니었지만, 그 충격으로 팔에 힘이 들어가지 않았다. 이대로 말에서 떨어질 수는 없었다. 있는 힘을 다해 말고삐를 거머쥔 후, 대전을 향해 질주했다. 반면 사달수는 중심을 잃고 말에서 떨어지고 말았다. 힘겹게 일어난 사달수는 김성태를 향해 소리쳤다.

"김성태, 네놈을 가만두지 않을 것이다! 사지를 갈기갈기 찢어 저잣거리에 걸어놓고 말 것이야!"

한 모금의 선혈을 토해낸 사달수는 정신을 잃고 쓰러졌다. 김성태는 궁궐의 심장부이자 왕이 있는 대전을 향해 쉬지 않고 달렸다. 어디선가 북소리가 울리며 수많은 금군이 나타나 창을 들고 김성태를 쫓기 시작했다. 그는 자선당과 함화당 사이를 달리며 금군들을 따돌렸다. 그런데 집경당 맞은편에서도 금군들이 몰려오고 있었다. 집경당에 있던 궁녀들은 금군들이 창과 칼을 들고 뛰어나오자 비명을 질러댔다. 그는 백영을 타고 금군들을 피해 달아났다.

쫓기다 보니 경복궁 후원에 있는 향원정 다리를 지나 누각까지 오게 되었다. 호수는 얼어 있었고, 유일한 탈출로인 다리는 금군들이 완전히 장악했다. 이젠 도망칠 곳이 없었다. 금군들은 날카로운 창을 들고 그를 조금씩 압박해갔다. 그는 호수의 얼음 두께를 눈대중으로 확인한 후, 그대로 얼어붙은 호수를 향해 뛰어올랐다. 예상대로 호수의 얼음은 그와 백영의 무게를 견디지 못하고 깨지기 시작했다.

"백영, 가자!"

백영은 김성태를 태우고 대전이 있는 북쪽으로 질주했다. 백영이 지나는 곳마다 얼음이 깨졌지만, 얼음이 깨지는 속도보다 백영의 속도가 더 빨랐다. 금군들은 방향을 돌려 다리를 건넜다. 백영은 호수에서 나와 대전을 향해 달렸다. 다행히 쫓아오는 금군의 수가 얼마 되지 않았다. 김성태는 손에 힘이 빠지기 시작했다. 그와 동시에 몸이 서서히 오른쪽으로 기울기 시작했고, 눈이 감겼다. 이제 쉬고 싶은 마음이 굴뚝 같았다. 거의 다 왔다. 이제 곧 끝나간다.

대전에 가까워지자 김성태는 품에서 폭죽을 꺼내 하늘을 향해 높이 쏘아 올렸다. 요란한 소리와 함께 어두웠던 주위가 환하게 밝아졌다. 김성태는 밝은 빛을 보자 그만 정신을 잃고 말았다. 백영 역시 거친 숨소리를 토해내다가 쓰러졌다. 창을 들고 온 금군들이 원을 그리며 김성태를 포위했다.

16. 두 장의 서찰

한편, 편전에서는 늦은 시각까지 회의가 진행되고 있었다. 선조는 대신들의 끊임없는 상소에 머리가 지끈거렸다.

"금산 전투에서 전사한 고경명과 두 아들의 시신을 전라도로 옮겨야합니다, 전하. 고경명은 금산에서 아들 둘과 함께 왜적의 칼에 전사하였습니다. 이런 그를 등한시한다면 어느 누가 나라를 위해 목숨을 바치겠나이까? 더불어 그의 하나뿐인 혈육도 조정에서 거둬야만 하옵니다. 통촉하여 주시옵소서, 전하."

"전하, 승병을 이끌고 있는 서산대사와 사명대사에게 군사를 더 보내야만 합니다. 조선이 지금까지 버틸 수 있었던 것은 바다에서 이순신이, 땅에서 의병들이 목숨을 아끼지 않고 싸워주었기 때문이옵니다. 의병들을 버리시면 아니 되옵니다, 전하."

"김천일을 지금 즉시 곽재우가 있는 경상도로 보내 이순신에게 힘을 보태줘야 합니다. 곽재우는 의병들의 수장입니다. 그를 버리시면 아니 되옵니다, 전하."

"포로로 잡혀 있는 사람들 반이 조선인입니다. 그들을 풀어줘야만 합니다. 전하, 먹을 음식이 없어 어쩔 수 없이 왜군 편에 서서 칼을 든 자들이옵니다. 그들 역시 조선의 백성들이옵니다. 통촉하여 주시옵소서, 전하."

그때 밖이 환하게 밝아졌다. 선조와 대신들은 고개를 돌려 밖을 응시했다. 편전 문이 열리며 내금위장이 들어오자 선조가 즉시 물었다.

"밖이 소란스럽구나. 무슨 일이라도 있는 것이냐?"

"아뢰옵기 황송하오나 자객이 궁에 잠입했사옵니다."

"자객이? 몇이나 되느냐?"

"그것이…… 한 명뿐입니다, 전하."

"궁에 혼자 잠입하였다? 간이 배 밖으로 나온 놈이로구나. 잡았느냐?"

"네, 전하. 아직 진상은 파악하지 못하였지만, 정황상 혼자인 듯하옵니다. 송구합니다. 내금위로 압송해 배후를 철저히 밝혀내겠나이다, 전하."

선조는 더 이상 대신들의 잔소리를 듣고 싶지 않았다.

"대체 어떠한 자가 혼자 궁에 잠입했단 말이더냐? 앞장서거라. 내 그 잘난 얼굴을 한번 보고 싶구나."

"하오나 전하, 옥체를 보존하셔야 하옵니다."

"이곳은 궁이다. 앞장서거라."

내금위장이 앞장섰다. 선조와 한승겸, 광해와 박승종 그리고 대신들이 그 뒤를 따랐다. 밖으로 나가자 금군들이 원을 그리며 쓰러져 있는 자객을 포위하고 있었다. 한승겸이 선조에게 말했다.

"전하, 나라가 흉흉하여 자객까지 궁에 침입했사옵니다. 안으로 몸을 피하시는 것이 좋을 듯하옵니다."

내금위장이 한승겸을 거들었다.

"네, 전하. 혹 자객의 잔당들이 주변에 있을지 모릅니다. 옥체를 보전하시는 것이 옳은 줄로 사료되옵니다."

선조는 고개를 끄덕인 후 발길을 돌렸다. 몇 발자국을 걷다가 뭔가 집히는 바가 있는지 뒤를 돌아보았다.

'설마?'

선조는 빠른 걸음으로 걸어 가 자객의 얼굴을 자세히 살펴보았다. 피범벅으로 얼룩져 있었지만 틀림없는 김성태였다. 선조가 김성태를 향해 달려가려고 하자 한승겸이 말렸다.

"전하, 김성태의 존재는 극비입니다."
"그럼 이대로 보고만 있으란 말이더냐."
"보는 눈이 많사옵니다, 전하."

김성태의 존재는 조선 팔도에서 선조와 한승겸, 사달수와 사주, 이주영과 이역참수, 광해와 박승종 그리고 이순신만 아는 극비였다. 지금 대신들과 내금위장, 금군들이 모여 있는 이곳에서 김성태의 존재를 밝히는 것은 매우 위험했다. 선조는 에둘러 말했다.

"지금은 전시로 나라의 곳곳이 어지럽다. 이 자가 혼자 궁에 잠입한 연유가 틀림없이 있을 터. 내 직접 그것을 들을 것이다."
"그 말씀은 내금위로 압송하지 말라는 뜻이옵니까?"
"내 직접 연유를 묻는다 하였다. 우선 이 자를 살리거라. 그 다음 죄를 물을 것이다."
"네, 전하!"

금군들은 선조의 명을 받아 김성태를 가까운 처소로 데려갔다. 선조는 김성태를 이리 만든 자가 광해라고 확신했다. 하지만 물증이 없었다. 선조는 박승종을 불러 조용히 말했다.

"병판!"

박승종은 허리를 깊이 숙이며 답했다.

"네, 전하."

"이것이 어찌된 것이냐? 병판은 안보를 책임지고 있는 자가 아니더냐? 대체 누가 임금의 직속 부하인 파발을 이리 만들어 놓았단 말이냐? 이번 일은 내 엄히 다스릴 것이다. 만에 하나 진상이 파악되지 않는다면 병판에게 모든 책임을 물을 것이다. 김성태를 저리 만든 자를 기필코 잡아들여라. 이는 어명이다."

"네, 전하. 잡아…… 들이겠나이다."

박승종이 떨리는 목소리로 대답했다. 이를 멀리서 지켜보고 있던 광해는 깊은 한숨을 내쉬었다. 명백한 광해의 패배였다. 그는 깊은 한숨을 내쉰 후 뒤돌아갔다.

선조는 한승겸과 함께 김성태가 치료받고 있는 곳으로 가 그를 살폈

다. 사람 몰골이 아니었다. 손과 발은 퉁퉁 부어 있었고 얼굴은 시체처
럼 핏기가 없었으며 숨소리는 미약했다. 선조가 다급한 목소리로 의녀
에게 물었다.

"어찌 치료를 하지 않는 것이냐?"
"전하, 아뢰옵기 황송하오나 딱히 치료 방법이 없사옵니다."
"홍삼! 홍삼이 있느냐?"
"전하의 탕약에 들어가는 홍삼뿐입니다."
"그것을 내오거라."
"하오나 전하."
"어서!"
"네, 전하."

의녀가 나가자 방 안에는 선조와 한승겸, 의식을 잃은 김성태뿐이었
다. 한승겸이 김성태의 품을 확인했다. 다행히 피각대가 있었다. 선조는
김성태의 이마에 난 식은땀을 직접 닦아주며 감사의 인사를 전했다.

"이 지경이 되면서도 피각대를 지켜내다니. 이 고마움을 어찌 전해
야 할지……. 어서 눈을 뜨게, 김성태. 어서."

하지만 김성태는 아무 말이 없었다. 한승겸이 선조를 위로했다.

"전하, 김성태는 강한 자입니다. 식은땀을 흘리는 것을 보시옵소서. 조금만 쉬면 깨어날 것입니다. 그보다 전하, 황송하오나 피각대의 내용을 한시라도 빨리 확인해야 합니다."

선조가 고개를 끄덕이자, 한승겸은 김성태의 등을 하늘로 향하게 한후 웃옷을 벗겼다. 한승겸의 예상대로 김성태의 등엔 붉은 바둑판이 그려져 있었다. 선조는 피각대의 봉인을 푼 후, 안을 들여다보았다. 두장의 서찰이 들어 있었다. 그중 한 장의 서찰을 꺼내 한승겸에게 주었다. 한승겸은 서찰을 편 후, 김성태 등에 있는 바둑판 위에 포갰다. 그렇게 하자 글자가 드러났다. ㅇ, ㅗ, ㅐ, ㅈ, ㅓ, ㄱ, ㅌ, ㅗ, ㅣ, ㄱ, ㅏ, ㄱ. 이 모든 모음과 자음을 합치자 "왜적퇴각"이라는 글자가 만들어졌다.

선조가 소리를 내어 크게 웃었다. 선조는 칠 년 동안 단 한 번도 웃은 적이 없었다. 한승겸 역시 기쁨의 미소를 지었다.

"승지, 이순신 이자가 설마 했는데……. 그자가, 이순신이 전쟁의 종지부를 찍었네. 고작 열세 척의 전함으로 삼백 척이 넘는 적의 함대를 무참히 무너뜨리다니……. 이순신이 전쟁의 종지부를 찍었어. 이순신이 기적을 일으켰어!"

"전하, 경하드리옵니다. 이 모든 것이 전하의 은덕이옵니다."

"자네 역시 그동안 노고가 많았네. 자네가 창시한 파발이 이 전쟁을 승리로 이끈 것이야."

"망극하옵니다."

"조선이 봉수제를 계속 고집했더라면 아무리 이순신과 세자라 해도 이번 전쟁에서 승리를 거두지 못했을 것이야. 이순신과 세자의 눈과 귀가 되어준 것은 파발이네. 자네의 독선과 아집이 이 조선을 살린 것이야! 자네와 목숨을 걸고 첩보 활동을 해준 파발꾼들에게 큰 상을 내릴 것이네. 파발이 나라를 구했어!"

"이순신이 전쟁에서 승리를 거두었으니 이제 그는 누가 뭐라 해도 명실상부한 영웅이 되었습니다. 이 사실 하나만으로도 전세는 이미 전하에게 기운 것이나 다름없사옵니다. 하여, 전하. 이 승리에 세자 저하보다는 이순신을 부각시키시옵소서. 그래야 전하께서 승기를 확실히 잡을 수 있사옵니다."

"암, 그래야지……. 어쨌든 내 이렇게 웃어보는 게 얼마만인지 모르겠네. 이젠 후사를 이을 적통만 있으면 되겠어. 전쟁의 승전보를 어서 백성들에게 알리게, 어서."

"네, 전하. 하오나 서찰이 한 장 더 남아 있사옵니다."

"또 무슨 기쁜 소식이 들어 있을꼬. 어서 암호를 해독해보게나."

한승겸은 두 번째 문서를 김성태 등에 그려진 바둑판 위에 포겠다. 순간 암호를 해독한 선조와 한승겸의 표정이 돌처럼 굳어버렸다.

17. 위기에 처한 광해

한 시진도 되지 않아 한성 일대에는 승전보가 전해졌다. 산과 숲, 동굴, 변소, 헛간에 숨어 있던 백성들은 가족들의 손을 잡고 밖으로 나와 만세를 불렀다. 한성을 지키고 있던 병사들도 하나 같이 뛰어 나왔다.

"이순신 장군 만세!"
"주상 전하 만세! 주상 전하 만세!"

궁 역시 만세를 불렀다. 지금 이 순간만큼은 계급과 신분 따위는 필요치 않았다. 모두 한 마음으로 큰 소리로 외치며 기쁨을 누렸다.

"주상 전하, 만세. 이순신 장군, 만세. 만세. 만세."

하지만 광해와 그의 측근들은 큰 고민거리를 떠안게 되었다. 이순신이 전쟁의 종지부를 찍다니……. 사달수와 박승종 그리고 십여 명의 중신들이 광해 앞에 모여 앉았다. 그들은 아무 말 없이 한숨만 쉬었고, 광해는 담담하게 차만 마셨다. 박승종이 울상을 지으며 말했다.

"저하, 저 소리가 들리십니까? 어딜 가나 '이순신 장군 만세', '주상 전하 만세'라는 소리뿐입니다. 우유부단하고 겁쟁이인 전하를 대신해 나라를 지킨 분은 저하신데……. 왜놈들이 이 조선 땅을 밟았을 때 궁을 지키다 죽은 자는 단 한 명도 없었습니다. 모두 함께 도망을 쳤단 말입니다. 왕이 버린 나라입니다. 그 사실도 모른 채 무지한 백성들은 주상 전하 만세를 부르고 있으니……. 나라를 살리고자 저하께서 얼마나 많은 일을 하셨습니까? 나라를 반석 위에 올려놓은 분은 저하십니다. 그런데 어째서 이순신과 전하만을 칭송한단 말입니까?"

"어둠 속에서는 그림자가 보이지 않는 것이 당연합니다."

"제가 나가서 소리치고 싶습니다. 저하 만세! 저하 만세!"

"허허허, 차 식겠습니다."

"저하, 이순신이 조선의 영웅이 되었습니다! 저하를 지지하던 자들이 이 소식을 접한 후 하나둘 행방이 묘연해졌습니다."

"이미 대세가 기운 것이라고 생각들 하고 있겠지요. 이순신이 한성에 입성하면 어찌 되겠습니까? 나의 목숨은 바람 앞의 촛불. 나를 따르는 자들 역시 목숨을 부지하기 힘들 것입니다. 지금이라도 늦지 않았습니다. 떠나실 분들은 떠나세요."

광해 앞에 모여 있던 중신들이 서로 눈치를 보며 난처한 표정을 지었다. 맨 앞에 앉아 있던 자가 용기를 내 밖으로 나가자, 나머지 중신들도 하나둘 일어나 밖으로 나갔다. 남은 건 광해와 사달수, 박승종 셋뿐이었다. 박승종은 밖을 향해 욕을 해댔다. 하지만 광해와 사달수는 무덤덤했다. 박승종이 답답한 마음에 광해에게 다가가 말했다.

"저하, 이리 느긋하게 차만 드실 때가 아닙니다. 김성태가 가져온 이 정보 하나로 판세가 역전되었습니다. 모든 자가 저하에게서 떠나고 있습니다, 저하."

"도요토미 히데요시의 마지막 말이 무엇인지 아십니까? '이순신을 상대하지 마라. 조선에 있는 전군은 모두 퇴각하라.'입니다. 일본을 통일한 도요토미가 이순신을 두려워했습니다. 지금 떠난 저들 역시 이순신을 두려워하는 것이 당연합니다."

"그럼 이대로 이순신이 한성으로 입성하기만을 기다리신다는 말씀이십니까?"

"하나를 주면 하나만 주는 개인적인 자들이 있습니다. 그런가 하면 하나를 주면 그 하나의 고마움을 알고 열을 주려는 이타적인 자들도 있고, 하나를 주면 하나를 더 빼앗으려는 이기적인 자들도 있지요. 이 세상은 이기적인 자들이 많을수록 다루기가 한결 쉬워집니다. 저들은 다시 돌아올 것입니다."

"저하, 좋은 방책이라도 있으신 것입니까?"

"세상에 변하지 않는 것이 있습니다. 무엇인지 아시겠소?"

"그것이……, 여자? 아니면 돈을 말씀하시는 것입니까? 그것도 아니면……, 벗들의 우정을 말씀하시는 것인지요?"

이때 사달수가 처음으로 입을 열었다.

"정치이옵니다."

"맞습니다. 세상의 모든 것은 변하게 되어 있습니다. 부자지간에도 돈 때문에 칼을 들게 되고, 아무리 친한 벗이라도 여자 앞에서는 뒤통수에 돌을 던지고 말지요. 지금 우리가 입고 있는 이 옷도, 통신수단과 건축 양식도 시간이 흐를수록 변하게 되어 있습니다. 하지만 정치만은 변하지 않습니다. 천 년 전에도, 지금도, 천 년 후에도 말입니다. 이유가 뭔지 아십니까?"

"이유라……."

박승종이 고개를 갸우뚱했다.

"인간이 하기 때문입니다."

"인간이요……?"

"지금부터 나는 인간의 탐욕을 이용해 정치라는 것을 할 참입니다. 우선 사달수 사맹은 영의정과 도제조, 좌찬성, 우찬성, 대제학과 도총관 등 종이품 관리들의 일거수일투족을 모두 파악해두어라. 특히 지방에 있는 병마절도사의 움직임을 잘 파악해야 한다. 강물은 한곳을 향해 흐른다."

"명 받들겠습니다, 저하."

"그리고 한 가지 더, 김성태와의 싸움은 아직 끝난 게 아니다."

"이번에는 절대 실망시켜드리지 않겠습니다, 저하!"

김성태라는 이름이 나오자 사달수는 주먹을 불끈 쥐었다. 그때 박승종이 비장한 목소리로 소리쳤다.

"저하, 가장 빠르고 정확한 방도가 있습니다!"

광해와 사달수는 동시에 박승종을 바라보았다. 박승종은 눈을 동그랗게 뜨고 말을 이었다.

"이순신을 암살하는 것입니다. 이순신만 죽어 준다면 해볼 만한 싸움이지 않습니까? 북파발에서 발이 빠른 자 열 명만 내어주신다면, 지금 당장 노량으로 내려가 이순신을 암살하겠습니다, 저하."

광해가 한숨을 쉬었다.

"영웅 이순신을 암살해서 왕이 된들 중신들과 백성들이 나를 믿고 따르겠습니까? 왕이 되기 위해선 자질도 중요하지만 명분 역시 중요합니다, 병판."

박승종은 마른기침을 하며 차를 마셨다.

18. 김성태와 표씨 부인

하루가 꼬박 지났다. 온몸에 붕대를 칭칭 감고 누워 있는 김성태는 아직도 의식을 찾지 못했다. 방안에는 따뜻한 화로가 겨울의 추위를 녹여주었고, 그 옆에는 표씨 부인이 앉아 화로보다 따뜻한 손으로 김성태를 간호하고 있었다. 볼은 통통하고 코허리가 높고, 눈은 맑고 크며 미간이 넓고, 눈썹이 길어 서글서글한 인상이었다. 부인은 숟가락으로 홍삼을 떠 의식이 없는 김성태의 입에 정성스레 넣어주었으며, 수건으로 이마의 식은땀도 닦아주었다.

그렇게 얼마간 시간이 지난 후, 무슨 악몽을 꾸는지 김성태가 허공에 대고 양팔을 허우적거리기 시작했다.

"안 돼!"

그는 비명을 지르더니, 벌떡 일어나 거친 숨을 토해냈다. 부인은 김성태의 이마를 닦던 수건을 내려놓고, 고운 손으로 김성태의 등을 쓰다듬어주었다.

"부인? 부인이 어떻게?"

"문방구 김 씨가 가보라 해서 왔는데……. 어찌 몸이 성할 날이 없는 것입니까? 속상합니다. 혹 보부상을 하시다 산적이라도 만나신 겁니까?"

"그러니까, 그게……. 그래요, 산적을 만났습니다. 산적을 만나서 있던 물건도 다 빼앗기고……."

그러고 보기 거짓말도 아니었다. 덩치도 크고 인상도 무서운 게 사달수의 모습은 영락없는 산적이었다. 그것도 숲에서 만나 싸웠으니, 산적에게 당한 게 아니고 무엇인가?

"그래도 다행입니다. 이리 살아서 돌아와 주셔서."

"그러고 보니 부인, 반년 만에 보는구려. 어디 아픈 곳은 없는 것이오?"

"이백칠십구 일 만입니다."

"벌써 그렇게 되었소? 집을 나온 것이 바로 어제 같은데 반년이 넘었다니……."

"일 년이 다 되어가는 거죠."

부인의 말투는 공손했으나 말에 가시가 있었다. 갑자기 사래가 걸린 김성태는 헛기침을 해댔다.

파발은 왕의 직속 부하로 가족에게까지 그 신분을 숨겨야 했다. 어쩔 수 없이 김성태는 보부상을 한다는 핑계를 대며 파발 임무를 몰래 수행하고 있었다. 부인이 화를 내는 것은 당연한 일이다. 일 년에 집에 있는 시간이 한 달도 되지 않기 때문이다. 더욱 미안한 것은 자신의 신분을 숨기기 위해 어쩔 수 없이 거짓말을 해야 한다는 것이었다.

부인이 말을 이었다.

"그런데 서방님께선 왜 이곳에 있는 것입니까?"

"이곳이…… 대체 어디요?"

"궁이잖소."

"그게……, 내가 왜 궁에 있는 것이오?"

"그걸 제가 어찌 압니까? 그리고 이게 뭐죠?"

부인은 사기그릇을 내밀었다.

"그게…… 그릇이지 뭐요?"

"그릇 안에 뭐가 있는지 보세요. 홍삼이에요. 임금님도 먹기 어렵다는 홍삼을 왜 당신이 먹고 있는 거냐구요?"

"그……, 그게…….'"

　김성태의 이마와 등에서 식은땀이 나기 시작했다. 화제를 다른 곳으로 돌려야 했다. 마침 밖에서 함성이 들리자 부인에게 물었다.

"밖이 시끄럽소. 무슨 일이라도 있는 것이오?"

"모르셨어요? 전쟁이 끝났잖아요. 하긴 하루 종일 자고 있었으니 모르겠군요. 전쟁이 끝났어요. 이순신 장군님이 왜적을 모두 물리쳤다고 합니다."

"정말이오?"

"그렇다니까요."

　김성태는 잠시 생각에 잠겼다.

'이순신 장군님의 일급비밀 문서 안에 전쟁의 승전보가 들어 있었구나.'

　그는 붕대를 풀고 부인과 함께 밖으로 나갔다. 궁 안의 사람들은 기뻐하며 함성을 지르고 있었다.

"주상 전하 만세! 이순신 장군 만세. 주상 전하 만만세. 이순신 장군 만만세!"

김성태는 기뻤다. 전쟁이 끝나서 기뻤고, 임무를 마칠 수 있어서 기뻤고, 이제 사랑하는 가족과 함께 시간을 보낼 수 있어서 기뻤다. 김성태도 사람들과 함께 만세를 불렀다. 그리고 부인과 같이 사복시로 가 백영을 되찾아 집으로 향했다. 저잣거리 역시 백성들의 함성 때문에 시끌벅적했다. 부인이 백영을 보며 김성태에게 물었다.

"이 말은 또 어디서 주워 온 겁니까?"
"주워 온 것이 아니라 사정이 있어 잠시 바꿔 온 말이오."
"마누라도 바꾸는 건 아니겠죠?"
"당치도 않소."

부인은 김성태가 정색을 하자 웃음이 터져 나왔다.

"호호호. 그리 정색을 하시니, 아닌데도 꼭 그런 거 같잖아요."
"부인, 놀리지 마시오."

김성태도 웃음이 나왔다. 시전 지붕을 고치고 있던 뚱뚱한 사내가 김성태를 향해 소리쳤다.

"이게 누구야? 말 타는 보부상 아니야? 전란 중에는 안 보이던데?"

"네, 어르신, 지방에 좀 갔다 왔습니다."

"좋은 물건 들어오면 좀 부탁해."

"네, 어르신."

객점 계단을 고치고 있던 코가 큰 사내도 김성태를 향해 반갑게 인사했다.

"어이, 말 타는 보부상. 살아 있었네 그려. 전쟁 중에도 보부상을 했다면서? 그러다 마누라 과부 만들면 어쩌려고 그러는가?"

"네, 어르신, 명심하겠습니다."

부인이 김성태의 옆구리를 쿡 찌르며 말했다.

"과부 만들기 싫으면 앞으로 잘 하세요."

김성태와 부인은 다시 한 번 서로를 보며 웃었다.

→•←

부부는 번잡한 저잣거리를 지나서 백 년 묵은 소나무 뒤를 돌아, 오솔길을 따라 다시 언덕을 올랐다. 혹독한 겨울 추위에 가시만 앙상하게 남은 작은 감나무가 하나 보였다. 감나무 바로 앞집이 부부가 사는 집이다. 김성태는 집에 오자 마음이 편안해졌다. 칼바람 소리와 죽어가는 이들의 비명이 들리지 않아 좋았다. 적들의 섬뜩한 눈동자가 보이지 않는 것도 좋았다. 지금 눈앞에 보이는 것은 처마 밑에 꽁꽁 얼어 있는 고드름과 빨래 줄에 널려 있는 빨래 그리고 언제나 부엌 앞에 있던 절구통이었다. 헛간 앞에 가래와 곰방메, 고무래, 끙게와 용두레 역시 예전 모습 그대로였다. 부인의 잔소리 역시 예전 그대로다.

"서방님, 고뿔 걸립니다. 아궁이에 불 넣었으니 방으로 들어가세요. 손 깨끗이 씻고요. 그리고 옷이 엉망인데 벗어서 절구통 위에 올려놓으세요. 옷 뒤집어서 벗어놓지 말고요."

"알았소, 부인. 그런데 인성이가 보이지 않는구려."

"또 말 타러 나갔겠죠. 아버지나 아들이나 말이라면……."

19. 소년과 백마

다섯 명의 소년이 말을 타고 눈 덮인 숲속을 질주하고 있었다. 가파른 언덕을 오르기도 하고, 구불구불한 오솔길을 달리기도 했다. 무덤 사이사이를 빠져나가 한강 물줄기를 따라 달리다 보니 다시 숲속이 나왔다. 그중 한 마리 말이 돌에 걸려 넘어지면서 다른 말 한 마리도 함께 걸려 넘어졌다. 세 명의 소년은 아랑곳하지 않고 달렸으나, 얼마 지나지 않아 또 다른 말 하나가 눈길에 미끄러졌다. 이제 두 명만 남았다. 둘은 계속해서 달렸다. 잠시 후 한 마리만 달릴 수 있을 만큼 좁은 길이 저 멀리 보였다. 두 소년은 서로 앞서기 위해 채찍으로 말 엉덩이를 사정없이 때렸다. 코에 점이 난 소년이 외쳤다.

"보부상 아들 치고는 제법이다. 말 타는 법은 아버지한테 배운 거야? 김인성, 너도 말 타고 물건 팔러 다니는 건 아니지?"

김인성은 화가 났지만 지금은 한 번의 작은 실수가 승패를 좌우하는 매우 중요한 순간이었다. 그런데 코에 점이 난 소년이 다시 말을 이었다.

"너희 아버지한테 전해줘. 우리 집에도 들러서 물건 좀 팔라고. 우리 아버지한테 부탁하면 물건 하나 정도는 사줄 수 있을 것 같은데? 그러고 보니 어머니가 닭 두 마리 필요하대. 너희 아버지 닭도 팔지? 암탉이라고 했던 거 같은데?"

"닭 같은 거 안 팔아!"

"진짜? 윗마을 보부상은 닭도 팔고 오리도 판다고 하던데?"

"안 팔아. 닭도 안 팔고 오리도 안 판다고!"

"그래? 하긴 보부상이 닭하고 오리를 들고 다니면서 파는 건 좀 무리겠다. 아 맞다. 아버지께서 흑염소를 사려고 하시던데. 흑염소는 팔지?"

"흑염소도 안 팔아!"

흥분한 김인성은 자연스럽게 팔에 힘이 들어가게 됐고, 급기야 말고삐를 잡아당기게 되었다. 고통을 느낀 말은 중심을 잃더니, 이내 눈길에 미끄러져 가시밭으로 떨어졌다.

"으악!"

그러자 코에 점이 난 소년이 소리쳤다.

"흑염소 들어오면 말해줘!"
"흑염소 안 판다고! 닭도 안 팔아, 이놈아!"

김인성은 달려가는 소년을 보며 잠시 욕을 해댔지만 부질없는 짓이었다. 그는 엉덩이에 박힌 가시를 뺐다. 그래도 엉덩이가 화끈거리는지 바지를 내리고 눈 위에 철퍼덕 주저 않았다.

"휴! 이제야 살겠다."

김인성은 천천히 일어나 말 엉덩이에 박힌 가시도 뽑아준 후, 말고삐를 잡고 뒤뚱뒤뚱 걸어 집으로 향했다.

집에 돌아온 김인성은 화려한 백마가 눈앞에 있자 깜짝 놀랐다. 달려가 백마의 이곳저곳을 살펴보았다. 다리도 길고, 허리도 튼튼해 보이고, 털도 반질반질했다. 늘 이런 명마를 타는 상상을 했었다. 하지만 집안 형편상 초라한 말 한 마리라도 감지덕지할 수밖에 없었다. 그런데 지금 명마가 눈앞에 있다니. 입이 절로 벌어졌다.

"인성아, 김인성!"

"아버지?"

"그래, 이놈아. 몇 번을 불렀는데."

"아버지, 저 백마? 아버지 말이에요? 어디서 났어요? 혹시 소자에게
주시려고……."

　김성태는 아들이 오랜만에 돌아온 아버지는 본체만체하고 말에게만
관심을 보이자 서운한 마음이 들었다. 하지만 내색하진 않았다.

"아버지 보고 싶지 않았느냐?"

"백마를 이렇게 가까이서 본 건 처음입니다."

"우리 인성이 키가 더 큰 것 같구나. 어디 한번 보자."

　김성태는 아들의 손을 잡고 감나무 앞으로 가 키를 재보았다. 작년에
표시를 해둔 선보다 한 뼘 정도가 더 커 있었다.

"안 보는 사이에 많이 컸구나. 어머니 말씀 잘 들었겠지? 글공부는?
어디 아픈 곳은 없고? 얼굴의 살이 좀 빠졌구나. 그동안 아버지 안 보
고 싶었더냐?"

"백마 한번 타 봐도 돼요?"

　다시 서운한 마음이 들었다. 하지만 눈에 넣어도 아프지 않은, 하나

뿐인 아들의 부탁이었다. 아버지는 아무 말 없이 아들을 번쩍 들어 백영 위에 올려주었다.

"아버지, 다리가 길어서 그런지 안장의 높이가 다른 말보다 높습니다. 다리에 비해 허리도 제법 튼튼하고요. 가장 마음에 드는 건 서파발의 이주영 사맹님이 타고 다니는 백영과 같은 백마라는 것입니다."

"인성이 네가 이주영을 어찌 아는 것이냐?"

"말 타는 사람들한테는 전설이에요. 이주영 사맹님을 모르세요? 백영이라고 들어본 적 없으세요? 그 백영이라는 말이 있잖아요. 조선에서 가장 빠르다고 합니다. 달릴 때 흰 그림자만 보인데요. 그리고 이주영 사맹님은 어린 나이에 벌써 검신이라 불리고 있고요. 이주영 사맹님이 사인도를 꺼내드는 순간 악당들이 모두 줄행랑을 친다고 합니다."

김인성은 잠시 숨을 돌리고 말을 이었다.

"저는 커서 꼭 이주영 사맹님 같은 그런 훌륭한 사람이 될 것입니다. 백영을 한번만 타봤으면 소원이 없겠습니다."

"혹시 남파발 사맹에 대한 소문은 어찌 떠돌고 있느냐?"

"관심 없는데요."

"그래?"

김성태는 서운했다. 아들이 남파발 사맹에 대해 궁금해 하기를 원했다. 그런데 아들의 머릿속엔 남파발 사맹 김성태의 존재는 없고, 오로지 서파발 사맹 이주영뿐이었다.

"아버지, 생각난 김에 말 한번 타보세요. 제가 전부터 몇 가지를 지적하려고 했는데 잘되었습니다."
"아비에게 말 타는 법을 가르쳐준다고?"
"네, 어서 타 보세요."

김인성이 말에서 내려오고 김성태가 올라탔다.

"자세를 잡아 보세요. 먼저 말을 탈 때 기본자세입니다. 말을 탈 때는 이 허리가 낫 같이 휘어져 있어야 합니다. 그리고 시선은 말의 머리에서 한 뼘 정도 위를 향하고 어깨와 고개는 일직선이 되어 있어야 합니다. 다리를 좀 더 벌리십시오. 그리고 허리를 좀 더 펴시고요. 왜 그리 허리를 계속 앞으로 숙이십니까? 말 뒤통수에 꿀 발라두셨습니까? 이런 자세로는 서파발 사맹 이주영님을 따라가려면 백 년은 더 걸립니다. 아버지, 그냥 내려오세요."
'남파발 사맹 김성태가 아들에게 말 타는 법을 배우다니.'

김성태는 슬며시 웃음이 나왔다.

"인성이 너, 또 말 타고 온 것이야?"

김성태와 김인성은 잔뜩 긴장한 표정으로 고개를 돌려, 소리가 나는 쪽을 바라보았다. 표씨 부인이 음식이 차려진 상을 들고 눈을 흘기며 서 있었다. 표씨 부인의 잔소리가 시작됐다.

"인성이 너 하라는 글공부는 안 하고 뭐하고 돌아다니는 것이야? 무릎은 왜 또 그래? 또 넘어졌어? 지금은 약초 구하는 것도 힘들다고 엄마가 몇 번을 말했어. 옷은 왜 또 그 모양이야? 겨울이라 빨래하기 힘들다고 했잖아. 당장 옷 벗어! 손톱은 왜 이리 때가 낀 것이야? 손톱부터 잘라야겠다. 아니지 우선 아버지 시장하시니까 진지부터 드신 후에 자르자. 뭐하고 서 있어? 어서 가서 손발 깨끗이 씻어야지!"

잔소리는 김성태에게도 이어졌다.

"당신이 오냐오냐 하니까 애가 이렇게 놀기 좋아하는 것 아닙니까? 당신도 이제 말 타지 마세요. 당신이 말을 타고 다니니 인성이도 똑같이 말을 타고 다니잖아요. '아들은 아버지를 닮는다.'라는 말도 있잖아요. 당신이 오늘부터 인성이 글공부를 좀 봐주세요. 당신 혹시 변소 갔다가 손 씻었어요? 안 씻었죠? 두 사람 모두 손발 깨끗이 씻고 들어오세요!"

세 사람은 상을 앞에 두고 둘러앉았다. 차린 것은 보잘것없었지만 표씨 부인의 정성이 느껴지는 밥상이었다. 표씨 부인이 김인성에게 말했다.

"인성이 너 어찌 밥만 먹는 것이야? 나물도 먹고, 묵도 먹고 해야지. 어서 먹어."

"그것이……, 어머니, 저는 밥이 좋습니다."

"그래도!"

김인성은 묵을 하나 집어 씹지도 않고 삼켜버렸다. 표씨 부인이 말을 이었다.

"오늘은 글공부 어디까지 했어?"

"이제 막《동몽선습》첫 번째 자락을 공부하고 있습니다."

"그 말은《천자문》을 지금 뗐다는 것이야?"

"어렵습니다, 어머니. 소자는……, 글공부와는 거리가 멉니다. 서파발 사맹 이주영 님과 같은 무관이 될 것입니다."

"무관도 글공부는 해야 하는 거야. 이순신 장군님께서는 그 어렵다는《춘추》까지 읽으셨어. 그런데 서파맹이 누구야?"

"서파맹이 아니라, 서파발이요."

"그러니까 그게 누구냐고? 뭐하는 사람이야?"

"그게 그러니까요……."

김인성은 신이 나서 이주영 이야기를 늘어놓았다. 부인의 표정이 점점 어두워지자 김성태는 아들의 무릎을 툭툭 쳤다. 하지만 신이 난 김인성은 이주영 이야기를 멈추지 않았다. 표씨 부인은 숟가락으로 김인성의 이마를 때렸다.

"아픕니다, 어머니!"
"하라는 글공부는 뒷전이고, 싸움질이나 생각하고 있으니……."

화살은 다시 김성태에게 돌아갔다.

"이것이 다 서방님 탓입니다. 이를 어쩌면 좋습니까? 보통의 아이들은 《천자문》을 깨치는 데 일 년이 걸린다고 합니다. 그 《천자문》을 삼 년이나 공부했으니……. 《논어》, 《맹자》는 기대도 하지 않겠습니다. 하지만 적어도 《명심보감》까지는 가르쳐야 하지 않겠습니까?"

김성태는 아들 편을 들어주기 시작했다.

"전쟁으로 인해 서당이 다 문을 닫지 않았소."
"공부 못하는 사람들이 서당 탓하고, 가난한 사람들이 신분 탓하는 것입니다. 노력도 해보지 않고 남의 탓만 하는 것은 좋지 않은 습관입니다."

"그건 그렇소만……. 당분간 내 할 일이 없으니 인성이를 가르쳐보리다."

"《명심보감》까지요?"

"우선 차근차근 《동몽선습》부터……."

"좋습니다. 그렇다면 우선 《동몽선습》부터 시작하세요. 인성이 너, 이번 겨울이 지나기 전까지 《동몽선습》을 다 읽어야 한다. 알았어?"

"어머니, 그것은 좀……, 알겠습니다. 노력해보겠습니다."

사실 김인성은 《천자문》과 《동몽선습》, 《명심보감》은 물론, 향교나 성균관에서 익힌다는 《논어》, 《맹자》, 《중용》까지 깨친 지 이미 오래였다. 하지만 부모에겐 전혀 내색하지 않았다. 혹시라도 자신의 진로를 선비의 길로 정할까 두려웠기 때문이다. 김인성은 파발꾼이 되고 싶었다. 김인성은 갑자기 자리에서 뛰쳐나갔다. 표씨 부인이 소리쳤다.

"아이고 깜짝이야! 밥 먹다 말고 또 어디 가려고?"

"배가 너무 아파서요. 금방 돌아올 것입니다."

"빨리 갔다 와."

김인성은 변소로 들어가지 않고 헛간 뒤에 숨어서 안방을 지켜봤다. 아버지와 어머니의 그림자가 움직이지 않자, 살금살금 걸어 마구간으로 갔다. 백영이 여물을 먹고 있었다. 김인성은 조심스럽게 백영의 고삐를 거머쥐었다. 갑자기 백영이 '히잉' 하고 소리를 냈다. 화들짝 놀란 김인성은 손으로 말의 주둥이를 막은 후 안방을 지켜보았다. 다행히 아무런 반응이 없었다. 김인성은 백영의 고삐를 잡고 조용히 집을 벗어났다.

김인성은 백영과 함께 저잣거리를 걸었다. 저잣거리는 예전의 시끌벅적한 분위기를 찾아가고 있었다. 사주는 사람들 틈에서 김인성을 지켜보고 있었다.

"저 말은 혹시……, 백영? 설마, 아니겠지. 저런 촌뜨기가 이주영의 백영과 같이 있을 이유가 없잖아. 이틀 동안 굶어서 헛것이 보이는 건가?"

사주는 머리를 긁적거리며 혼잣말을 하다가 김인성과 백영을 그냥 지나쳐갔다. 지금의 엇갈린 인연이 둘에게 엄청난 파장을 일으킬 것이라는 것을 전혀 모른 체.

20. 소녀와 대륙의 첩보원

눈밭에서 한 소녀가 콧노래를 부르며 눈사람을 만들고 있었다. 소녀의 눈은 크고 깊었다. 눈과 눈썹의 사이는 좁았다. 눈꼬리는 살짝 올라가 있었고, 코는 반듯했다. 나이에 비해 성숙해 보이는 인상이었다. 소녀는 눈사람의 눈이 될 만한 것을 찾고 있었다. 나뭇가지를 붙여보기도 하고 돌을 붙여보기도 했지만 마음에 들지 않았는지 고개를 저었다. 이번엔 도토리를 붙여봤다. 마음에 드는지 깡충깡충 뛰며 해맑은 미소를 지었다. 소녀 옆에는 팔 척 장신에 까무잡잡한 피부의 사내가 서 있었다. 그의 광대뼈는 툭 튀어나왔으며 두 눈은 양 옆으로 쭉 찢어져 날카로운 인상이었다. 그러면서 머리카락은 하나도 없는 대머리였다. 그는 소녀를 지키는 양굴리였다. 양굴리는 난처한 표정으로 소녀에게 말했다.

"공주님, 아직 조선은 위험합니다. 전쟁이 끝났다고는 하나 잔당들이 곳곳에 숨어 있을 것입니다."

"대륙에서 가장 강하다는 양굴리가 있는데 무슨 걱정이냐? 설마 이 조그만 조선 땅에 양굴리보다 강한 사람이 있겠어?"

"누르하치 칸께서 아시는 날에는 불호령이 떨어질 것입니다. 어서 돌아가셔야 합니다."

"양굴리, 넌 웃지 마! 그 흉악한 얼굴로 웃으면 더 무섭단 말이야."

"네, 공주님……."

"공주님이라고도 하지 마. 넌 다 싫은데 머리 나쁜 게 제일 싫어."

"송구합니다."

소녀가 눈사람의 눈을 가리키며 물었다.

"그나저나 이건 대체 뭐야?"

"도토리입니다."

"도토리가 뭔데?"

"그게 그러니까……, 다람쥐의 식량이죠."

"다람쥐가 뭐야? 아 잠깐! 눈부셔. 햇살이 대머리에 반사됐어."

양굴리는 얼른 삿갓을 썼다.

"송구합니다."

"다람쥐가 뭐냐고?"

"다람쥐는 작은 동물로, 쥐보다 조금 더 큽니다. 빠르고요."

"잡아 와봐."

"네?"

"잡아 오라고."

"네."

양굴리는 주변을 둘러본 후 밤나무 앞으로 가서 왼손은 주먹을 쥐어 허리를 호위하고, 오른손은 활짝 폈다. 소림 무공의 기초 자세인 우천 화수였다. 그는 기합 소리와 함께 손바닥으로 나무를 밀쳤다. 이 일격에 담긴 진기는 단단한 돌과 같았고, 장세는 한 줄기의 강한 폭포와 같았다. 밤나무는 둔탁한 소리와 함께 반으로 쩍 갈라졌다. 갈라진 나무 사이에서 기절한 다람쥐 한 마리가 뚝 떨어졌다.

소녀는 달려가 다람쥐를 손바닥 위에 조심스럽게 올려놓은 후, 다람쥐의 작고 앙증맞은 코를 한번 만져보았다. 촉촉하면서도 부드러웠다. 이번엔 다람쥐의 배를 만져보았다. 따뜻하고 털이 부드러웠다. 소녀는 신기한 듯 다람쥐의 이곳저곳을 만져봤다. 그때였다. 갑자기 눈을 뜬 다람쥐가 소녀의 손가락을 물고 달아났다. 손가락에서 피가 흐르자 소녀는 울먹이며 호들갑을 떨었다.

"피야, 피. 양굴리, 손가락에서 피가 난다고. 저 다람쥐의 목을 당장 비틀어버려. 어서."

양굴리는 품에서 표창을 꺼내 고목나무 위로 도망치는 다람쥐를 향해 던졌다. 표창은 허공을 날아가 다람쥐 등에 그대로 꽂히고 말았다. 다람쥐가 고목나무에 매달린 채 그대로 숨을 거두자, 소녀는 깡충깡충 뛰며 기뻐했다.

그때였다. 양굴리의 오감이 반응했다. 양굴리는 즉시 칼 손잡이에 오른손을 갖다 대며 소녀 앞으로 나섰다. 그러고는 숲속을 응시했다. 잠시 후 말발굽 소리와 함께 사주가 말을 타고 달려왔다. 사주는 말에서 내려 소녀 앞으로 가, 공손하게 한쪽 무릎을 꿇고 예를 갖추었다.

"공주님, 조선 구경은 잘 하고 계시옵니까?"

"흥! 구경은 무슨. 이거 안 보여? 손가락에서 피가 난다고. 다람쥐가 물었단 말이야. 난 다람쥐가 제일 싫어. 싫단 말이야!"

"어디 제가 한번 보갔습메다. 이런 망할 다람쥐들. 공주님, 내래 조선에 있는 다람쥐란 다람쥐는 다 잡아 죽이겠습메다."

"그래, 다 죽여! 조선에 있는 다람쥐를 전부 다 죽여버리란 말이야! 역시 내 기분을 알아주는 건 사주 너뿐이야. 사주, 빨리 무술의 고수가 되어서 날 지켜줘. 난 양굴리랑 같이 있는 게 정말 싫거든. 알았지?"

소녀는 기분이 좋아졌는지 다시 눈사람을 만들기 시작했다. 양굴리가 사주에게 물었다.

"파발도는 어찌된 것이냐?"

"사달수라는 자가 보기보다는 오감이 꽤 열려 있어 좀처럼 기회가 나지 않았습메다, 스승님. 대신 서파발의 참 한 곳과 남파발의 참 한 곳의 위치는 정확히 파악해두었습니다."

"겨우 남파발 한 곳, 서파발 한 곳을 알아내고서 뭐 이리도 당당하단 말이냐?"

"기것이……, 점 조직으로 구성된 파발의 참을 찾는 것은 사실상 불가능합메다. 같은 파발끼리도 서로의 얼굴과 참의 위치를 모르고 있지 뭡메까? 기리고 사맹급조차도 다른 파발의 참 위치는 전혀 알지 못하고 있습메다. 조선의 파발은 실로 정교하고도 치밀하게 만들어졌습메다."

"지금 감탄이나 하고 있을 때이더냐? 조선은 봉수제 대신 파발을 도입해 이번 전쟁에서 승리를 거두었다. 바람 앞에 촛불이었던 조선이 지금 다시 일어나고 있는 걸 모르는 것이냐? 조선은 파발을 만든 지 일년도 되지 않아 서파발, 남파발, 북파발을 만들어, 쉴 새 없이 정보를 공유하면서 세자와 이순신의 눈과 귀가 되어주었다. 이제는 명과 여진에까지 첩보 활동을 펼치고 있단 말이다."

"조선의 파발이 중국 대륙에서 첩보 활동을 하고 있다는 말씀이십메까? 처음 듣는 정보입메다. 대체 누가 기런 지시를……, 설마……!"

"아무래도 지금의 세자가 왕위를 물려받을 것 같구나."

"리순신은 섬나라 원숭이들을 무찌르고 조선의 영웅이 되었습메다. 선조는 기런 리순신과 은밀히 결탁해 세자를 끌어내리려 하고 있습메다. 제아무리 세자의 지략이 뛰어난들 리순신과 비교할 순 없습메다. 리순신이 궁으로 입성하는 날 세자의 모든 꿈은 물거품이 되고 말 것입메다."

"이순신은 불세출의 영웅이다. 신궁으로도 알려져 있으며, 모든 백성들이 이순신을 믿고 있다. 기질로만 본다면 이순신이 지금의 무능하고 우유부단한 왕보다 위에 있다는 것은 부정할 수 없는 사실. 하지만 세자는 이순신에게 없는 것을 가지고 있다."

"기것이 대체 무시기입메까?"

"정보! 세자는 명확히 알고 있다. 정보를 가진 자가 세상을 차지한다는 것을 말이다. 세자는 막강한 정보력을 이용해 조선을 반석 위에 올려놓기 위한 첫 단추를 끼웠다. 앞으로의 전쟁은 칼과 활의 전쟁이 아닌, 정보 전쟁이 될 것이다."

"어찌 그렇게 장담하십메까, 스승님?"

"누르하치 칸 역시 조선의 세자와 같은 생각을 하고 계시기 때문이다."

"네? 칸과 세자의 생각이……."

누르하치는 건주 여진 출신으로, 임진왜란 때문에 명나라의 여진족 분열정책이 느슨해진 틈을 타 주변의 여진족들을 하나둘 복속시키고 있었다. 하지만 누르하치의 야망은 여기서 끝나지 않았다. 그의 야망은 여진족 통합을 넘어 중국 본토를 노리는 것이었다. 누르하치 역시 정보를 가진 자가 세상을 다스린다고 생각했다. 그는 '동창'이라는 첩보기관을 만들어, 명나라와 조선에 보내 첩보활동을 펼치고 있었다. 양굴리는 동창의 수장이었다.

"사주 넌 지금부터 파발도를 훔쳐야 한다. 파발도만 있다면 조선의 모든 정보 체계를 무너뜨릴 수 있다. 세자의 일거수일투족도 감시를 해야겠지."

"알겠습메다, 스승님. 기런데 공주님이 보이지 않습메다?"

양굴리는 주변을 살펴보았다. 눈사람만 보일 뿐 소녀의 모습은 어디에도 보이지 않았다.

21. 소년과 소녀

김인성은 백영을 끌고 저잣거리를 지나 작은 소나무가 있는 언덕으로 향했다. 그곳에는 조금 전 경마를 같이 했던 네 명의 소년들이 이미 도착해서 기다리고 있었다. 김인성이 가장 싫어하는, 코에 점이 난 소년은 코를 파고 있었다. 소년들은 김인성이 백마를 끌고 다가오자 속닥거리기 시작했다.

"저 말은 뭐야? 백마잖아?"

"보부상 아버지가 또 어디선가 주워왔겠지."

"근사해 보이기는 하는데? 제법 다리도 길고……. 저거 혹시 대륙의 명마 청총마 아니야?"

"청총마는 무슨. 보부상 아들에게 청총마가 어디 가당키나 하겠어. 잡종이겠지."

"그런데 이주영 사맹님과 같은 백마야."

"백마도 백마 나름이지. 어디 이주영 사맹님의 백영과 보부상 아들의 말을 비교해?"

"백영을 한 번만이라도 봤으면 소원이 없겠다."

"나도."

"나도."

"쉿! 조용. 보부상 아들이 듣겠다."

김인성은 소년들과 가볍게 인사를 나눈 후, 어깨를 나란히 하고 백마 위에 올라탔다. 김인성은 소년들이 백마에 관심을 가져주길 은근히 기대했다. 코에 점이 난 소년이 물었다.

"인성아, 그 말 뭐야? 처음 보는 말인데."

"왜 부러워? 이주영 사맹과 같은 백마라서?"

"부럽긴. 아버지에게 부탁하면 그런 백마는 내일이라도 당장 구해주실 거거든? 그나저나 아버지 돌아오셨다면서?"

"어떻게 알았어?"

"내 밑으로 하인이 몇인데. 혹시 그 말 아버지가 보부상 나갔다가 주워 온 거 아니야?"

"주워 오긴 누가 주워와. 아버지께서 날 위해서……."

"주워 온 거잖아."

"아니야. 주워오지 않았어."

"그럼 뭔데?"

"그러니까……, 그게…….."

"그럼 훔쳐왔냐?"

"우리 아버진 절대 그러실 분이 아니야. 사내자식이 계집처럼 말이 많구나. 목적지나 정해. 어디까지 갔다 올 거야?"

"이곳에서 출발해 동두천을 지나 여의나루까지 갔다 오는 거야. 어 때?"

"좋아."

"다들 잘 들어. 오늘은 동두천을 지나 여의나루까지 갔다가 다시 이 곳으로 돌아오면 되는 거야. 길은 각자 자신 있는 길로 택하면 되고. 자, 출발 준비해."

김인성과 소년들은 허리를 숙이며 말고삐를 감아쥐었다. 말들의 입 에서 거친 숨소리와 함께 뿌연 입김이 새어나왔다. 김인성은 침을 한 번 꿀꺽 삼킨 후, 주변을 살펴보았다. 오른쪽으로는 무덤들이 보였고, 왼쪽에는 대나무 숲이 보였다. 정면으론 논과 밭이 펼쳐져 있었다.

'논길로 가야 하나? 아니면 밭길로?'

김인성은 잠시 고민하다가, 조금 돌아가더라도 땅이 단단한 밭길로 가는 것이 좋겠다고 결정했다. 김인성은 지금까지 코에 점이 난 소년을 한 번도 이긴 적이 없었다. 하지만 오늘은 자신이 있었다. 지금까지는 말이 부실했기 때문에 패배한 것으로 생각해왔는데, 오늘 김인성에게는 백마가 있는 것이다.

"출발!"

코에 점이 난 소년의 외침에 모든 말들이 쏜살같이 앞으로 뛰어나갔다. 그런데 김인성이 타고 있는 말은 제자리에서 움직이지 않았다. 당황한 김인성은 출발하라며 소리를 질러보기도 하고, 채찍으로 말 엉덩이를 때려보기도 했다. 하지만 백마는 꿈쩍도 하지 않았다. 급기야는 고개를 숙이고 눈을 먹기 시작했다. 이를 본 소년들이 한마디씩 던졌다.

"역시 말 타는 보부상 아들은 우리를 실망시키지 않아."
"거기서 둘이 뭐하는 거야. 산책이라도 하려고?"
"둘이 나란히 거기에 있어. 금방 갔다 올게."

김인성은 말에서 내려 백마의 말고삐를 잡아당겨도 보고, 말 엉덩이를 어깨로 밀어보기도 했다. 하지만 백마는 꿈쩍도 안 했다.

"움직여! 달리란 말이야, 어서!"

백영이 앞발을 들었다. 김인성은 뒤로 벌러덩 넘어졌다. 그런데 하필
또 내리막길이었다. 김인성은 언덕 밑으로 굴러 떨어졌다. 그런데 바로
옆에서 또 누군가가 굴러 떨어지고 있었다. 눈사람을 만들던 소녀였다.
김인성과 소녀는 대굴대굴 굴러 떨어지다가 그만 박치기를 하고 말았
다. 둘은 각자 자신의 머리를 감싸 안으며 고통을 호소했다. 소녀가 소
리쳤다.

"죽어버린다!"

소녀는 고개를 바짝 들고, 머리를 감싸고 있는 김인성을 노려보았다.
욕이라도 퍼부을 기세였다. 그런데 그만 김인성의 떡 벌어진 어깨와
초롱초롱한 눈에 마음을 빼앗기고 말았다. 그와 눈이 마주치자 소녀는
얼굴을 붉히며 시선을 다른 곳으로 돌리고 말았다. 김인성이 머리를
비비며 소리쳤다.

"눈을 대체 어디 두고 다니는 거야!"
"뭐? 누가 할 소리를!"
"여자가 어디서 빽빽 소리를 질러!"
"무슨 사내가 이래? 멋진 사내라면 연약한 여자를 지켜줘야지!"
"난 멋진 사내가 아니야! 그런 남잔 딴 데 가서 알아보고! 이런 젠장,

코에서 피가 나잖아……."

"어디? 정말이네? 이리 와봐. 내가 닦아줄게."

"저리 치워!"

김인성은 소녀의 손바닥을 매몰차게 쳐냈다. 동시에 어디선가 나타난 양굴리가 오른손으로 김인성의 목을 잡고 하늘 높이 들어올렸다.

"양굴리, 당장 그 손 치워. 그 다람쥐를 당장 내려놓으라고!"

소녀의 명이라면 죽는 시늉까지 하는 양굴리였다. 즉시 김인성의 목을 감싸고 있던 손을 풀고 한 발 뒤로 물러났다. 소녀가 거친 숨을 몰아쉬는 김인성에게 다가가 물었다.

"다람쥐야, 괜찮아?"

"됐으니까 이 손 치워. 그리고 왜 내가 다람쥔데?"

"작고 귀여우니까."

"대체 집안 교육을 어찌 받았기에 계집이 사내한테 귀엽다는 말을 해? 인, 의, 예, 지, 신. 부모에 효도하고, 국가에 충성한다. 남녀칠세부동석이란 말도 몰라?"

양굴리는 김인성에게 호통을 쳤다.

"어린놈이 무례하구나!"

김인성은 당황하지 않고 양굴리를 응시했다. 오히려 당황한 건 양굴리였다. 양굴리의 기는 사달수와 마찬가지로 호기였다. 힘깨나 쓴다는 장정들도 그의 호통소리에 주눅이 들곤 했다. 그런 양굴리의 눈에 김인성은 당돌하기까지 했다.

'대체 이 녀석의 정체는 뭐지?'

소녀가 김인성에게 부드럽게 말했다.

"다람쥐, 이름은 뭐니?"
"다람쥐야."
"양굴리, 이 다람쥐의 목을 당장 비틀어버려."

양굴리가 검을 뽑아들자 김인성은 소녀에게 소리쳤다.

"김인성이야!"
"양굴리, 됐어. 넌 저쪽에 가 있어. 웃지 말고!"
"네."

양굴리가 자리를 뜨자 소녀는 김인성을 향해 방긋 웃었다.

"사는 곳은 어디야?"

"반촌이야."

"반촌이 어딘데?"

"저잣거리를 지나면 있어."

"부모님은 뭐하시고?"

"정말 귀찮게……. 그게 아니라……. 아버지는 보부상을 하셔. 됐지?
어머니는 집에서 잔소리만 하시고. 됐지? 난 그럼 이만 가볼게."

"밥 먹으러 가자."

"밥은 많이 먹었어. 먼저 간다."

김인성은 헐레벌떡 뛰어 언덕 위로 올라간 후 주변을 살펴보았다. 그
런데 백마의 모습이 보이지 않았다. 큰일이었다. 아버지가 아는 날에는
불호령이 떨어질 게 뻔했다. 김인성은 백마를 찾기 시작했다. 그런데
찾는 백마는 보이지 않고, 소녀만 계속 귀찮게 따라오고 있었다.

"대체 왜 따라오는데?"

"밥 먹자고 했잖아."

"지금은 안 돼!"

"무슨 음식 좋아해?"

김인성은 소녀의 머리라도 쥐어박고 싶은 심정이었지만 양굴리가 있어 참을 수밖에 없었다. 소녀와 양굴리는 김인성의 뒤를 그림자처럼 따라다녔다.

김인성은 저잣거리로 들어갔다. 마침 장이 열렸다. 거리는 돼지와 닭 같은 가축들, 꿩 같은 날짐승들을 사고파는 사람들로 북적였다. 쌀과 보리, 찹쌀을 파는 싸전과 비단을 파는 포목점 역시 소란스러웠다. 김인성은 포목점을 지나 문방구를 향해 달려갔다. 문방구 문을 여는 척하며 바로 달려 우시장 입구로 들어갔다. 이곳 역시 사람들로 북적였다. 김인성은 소 사이사이를 빠져나가 다시 포목점으로 향하는 척하다가 담을 넘어 지붕 위를 달렸다. 양굴리는 김인성의 뒤를 바짝 쫓았다. 김인성은 지붕에서 내려와 다시 우시장으로 달려갔다. 양굴리는 여전히 김인성의 뒤를 쫓았다.

그런데 이게 어떻게 된 일인가? 우시장으로 들어간 김인성의 모습이 어디에도 보이지 않았다. 양굴리는 대륙 최고의 고수이자 암살자였다. 지금까지 그의 눈과 오감을 피해 달아난 자는 한 명도 없었다. 그런데 조선에서, 그것도 어린 소년을 놓치고 말다니. 양굴리는 제 눈을 의심하며 멍하니 서 있었다.

소녀가 뒤늦게 쫓아와 양굴리에게 물었다.

"뭘 그렇게 넋 놓고 있어? 설마 너 다람쥐를 놓친 거야?"
"송, 송구합니다."

"양굴리, 네가 하찮은 다람쥐 하나를 놓쳐? 가서 당장 잡아 와! 조선 땅을 몽땅 뒤져서라도 그 다람쥐를 잡아 오란 말이야!"

김인성은 양굴리를 따돌리고 다시 백마를 찾아다녔다. 저잣거리를 세 번이나 둘러봤지만 백마의 모습은 보이지 않았다. 혹시 몰라 경마를 했던 언덕으로 가봤지만 헛수고였다. 김인성은 해가 지는 줄도 모르고 백마를 찾아다녔지만 모두 허사였다.

"큰일 났다. 어떡하지? 아버지가 이 사실을 알면 엄청 화내실 텐데. 휴……, 어머니의 잔소리가 또 시작되겠구나."

김인성은 어깨가 축 처진 채로 집으로 들어갔다. 그런데 이게 웬일인가? 그토록 찾아다녔던 백마가 집에 떡 하니 와 있는 것 아닌가!

"너!"

김인성은 기뻤지만 한편으론 화가 치밀어 올랐다.

"내가 널 얼마나 찾아다닌 줄 알아? 날 그리도 수치스럽게 만들어 놓고 고작 집에 와 있어?"

김인성의 목소리를 들었는지 김성태와 부인이 안방 문을 열고 나왔다. 표씨 부인의 잔소리가 다시 시작됐다.

"변소 갔다 온다고 나간 녀석이 지금 들어와? 어미가 해 떨어지기 전에 들어오라고 했지! 넌 오늘 밥 없어. 옷은 또 왜 그렇게 더러운 거야? 몸도 그렇고. 옷 벗고 엎드려."

"네? 바람이 찹니다, 어머니."

"잔소리 말고 벗어!"

김인성은 어쩔 수 없이 웃옷을 벗고 엎드렸다. 부인은 바가지로 물을 떠 등목을 해주었다.

"물이 찹니다, 어머니. 고뿔 걸리면 어쩌려고요? 요즘 약초도 없다면서요?"

"시끄러워! 까마귀가 친구 하자고 하겠어."

부인은 슬그머니 방으로 들어가는 김성태에게도 말했다.

"서방님도 이쪽으로 오세요."

"그게, 상처가 아직 아물지 않아서……."

"깨끗해야 상처도 빨리 아물죠. 이쪽으로 오세요. 어쩌면 그렇게 씻기 싫어하는 것도 아버지와 아들이 이리도 똑같은지!"

김성태는 어쩔 수 없이 웃옷을 벗고 엎드렸다. 부인은 콧노래를 부르며 남편과 아들의 등을 깨끗이 씻겨주었다. 부인이 김성태에게 물었다.

"금강산 구경하기로 한 약조는 꼭 지키셔야 합니다. 꽃구경도 하고, 시냇가에 발도 담그고요."
"어머니, 지금 꽃이 어디 있습니까?"
"조금 있으면 봄이잖아."
"그럼……, 꽃구경 갈 때 말 타고 가요, 네? 어머니는 제가 뒤에 태우고 갈게요."
"너, 어미가 말 타지 말라고 했지? 누굴 닮아서 이리도 고집불통인 게야?"

그 순간 김성태의 오감이 반응했다. 즉시 고개를 들어 밖을 응시했다. 선조와 한승겸이었다. 김성태는 벌떡 일어나 웃옷을 입고 달려가 선조 앞에 무릎을 꿇었다.

"전하, 이런 누추한 곳까지 어인 일이시옵니까?"
"일어나게, 어서. 이러다 우리 정체가 다 탄로 나겠네."

김성태는 뒤를 돌아보았다. 부인과 아들이 이상한 눈빛으로 김성태와 선조를 쳐다보고 있었다. 김성태는 어쩔 수 없이 일어나 옷맵시를 바로 하고 예를 갖추었다. 옷을 주섬주섬 입은 김인성이 다가와 선조의 위아래를 쭉 훑어보며 말했다.

"할아버지는 누구세요?"

"너희 아버지의 벗이란다. 네가 김인성이로구나."

"벗은 아니죠. 한눈에도 나이 차이가 꽤 큰 것으로 보이는데요? 부자지간이라 해도 믿겠습니다."

"나이 차이에 상관없이 뜻이 통한다면 언제든 벗이 될 수 있단다. 부자지간이라도 해도 뜻이 통하지 않으면 적이 될 수도 있고 말이다. 이거 초면에 할애비가 너무 어려운 얘기를 했나 보구나. 그나저나 어디보자……. 야무진 몸과 강한 눈빛은 아버지를 닮았고……."

부인이 끼어들었다.

"오똑한 콧날과 착한 마음씨는 어미인 저를 쏙 빼닮았죠."

쪼그리고 앉아 김인성과 대화를 나누던 선조는 허리를 펴 부인에게 정중히 예를 갖추었다.

"처음 뵙겠습니다. 제가 관상을 조금 볼 줄 아는데 아드님의 관상이 범상치가 않습니다. 오똑한 콧날하며, 시원한 이마, 인중이 뚜렷하고 눈빛이 살아 있습니다. 장차 나라를 위해 큰일을 할 상입니다."

"어르신이 보시기에도 그러세요? 마을 사람들이 난리예요, 호호호. 장차 커서 이순신 장군님과 같은 훌륭한 장수가 될 것이라고요. 그런데 하라는 글공부는 안 하고 말 타기만 좋아하니 속상합니다."

"이순신 역시 어릴 적에는 글공부보다 말 타기와 활쏘기를 더 좋아했다고 합니다."

"말씀을 들어 보니 이순신 장군님과 친분이 있으신가 봅니다."

"허허허. 나 같은 노인네가 그런 분을 어찌 알겠습니까. 나이가 어릴 땐 옳은 것과 그른 것을 잘 가려내지 못하는 법입니다. 하지만 결국 아버지와 같이 올바른 길을 갈 것입니다."

"뭡니까? 그렇다면 저희 아들도 보부상을 할 거라는 말씀이십니까?"

"아! 그러니까, 그게……, 그런 뜻으로 드린 말씀이 아니라……, 직업에는 옳고 그름도 없거니와 좋고 나쁨도 없다는 뜻입니다."

선조가 당황해하자 부인이 웃으며 답했다.

"어르신, 농입니다. 호호 호호호. 보부상이 어때서요? 이럴 게 아니라 방 안으로 들어가세요. 식사 전이시죠? 저희도 마침 전입니다."

김성태는 식은땀을 흘렸다. 한승겸은 옆에서 이러지도 저러지도 못한 표정으로 서 있었다. 표씨 부인만 기분이 좋아 콧노래를 부르며 부엌으로 들어갔다. 김인성은 선조에게 다가가 귓속말을 했다.

"손을 깨끗이 씻고 오셔야 합니다. 손을 씻지 않고 밥상머리에 앉으면 어머니가 밥그릇을 바로 뺏거든요. 그리고 미리 알아두시면 좋을 것 같아서요, 아마 밥만 드시게 될 것입니다."

순간 김성태의 오감이 반응했다. 그는 담 밖으로 고개를 내밀고 살펴보았다. 숨바꼭질을 하는 어린아이들, 나무를 지고 가는 나무꾼, 길을 가는 행인 두 명, 떡을 파는 떡장수가 그의 시야에 들어왔다. 다행히 수상한 자는 없었다. 한승겸이 물었다.

"무슨 일이 있는 것인가?"
"누군가 지켜보고 있다는 기분이 들었습니다."
"이곳까지 오는 동안 미행을 하는 자는 없었네. 들어가세. 전하께서 기다리고 계시네."

김성태와 한승겸이 사랑방으로 들어가자 떡장수가 얼굴을 드러냈다. 떡장수는 다름 아닌 북파발 사맹 사달수였다. 사달수는 음흉한 미소를 지으며 떡을 하나 집어 먹었다.

김성태와 김인성, 선조와 한승겸이 한자리에 앉아서 저녁을 먹었다. 표씨 부인은 소박하지만 정성스러운 밥상을 마련했다. 하지만 선조는 반찬을 먹는 순간 김인성이 한 말을 이해하게 되었다. 김치는 성겁고, 콩나물국은 달았다. 묵이 딱딱한 것까지는 이해할 수 있었다. 그런데 김이 매울 수는 없었다. 부인은 선조가 밥만 먹고 있자 선조의 숟가락 위에 콩나물 무침을 듬뿍 올려주었다.

"어르신, 편식하지 마시고 찬도 다양하게 드셔야 합니다. 꼭꼭 씹어 드세요."

김성태와 한승겸, 김인성의 시선이 동시에 선조의 숟가락 위에 있는 콩나물로 향했다. 선조는 몹시 궁금했다. 이 콩나물은 대체 어떤 맛일까? 매울까? 짤까? 그것도 아니면 달까? 아무튼 선조는 부인의 성의를 무시할 수 없었다. 밥과 콩나물을 입에 넣었다.

'윽!'

소금덩어리였다. 콩나물을 씹지도 않고 밥과 함께 그냥 삼켜버렸다. 그런데도 짠맛이 남아 있었는지 밥을 연거푸 세 숟가락이나 떠먹었다. 김인성이 옆에서 낄낄거리며 웃어댔다.

'조선의 임금에게 이런 무례한 짓을 하다니……'

김성태는 쥐구멍이라도 있으면 숨고 싶은 심정이었다.

22. 이순신의 전사 소식을 왜 숨겨야 했나?

식사를 마친 김성태와 선조, 한승겸은 사랑방으로 자리를 옮겼다. 선조는 한숨만 내쉬고, 한승겸은 불안한 듯 주변만 살폈다. 김성태가 물었다.

"전하, 무슨 일이라도 있으십니까? 용안이 어둡사옵니다."

"자네가 목숨을 걸고 가져온 피각대에 이 왜란의 승전보가 들어 있었네."

"짐작은 하고 있었습니다."

"문제는 다른 한 장이네."

"다른 서찰이 더 있을 것 같았습니다. 왜란의 승전보를 방울 세 개 초비상으로 전달할 이유가 없었을 거라 생각했습니다."

"다른 서찰엔 이렇게 쓰여 있었네. 11월 19일 이순신 전사……."

"네?"

김성태는 망치로 뒤통수를 얻어맞은 것 같았다. 거북선을 만든 이, 바다의 왕, 조선의 영웅. 바로 그 조선의 큰 별이 떨어진 것이다. 잠시 멍하니 앉아 있던 김성태는 일어나 남쪽을 향해 큰 절을 두 번 한 후, 선조에게 말했다.

"이순신 장군의 전사 소식을 누가 또 알고 있습니까?"

"짐과 여기 있는 한승겸 그리고 자네, 이렇게 셋뿐이네."

"이 사실은 숨겨야만 합니다. 전하께선 저하의 세자 책봉 선언과 철회를 무려 열다섯 차례나 반복하셨습니다. 저하께선 늘 불안해하고 계십니다. 그런 저하께서 이순신 장군의 전사 소식을 접한다면……."

김성태가 차마 말을 잊지 못하자 선조가 한숨을 토해냈다.

"난이라도 일으키겠지. 지금에 와서 누구를 원망하겠나? 모든 것이 짐의 우유부단함 때문인 것을."

"지금은 이성을 잃지 않고 현실을 직시해야 할 때입니다. 이순신 장군의 전사 소식이 오늘 전해지나 내일 전해지나, 역모는 일어날 수밖에 없습니다. 병권을 장악하고 있는 저하께서는 하늘이 내린 기회를 그냥 지나치지 않으실 것입니다. 다른 방안이 필요합니다. 혹시 영감께서는 생각해두신 방책이 있으십니까?"

김성태의 물음에 침묵을 지키고 있던 한승겸이 입을 열었다.

"두 가지를 생각해봤네. 한 가지는 선제공격일세. 이순신의 전사 소식이 전해지기 전에 먼저 치는 것이지."

"선제공격은 위험 부담이 너무도 큽니다. 분조 활동을 할 때 저하를 따르던 군사들이 저하의 손과 발이 되어 주고 있습니다. 거기에 병권을 장악하고 있는 박승종이 저하 옆에 그림자처럼 붙어 있습니다. 이순신 장군님이 전사한 지금은 정면 승부가 어렵습니다."

"두 번째는 암살이네."

"암살 역시 불가능합니다. 왜적들 역시 저하를 암살하기 위해 수없이 시도했습니다. 하지만 결국 모두 실패했습니다. 북파발이 저하 주변에서 보이지 않게 움직이고 있습니다. 남파발 정보에 의하면 암행어사까지 모두 저하께서 장악하셨다고 합니다. 두 번째 대안 역시 성공 확률이 낮습니다. 송구합니다."

"해서 이곳에 온 것이네. 자네의 지혜를 빌려주게."

이순신 장군의 세력이 강한 것 같았지만 그건 어디까지나 표면적이었다. 실질적으로 군사를 움직일 수 있는 사람은 광해였다. 그런 광해를 이순신 장군 없이 상대한다는 것은 계란으로 바위 치기였다.

'선제공격도 아니 되고, 정면 승부도 아니 된다. 암살 역시 아니 된다. 그럼 대체 무엇으로 신의 능력을 가진 광해를 상대한단 말인가.'

생각의 꼬리가 꼬리를 물었고, 그 꼬리가 다시 꼬리를 물어갈수록 김성태의 뇌는 도토리묵처럼 흐물흐물해져 갔다.

김성태는 잠시 밖으로 나가 흐르는 시냇물에 발을 담갔다. 언제나 그래왔다. 생각이 정리되지 않을 때나 깊은 고민거리가 있을 때는 항상 시냇물에 발을 담그곤 했다. 잠시 후, 다시 사랑방으로 들어온 김성태가 한승겸에게 말했다.

"선제공격이 먹히지 않을 땐 어찌해야 하는지 아십니까?"

"본진을 튼튼히 하고 방어를 해야겠지. 설마 방어를 하자는 말인가? 저하를 상대로?"

"방어만으로는 저하를 절대 막을 수 없습니다."

선조와 한승겸은 선뜻 이해할 수 없었다. 김성태가 말을 이었다.

"이순신 장군이 전사한 날짜는 11월 19일입니다. 저하께서 저희보다 먼저 이 사실을 접했다면, 저하께서 내릴 조치는 불 보듯 뻔합니다."

"혼란을 틈타 궁을 제압하려 했겠지."

"저하께는 내금위와 암행어사, 박승종, 북파발 그리고 강원도에서 분조 활동을 하시며 길러온 의병들이 있습니다. 하지만 전하의 군사들은 모두 전쟁에 나가 있습니다. 저하께서 궁을 제압하는 것은 쉬운 일입니다. 하지만 그렇게 하지 못하는 이유가 있었습니다."

"그동안 이순신이 버티고 있지 않았는가? 저하께서 궁을 제압했다 하더라도 이순신의 대군 앞에선 종이호랑이에 불과하다는 것을 저하 역시 명확히 알고 계시네."

"이순신 장군이 없는 지금 저하를 막을 힘은 없습니다. 하지만……."

"좋은 방책이라도 있는 것인가?"

"위험부담은 있습니다."

"말해보게. 어서."

"이순신 장군의 전사 날짜를 미루는 것입니다. 11월 19일이 아닌 11월 24일로 말입니다."

"날짜를 미루자?"

선조와 한승겸의 눈이 동시에 동그래졌다. 한승겸이 계속 물었다.

"그 후엔?"

"11월 24일이라는 전사 소식을 접한 저하께선 파발을 띄울 것입니다."

"강원도겠군."

"그렇습니다. 사달수가 간다면 강원도까지 반나절, 군사를 모으는 데 반나절, 의병들이 궁까지 오는 데 하루, 이렇게 해서 이틀이 걸립니다."

"그럼 거사 날짜는 11월 26일이 되겠군."

"거사는 기정사실입니다. 앞으로 닷새가 남았습니다. 그동안 군사를 모아 궁에 은밀히 숨겨두는 것입니다."

"그 많은 사람을 어디에 숨긴단 말인가?"

"지금부터 그걸 알아보셔야 합니다. 저하의 정보력이 닿지 않는 자들이어야 합니다."

"그나저나 닷새 안에 세자 저하에게 맞설 군사를 모으기엔 역부족일 것 같은데……. 열흘 정도의 시간을 두고 공표하면 더 좋지 않겠나?"

"이미 승전보와 함께 이순신 장군의 전사 소식이 남쪽으로부터 올라오고 있을 것입니다. 노량에서 올라오는 전사 소식은 닷새 정도면 이곳 한성까지 충분히 퍼집니다. 해서 닷새 이상의 시간을 끌면 아니 됩니다. 만에 하나 이 사실이 저하의 귀에 들어가는 날엔 모든 것이 물거품이 되고 맙니다."

순간 김성태의 오감이 반응했다. 즉시 몸을 날려 방문을 열고 밖으로 나갔다. 잔뜩 겁을 집어 먹은 김인성이 김이 모락모락 올라오는 차를 들고 서 있었다.

"아버지, 왜 그렇게 무서운 표정을 하고 계세요?"

"많이 놀랐느냐? 들고 있는 것은 무엇이냐?"

"어머니께서 드시라고 하셨어요."

"어머니에게 잘 먹겠다고 전해주거라."

김성태는 차를 받아 방으로 들어와 선조와 한승겸에게 전한 후, 말을 이었다.

"승지께서는 닷새 동안 은밀히 군사를 모아주십시오. 혹시라도 이순신 장군의 전사 소식에 관한 정보가 다시 남쪽에서 올라올 수도 있으니, 저는 남쪽에서 올라오는 파발의 문서를 차단하겠습니다. 이번 공성 지계 승패의 관건은 닷새 동안 저하의 눈과 귀를 얼마나 속이고, 이순신 장군의 전사 소식을 숨기느냐 마느냐에 달려 있습니다. 만에 하나 저하의 귀에 이순신 장군의 전사 소식이 들어가는 날에는 조정에 또 한 번 피바람이 불 것입니다."

선조는 고개를 끄덕인 후, 김성태의 손을 잡으며 말했다.

"이순신의 문서가 짐이 아닌 세자의 손에 먼저 들어갔다면 세자는 이순신의 전사 소식을 듣고 바로 궁을 장악했을 것이야. 자네가 위기에 처한 조정을 구해냈군. 무능한 짐에게 자네와 같은 충신이 있어 얼마나 든든한지 모르네.”

“전하, 당치도 않은 말씀이옵니다······.”

“피를 보지 않는 선에서 세자의 힘을 약화시켜야만 하네. 그래도 내
자식이네.”

“네, 전하. 한 치의 실수도 없이 임무를 완수하겠나이다.”

김성태의 눈은 빛났으나, 한승겸의 눈은 떨렸다. 한승겸은 이 모든
계획 앞에 불안감을 떨칠 수 없었다.

→•←

김성태는 선조와 한승겸을 배웅한 후, 안방으로 들어갔다. 부인도 설
거지를 마치고 안방으로 들어왔다. 김성태가 짐을 꾸리고 있었다.

‘또?’

부인은 자신도 모르게 한숨이 나왔다. 하지만 서운한 마음은 내색하
지 않았다.

“이번에는 어디로 가는 것입니까?”

“미안하오, 부인. 손님이 급하게 물건이 필요하다고 해서······.”

“아직 상처도 다 아물지 않았는데······. 잠시만 계세요.”

부엌으로 간 부인은 작은 보자기를 하나 챙겨와 김성태에게 내밀었다.

"육포는 마지막에 드시고요. 빈대떡 먼저 드시고, 다음에 달걀을 드세요."

김성태는 처연하게 서 있는 부인을 꼭 안아주었다.

"조심해서 다녀오셔야 합니다. 전처럼 산적을 만나면 아니 됩니다. 인상이 험하게 생긴 사람이 앞에 보인다면 길을 돌아가세요. 대신 이번에 갔다 오면 금강산으로 꽃구경 가야 합니다. 칠 년 동안 말만 하셨습니다."

"그럽시다. 이번엔 기필코 금강산에 가도록 합시다. 인성이와 함께 말이오."

"네. 당신이 좋아하는 백숙도 아직 못해줬는데……."

"닭 한 마리 사오리다."

"이번엔 몸 성히 돌아오셔야 해요. 과부 만들기 싫으면요."

"알았소."

김성태는 부인이 준비해준 보자기를 봇짐에 넣고 밖으로 나갔다. 밖에서는 김인성이 백영에게 말이 기수에게 갖추어야 할 덕목에 대해 이야기하고 있었다.

"아홉 번째, 말은 주인이 부르면 밥을 먹다가도 달려와야 하는 거야. 지금 네가 먹고 있는 여물을 누가 주는 거야? 바로 나야. 그럼 여물 값은 누가 벌어오는 거야? 그건 바로……."

"네 아버지시지."

김인성은 뒤를 돌아보았다. 표씨 부인이 미간을 구기며 말을 이었다.

"이젠 말하고 대화까지 해? 옷은 더러운 걸 다시 입으면 어떡해? 안 되겠다. 다시 등목하자!"

"조금 전에 밥 먹기 전에 했잖아요?"

"그래도 다시 해! 벗어놓은 걸 입었으니 다시 해야지!"

"어머니, 하늘 좀 보세요. 먹구름이 끼고 있습니다."

"어미의 속을 봐. 시꺼먼 먹구름이 끼고 있어."

김인성은 김성태에게 달려갔다.

"아버지, 봇짐은 왜……? 또 어디 가세요?"

"금방 갔다 올 테니까."

김인성은 김성태의 말을 자르며 말했다.

"걱정 마세요. 어머니는 제가 잘 보살펴드리고 있겠습니다. 하지만 일찍 오셔야 합니다. 어머니가 혼자서 빨래터에 빨래하러 가시랴, 설거지하시랴, 변소 청소하시랴 얼마나 고생이 많으신지……. 집안일은 제가 잘 도와드리고 있겠습니다."

그러자 부인이 김인성의 귀를 잡아당기며 말했다.

"집안일은 내가 할 테니까 너는 웃옷이나 벗어!"

아들은 어쩔 수 없이 웃옷을 벗었다. 김성태가 부인에게 말했다.

"다녀오리다."
"조심히 다녀오세요."

김성태가 백영 위에 올라타자 김인성이 소리쳤다.

"아버지, 백마가 이상합니다. 달리질 않아요."

하지만 김성태가 몰기 시작하자 백영은 힘차게 달려갔다.

"이상하다? 분명 내가 탔을 때는 안 달렸는데……."

부인이 김인성의 등을 손바닥으로 때렸다.

"가만히 있어! 움직이면 바지에 물 들어가."

23. 김성태의 공성지계

김성태는 백영을 타고, 청계산 부근의 깊은 숲속에 자리 잡은 남파발 일 번 참을 향해 달려갔다. 방울 세 개짜리 초비상을 제외한 모든 남파발꾼은 이곳 일 번 참을 거쳐 남쪽으로 내려가게 되어 있었다. 물론 남쪽에서 올라온 남파발꾼들 역시 이곳 참을 거쳐 궁으로 향했다. 이곳은 남파발의 재정과 행정 그리고 남파발꾼들의 인적 사항, 무기, 말 등을 관리하는 심장부였다. 그러므로 북파발과 서파발의 사맹급들조차 일 번 참의 위치를 알지 못했다. 일 번 참에 도착한 김성태는 군정들의 인사도 받지 않고 참 문을 열고 안으로 들어갔다. 대력을 확인하고 있던 발장과 색리가 벌떡 일어나 고개를 숙이고 예를 갖추었다.

"대장!"

"어제 미시부터 지금까지 남쪽에서 올라온 남파발꾼이 있었느냐?"

발장은 대력을 확인한 후, 보고했다.

"어제는 없었고, 두 식경 전쯤 한 명과 한 시진 전에 한 명. 이렇게 두 분이 다녀가셨습니다……."
"파발꾼은 누구더냐?"
"'일시일촉'님과 '하루에 삼백 리' 두 분이십니다."

발장의 말이 끝나기도 전에 김성태는 급히 참을 나가 백영을 타고 달려갔다. 다행히 반 시진 정도를 달리자 말을 타고 달려가는 남파발 꾼 한 명을 만날 수 있었다. 김성태는 쏜살같이 달려 남파발꾼의 앞을 가로막았다. 당황한 말이 앞발을 들고 몸부림을 치자, 남파발꾼은 말에서 날렵하게 뛰어내려 싸울 자세를 취했다. 하지만 곧 김성태라는 것을 알고 예를 갖추었다.

"아따! 시상에 대장이 여그까지 어쩐 일이다요?"
"어디에서 온 것이냐?"
"고것이, 내장산에서 오는 길인디요."
"중도에 파발꾼이 바뀌었더냐?"
"아따 절 어찌 보시고. 요번에 방울 두 개로 승급했당게요."
"피각대를 가지고 있느냐?"

남파발꾼은 품에서 피각대를 꺼내 들었다. 김성태는 기다렸다는 듯 피각대의 봉인을 풀고 안에 있는 글을 읽어 내려갔다. 전쟁의 승전보 소식과 전사한 아군의 수, 침몰한 함선 수와 남은 무기의 수들이 잡다하게 적혀 있었다. 다행히 이순신 장군의 전사 소식은 적혀 있지 않았다.

"대장, 아따 지금 쪼까 거시기 헌디요. 피각대는 파발꾼들이 봉인을 풀 수 없당게요. 만에 하나 병조판서께서 이 사실을 알게 되믄……."
"어명이다."
"야?"
"올라오는 길에 마철의 소식을 듣지 못하였느냐?"
"부대장님 야그는 없었는디요……. 설마, 부대장님께 먼 일이라도 생긴 겝니까?"

김성태는 필낭을 꺼내 남파발꾼에게 뭔가를 적어주며 말했다.

"하루에 삼백 리, 넌 이 서찰을 지금 즉시 내장산 참에 있는 발장에게 전하거라. 혹 움직이는 동안 마철의 소식을 듣게 되거든 그 즉시 일번 참에 알리거라."

"야, 대장."

명을 받은 남파발꾼은 다시 남쪽으로 달려갔다. 이제 남은 피각대는 하나. 복잡한 육조거리를 지나 궁을 향해 달려갔다. 하지만 또 한 명의 남파발꾼 모습은 보이지 않았다. 김성태의 속이 새까맣게 타들어갈 때 쯤 저 멀리 말을 타고 달려가는 남파발꾼의 모습이 보였다. 그가 향하는 곳은 숭례문이었다. 숭례문 안으로 들어가기 전에 피각대를 수거해야만 하는데, 그를 막을 시간이 없었다.

김성태는 품에서 폭죽을 꺼내 하늘을 향해 쏘아 올렸다. 한참을 날아간 폭죽은 요란한 소리를 내며 주위를 환하게 밝혔다. 성을 지키고 있던 군사들과 백성들은 고개를 돌려 하늘을 쳐다보았다. 숭례문 앞에 있던 남파발꾼도 말을 멈추고 하늘을 쳐다봤다. 붉은색의 불꽃들이 사방으로 흩어지고 있었다. 붉은색 불꽃은 남파발에선 위험을 뜻하는 신호였다. 그는 혹시 모를 위험에 대비해 주변을 살펴보았다. 그 순간 흰색 그림자가 번뜩이며 그의 앞을 가로막았다. 백영을 탄 김성태였다.

"대장?"

"궁 앞이다. 자리를 옮기도록 하자."

남파발꾼은 조용히 김성태의 뒤를 따랐다. 김성태는 한적한 숲속으로 들어가 말에서 내려 조용히 입을 열었다.

"피각대를 가지고 있느냐?"

"방울 두 개짜리 비상입니다요."

"어디에서 온 것이냐?"

"전주에서 왔습니다요."

"중도에 파발꾼이 바뀌었더냐?"

"네, 대장. 저는 충청도에서 피각대를 받아 출발했습니다. 처음 출발은 노량에서부터라고 들었습니다."

"피각대를 보이거라."

"대장께서 직접 궁으로 들어가시려는 겁니까?"

"방울 세 개짜리 초비상이다."

"무슨 일이 있는 것입니까?"

"아무래도 내전이 일어날 듯싶구나."

"내전이라면……, 세자 저하께서?"

김성태가 고개를 끄덕이자 남파발꾼이 미간을 구기며 말을 이었다.

"하긴 이순신 장군님께서 전쟁을 승리로 이끄셨으니 저하께서는 당연히 똥줄이 타겠죠."

"말을 아끼거라."

"하지만 저하께서는 호시탐탐 남파발을 노리고 있지 않았습니까? 올라오는 길에 참의 발장들에게 들은 첩보인데, 남파발꾼들이 이유 없이 하나둘 사라지고 있다고 합니다. 혹시 저하와 무슨 관계가 있는 것은 아닐까요?”

“아직은 정황만 있을 뿐이다. 지금은 그것보다 더 시급한 일이 있다.”

“네, 대장.”

피각대를 받은 김성태는 봉인을 풀고 서찰의 글을 읽어 내려갔다. 김성태의 예감대로 서찰에는 이순신 전사 소식과 함께 시신의 처리 방법이 적혀 있었다.

“대장, 표정이 어둡습니다요. 무슨 안 좋은 일이라도 생긴 것입니까?”

“아니다. 먼 길 오느라 힘들었을 테니 좀 쉬고 있거라.”

“네, 대장.”

김성태가 남쪽에서 올라오는 모든 피각대를 수거하는 사이 한승겸은 궁에서 광해의 손이 닿지 않는 자들이 누구일까 고민하고 있었다. 가장 먼저 영의정과 우의정, 좌의정을 떠올렸지만 그들은 북인을 지지하는 자들로, 모두 광해와 은밀하게 내통하고 있을 가능성이 높았다. 다음은 육조였다. 육조 중 이조는 문관의 인사와 공훈 등에 관한 업무를 담당하는 기관이었다. 이조의 우두머리인 이조판서는 병조판서인 박승종과 같은 종씨로, 친분이 있으니 위험했다. 다음은 호조. 호조는 호구와 조세, 공납을 담당하는 곳으로, 호조판서는 북인 출신이다. 광해와 깊은 유대관계를 맺고 있었다. 과거와 교육, 외교를 담당하는 예조와 법률과 노비 등을 담당하는 형조, 건축과 교통을 담당하는 공조역시 믿음이 가지 않았다. 다음은 궁을 지키는 내금위다. 내금위는 세명의 내금위장이 각각 일백씩을 거느리고 있었다. 하지만 내금위 역시 암행어사와 더불어 광해의 첩보원이 되었다는 정보가 떠돌고 있었다.

차 떼고, 포 떼고 나니 남은 사람들은 내시부와 궁녀들, 말을 관리하는 사복시뿐이었다. 내시부는 네 가지 임무를 맡고 있었다. 궁중 내의 음식 관리, 왕명의 출납, 궁 청소, 마지막으로 궁의 성문을 지키는 일이었다. 내시부에는 백사십 명의 인원이 있었으며, 종이품인 상선부터 상원, 상다, 상약, 상전의 관직이 있었다. 한승겸은 내시부의 수장, 상선을 따로 불러냈다.

"상선 영감, 저하께서는 호시탐탐 왕의 자리를 노리고 있습니다. 저하께서 이순신의 전사 소식을 접한다면 틀림없이 난을 일으키실 겁니다. 그 전에 저하를 막아야만 합니다."

"하지만 자네 역시 알고 있지 않은가. 저하의 정보력을."

"물론 잘 알고 있습니다. 해서 상선을 찾아온 것입니다. 궁의 모든 자들이 의심스러운 상황입니다. 다행히 내시부와 사복시, 궁녀들에겐 저하의 정보력이 아직 닿지 않은 듯합니다."

"어허, 거세한 내시와 여인인 궁녀들 그리고 말똥이나 치우는 자들이 저하에게 무슨 도움이 되겠는가?"

"내시부에 소속된 자가 일백사십, 궁녀가 오백, 사복시가 칠십 명 정도입니다."

"그렇다고 해도 삼백에 가까운 금군을 막기란 역부족이네."

"다행히 지금은 전쟁으로 금군의 수가 일백이 조금 넘는 상황입니다. 시간이 흐르면 금군의 수가 예전처럼 삼백이 됩니다. 그때가 되면 저하의 힘은 더욱더 막강해지고 맙니다. 내시부와 궁녀들이 금군들과 싸워야 한다는 말이 아닙니다. 내수사와 각각의 처소 그리고 사복시에 군사들을 은밀하게 숨겨두자는 것입니다."

"저하의 눈과 귀가 많은 것을 알고 있지 않은가."

"그건 저에게 맡겨 주시면 됩니다. 대신 상선 영감께서는 내시부와 궁녀들에게 입단속만 시켜주시면 됩니다."

"허허. 이것 참……."

"영감……."

"알았네. 대신……."

"상선께서는 아무것도 모르는 것으로 하겠습니다."

상선의 승낙을 받은 한승겸은 왕이 공식 업무를 보는 외전과, 왕과 왕비, 대비 등이 생활하는 내전 그리고 신하들이 업무와 취식을 하는 궐내각사에 군사들을 위장하여 은밀하게 침투시켰다. 침투한 군사들은 닷새 동안 그곳에서 머물며 거사를 준비했다.

남파발 일 번 참에서 닷새 동안 먹고 자던 김성태는 남쪽에서 올라오는 다섯 개의 피각대를 모두 수거할 수 있었다. 한승겸은 계속해서 은밀히 군사를 모았다. 그 수만 일천이 넘었다. 그리고 닷새 후인 11월 24일 이순신의 전사 소식을 나라 안팎에 알렸다. 저잣거리 한 복판에서 통곡하는 백성들도 있었고, 넋을 잃고 하늘만 바라보는 이도 있었다. 또 어떤 사람들은 이순신의 전사 소식을 믿지 않았다. 조선은 이순신의 죽음으로 슬픔에 빠져 있었다. 하지만 광해와 사달수, 박승종만은 안도의 한숨을 내쉬었다. 이순신이 죽었으니 이젠 광해의 세상이었다. 박승종은 기쁨을 감추지 못하고 떠들어댔다.

"이순신이 죽었습니다. 복도 지지리도 없지. 적의 총탄에 맞아 죽다니. 어젯밤 꿈에 저하께서 팔뚝만 한 잉어를 안고 하늘로 올라가는 꿈을 꾸었습니다. 이순신이 죽는 날 저하께서 잉어를 안고 하늘로 올라가다니, 이는 필시 하늘이 돕고 있다는 것입니다. 때는 지금입니다. 전하께서 군사를 정비하시기 전에 저희가 선수를 쳐야 합니다, 저하."

그때 문이 열리며 사람들이 들어왔다. 광해를 배신했던 중신들이었다. 그들은 광해에게 지난날의 과오를 사죄했다. 박승종은 그들에게 욕을 해댔지만, 광해는 그들에게 용서 아닌 용서를 베풀었다. 광해는 따뜻한 차 한잔을 마신 후, 두 장의 서찰을 적어 사달수에게 내밀었다.

"사달수 사맹은 이 서찰을 암행어사의 수장인 십마에게 전달하고, 이 서찰은 내금위장에게 전하라. 병판께서는 지금 즉시 발 빠른 군사들을 모아주시고요. 나머지 분들은 북인들에게 이 사실을 은밀하게 알리세요. 조선의 백성 중 그 누구도 죽거나 다쳐선 아니 됩니다. 빠르고 조용하게 궁을 제압할 것입니다. 물론 아바마마의 옥체 또한 티끌 하나 상하게 하면 아니 될 것입니다. 거사도 아니고 반정도 아닙니다. 이것은 혁명입니다. 지금부터 방울 세 개인 초비상입니다. 어서 움직이세요."

다른 대신들이 급히 나갔지만 사달수는 자리를 떠나지 않았다. 광해가 물었다.

"지금 사달수 사맹에겐 어떤 근심이 있는가?"
"닷새 만에 남쪽에서 피각대가 올라왔습니다. 뭐라 딱 꼬집을 수는 없지만 궁 안의 움직임이 조금 어수선해 보였습니다."
"시각, 청각, 후각, 미각, 촉각을 합하여 오감이라고 한다. 하지만 첩보원에겐 또 다른 감각이 있다."
"직감입니다."
"직감은 정황일 뿐이다. 구체화된 첩보는 아니지만 그렇다고 무시할 수 있는 것도 아니다. 그 서찰은 암행어사를 통해 공유할 것이니 사달수 사맹은 직감대로 움직여보아라. 하지만 나는 구체적 사실에 근거한 첩보와 정보만을 믿는다. 첩보가 들어오기 전까지 혁명은 계속 진행될 것이다."

"네, 저하."

서찰을 광해에게 다시 돌려준 사달수는 예를 갖추고 뒤돌아 나왔다. 거지꼴을 한 사주가 기다리고 있었다.

"네놈이 살아 있었더냐?"

"아주바이, 말을 해도 참. 죽기라도 바란 것입메까?"

"임무다."

"아니 무신. 전쟁이 끝났는데 또 임무? 이제 그만 좀 쉽세다."

"이순신이 전사했다."

"저차에서 들었슴메다. 대체 무시기 된 일이오? 멀쩡하던 이순신이 죽다니?"

"남쪽으로 간다."

"아주바이, 디금 남쪽에서 올라오는 길이라요!"

사달수는 사주의 말을 무시하고 호마에 올라 남쪽을 향해 달려갔다. 사주는 어쩔 수 없이 심상사성을 타고 사달수의 뒤를 따랐다.

한참을 달리던 사달수는 말을 멈추더니 광해에게서 받은 파발도를 살펴보았다. 남파발 일 번 참이 얼마 남지 않았다. 사달수와 사주는 계속 달렸다. 그렇게 한 시진 정도를 달리자 남파발 일 번 참 주변에 도착할 수 있었다.

참이 내려다보이는 동쪽 숲에서는 세 명의 나무꾼이 나무를 베고 있었다. 호마를 나무에 아무렇게나 묶은 사달수는 나무꾼들을 쫓아버린 후 도끼를 들어 나무를 베기 시작했다.

"아니 어찌 힘없는 앵무새들을 괴롭히는 것입메까? 기리고 갑자기 나무를 베다니?"

"네놈도 베거라."

"대체 어떤 임무이기에 나무를 베라는 것입메까? 제발 정보 좀 공유합세다."

"산 중턱에 있는 집이 보이느냐?"

"저컨이 무시기요?"

"남파발 일 번 참이다."

"참말이오?"

"지금부터 너와 난 이곳에서 나무를 하며 저곳을 살핀다."

"위장을 하자는 말인데, 기렇다고 기리 열심히 나무를 벨 필요는 없지 않소? 하는 척만 하면 되는 것이지. 서파발 참에서는 풀을 뽑지 않나, 남파발 참에 와선 나무를 베라고 하질 않나. 노비도 이리 막 부려먹진 않을 겁메다."

사달수가 노려보자 사주는 도끼를 들고 나무를 베기 시작했다. 둘은 반나절 동안 쉬지 않고 나무를 벴다. 사주는 허리, 다리, 팔 등이 아프다며 호들갑을 떨었지만, 끝내 사달수의 동정을 사지는 못했다. 남파발참에서 말들에게 여물을 주고 있던 군정 두 명이 멀리서 도끼질을 하고 있는 사달수와 사주를 보며 대화를 나누었다.

"저 둘은 아직도 나무를 하고 있네."
"요즘 땔감이 없어서 얼어 죽는 백성들이 생기고 있다는데……."
"나무가 지척에 깔렸는데 얼어 죽는 사람들이 있나?"
"자네도 참. 나라에서 무기 만든다고 쇠를 죄다 수거해 가질 않았나? 나무를 벨 도끼가 없어. 나무는 많은데."
"전쟁이 끝났어도 백성들의 생활고는 여전하군."
"쇠뿔도 단김에 빼라고, 가서 우리도 땔감을 좀 베어오세."

군정 두 명은 지게의 밀삐를 들춰 매고, 도끼를 챙겨 사달수와 사주가 있는 곳으로 갔다. 같이 도끼질을 하던 군정 한 명이 서툴게 도끼질을 하는 사주에게 말했다.

"힘은 좋은데 요령이 좀 부족한 것 같소. 도끼질은 힘으로 하는 게 아니라 어깨와 허리의 반동으로 하는 거요. 팔에 힘이 너무 들어갔수다."

"남의 일에 참견하는, 아주 좋은 습관을 가지고 있습메."

"불쾌했다면 미안하게 되었소."

사달수와 사주 그리고 군정 둘은 아무 말 없이 나무를 벴다. 얼마나 흘렀을까. 도끼질을 하던 군정 두 명이 바위 위에 앉아 탁주를 들이켰다. 사주에게 말을 걸었던 군정이 열심히 도끼질을 하고 있는 사주에게 다시 말을 걸었다.

"금강산도 식후경이라 하지 않소? 거 시원하게 탁주 한잔씩 하시오."

사주는 술이라면 자다가도 일어나는 술꾼이었다. 마다할 이유가 없었다. 사주는 사달수가 노려보고 있다는 것도 모른 체 술잔을 주거니 받거니 하며 술을 마셔댔다. 군정이 술잔을 내밀며 사주에게 말했다.

"좀 전에는 실례가 많았소. 내가 좀 오지랖이 넓어서 말이오."

"아이고, 내 오지랖도 어디 가서 빠지지는 않습메. 저켠에서 혼자 땀 삐질삐질 흘리며 도끼질하고 있는 아주바이 보입메까?"

"저분 역시 도끼질을 처음 하는 것 같소. 꽤 힘들게 하는 거 같은데……."

사주는 사달수를 향해 소리쳤다.

"아주바이! 이켠으로 와 탁주 한 사발 하시라요."

사달수는 미간을 구겼다.

'이번 일만 마무리 짓고 저 개대가리 같은 놈을 갈아치워야겠다.'
"아주바이, 날래 오시라요!"

사달수는 사주의 오지랖에 화가 치밀었다. 하지만 거사를 위해 대충 군정들과 어울려 있기로 마음을 바꾸고는, 바위 위에 앉아 술잔을 받았다. 사달수와 사주, 군정 두 명은 주거니 받거니 술을 마시며 전쟁에 대한 이야기를 나누었다. 선조 이야기가 나올 땐 욕을 하기도 하고, 이순신 이야기가 나올 땐 박수를 치며 좋아하기도 했다. 광해에 대한 이야기가 나올 땐 서로 의견이 조금씩 달랐지만 네 명은 즐겁게 술을 마셨다.

그러다가 군정 한 명이 사달수에게 술을 따라주며 말했다.

"그나저나 어디에서 오셨소?"

그 물음에 사달수와 사주는 서로의 눈치만 볼 뿐이었다. 나무를 하러

왔다면 이 주변에 살고 있어야 할 터. 사달수와 사주는 평생 북쪽에서만 살아서 남쪽에 대한 지식은 전혀 없었다. 사달수가 아무 말이 없자 군정이 다시 물었다.

"이곳 사람이 아니오? 그러고 보니 사투리가……."

사달수가 들고 있던 술잔은 이미 군정이 따라주는 술로 넘치고 있었다. 사달수와 사주는 허리를 꼿꼿이 폈다. 군정 둘은 슬그머니 손을 뒤로 하여 도끼를 집어 들더니, 그대로 사달수와 사주에게 휘둘렀다. 하지만 사달수의 적수가 되진 못했다. 세 합을 겨루기도 전에 군정 둘은 사달수의 도끼에 맞아 목숨을 잃고 말았다.

사달수는 급한 마음에 땔감으로 죽은 시체를 얼른 가렸다. 다행히 보는 이는 없었다. 사주는 사달수에게 혼이 날 것을 예상했는지 얼른 도끼를 들어 열심히 도끼질을 했다. 그렇게 반나절 동안 도끼질을 하자 온몸이 쑤셔왔다.

"내래 이젠 도저히 도끼질 못하겠소. 차라리 똥지게를 지갔소. 굳은살이 하다하다 못해 터져서 피가 나고 있습메다. 남파발의 피각대가 닷새 만에 올라올 수도 있고, 열흘 만에 올라올 수도 있는 거 아니냐 이겁메다. 첩보가 있는 것도 아니고 말입메……."
"직감이다."

"아니 무시기 기런! 지금 증엄도 없이 아주바이의 직감 하나 때문에 이켠에 와서 이 고생을 하고 있단 말입메까? 첩보를 분석하고 공유하는 파발이 첩보도 없이 직감 하나로요? 천하대장군이 놀라 자빠질 일입메다. 이켠에서 이러고 있지 말고 가서 저하나 도웁세다. 반나절 후면 거사가 시작되니, 지금 출발하면 늦지는 않을 것입메다."

순간 사달수의 오감이 반응했다. 즉시 고개를 돌려 남쪽 숲을 응시했다. 잠시 후에 사내 한 명이 말을 타고 남쪽 숲에서 달려 나왔다. 단신에 차돌같이 단단해 보이는 몸으로 봐서 남파발꾼이 틀림없었다. 남파발꾼은 말에서 내려 남파발 일 번 참으로 들어갔다. 그리고 잠시 후 다시 나온 남파발꾼은 남쪽을 향해 달려갔다.

"아주바이, 좀 수상하지 않소? 남켠에서 올라온 남파발꾼이 어찌 다시 남켠으로 내려가는 것일까요? 한성이 있는 북쪽으로 가야 하는 거 아닙메까?"
"저 안에서 무슨 일이 일어나고 있는 것이 틀림없다."
"기럼 가서 확인해봅세다. 도끼질도 지긋지긋하던 참인데."

사달수와 사주는 도끼를 들고 산을 내려갔다. 사달수가 참 문을 발로 찼다. 참에는 또 한 명의 남파발꾼이 있었다. 발장이 미간을 구기며 소리쳤다.

"누구냐!"

사달수가 말했다.

"대력을 확인해봐야겠다."
"간덩이가 배 밖으로 나온 놈이구나."

발장이 휘파람을 불자 군정 세 명이 단도를 들고 달려왔다. 군정 세 명과 발장, 색리는 무기를 들고 사달수와 사주를 포위했다. 발장이 소리쳤다.

"네놈들은 누구냐? 어떻게 남파발 참을 알고 있는 것이냐? 들어올 땐 마음대로 들어왔을지 모르나 나갈 땐 내 허락 없이 나갈 수 없다!"

발장이 고개를 끄덕이자 군정 세 명이 사달수를 향해 달려들었다. 사달수는 맨손으로 그들을 맞이했다. 우선 처음 들어오는 군정의 발을 걸어 넘어뜨린 후, 두 번째로 달려드는 군정의 배를 발로 차고, 세 번째로 달려오는 군정은 목을 잡아 던지고, 네 번째로 색리의 팔을 잡아 부러뜨린 후, 마지막으로 발장에 머리를 향해 박치기를 했다. 순식간에 셋이 바닥에 쓰러져 고통을 호소했다. 발장은 놀라움을 금치 못했다. 일번 참은 남파발 참들 중에서도 무예가 뛰어난 군정들이 있는 곳이다.

그때 군정 한 명이 사달수에게 물었다.

"혹시 사달수 사맹님이 아니십니까?"

"날 아는 놈이 있더냐?"

"알지는 못합니다. 소문만 들었습니다."

"촉이 좋은 놈이구나. 피각대를 가지고 오너라."

"북쪽에 계셔야 할 사맹님께서 왜 여기에 계십니까? 그리고 피각대
를 달라니요? 그리할 수는 없습니다."

"목숨이 아깝지 않다?"

"파리 목숨, 아까울 게 뭐 있겠습니까?"

말이 끝나기 무섭게 군정은 단도를 고쳐 잡고 사달수의 품을 향해
달려들었다. 사달수는 콧방귀를 꾸며 군정의 어깨를 양손으로 눌렀다.
순간 군정은 바닥으로 누우면서 오른쪽 발로 사달수의 허벅지를 걸어
찬 후, 단도로 사달수의 목을 노렸다. 당황한 사달수는 뒤로 물러서며
단도를 흘려보냈다. 그와 동시에 주먹으로 군정의 이마를 힘껏 내리쳤
다. 군정은 뒤로 벌러덩 넘어졌다.

"이런 개대가리 같은 놈, 이 사달수의 몸에 감히 손을 대다니! 내 네
놈의 목숨은 살려줄 것이다!"

사달수는 발장과 색리, 남파발꾼 두 명의 숨을 끊었다. 탁자 위에 있는 피각대를 풀어 읽어 내려갔다. 사달수의 눈이 휘둥그레졌다.

→•←

달빛이 숲속을 환하게 비추었다. 두 눈을 부릅뜬 부엉이 한 마리가 나무 위에 앉아 먹잇감을 찾고 있었다. 순간 부엉이의 오감이 반응했다. 부엉이는 날개를 펴고 재빨리 하늘로 날아갔다. 잠시 후에 병장기 부딪히는 소리와 함께 무장한 군사들이 숲속에서 걸어 나왔다. 어림잡아 일천 명은 되어 보였다. 갑옷을 입은 광해와 병조판서 박승종의 모습도 보였다.

북한산을 지난 그들은 광화문 앞에 도착했다. 광화문을 지키고 있던 문지기들은 대규모 군사들을 보자 모두 줄행랑을 쳤다. 박승종의 명을 받은 군사들이 일제히 횃불을 밝히자 주변은 대낮처럼 환해졌다. 박승종이 광해에게 물었다.

"저하, 표정이 어두우십니다."

"아직 준비가 되지 않았는데 하늘이 나에게 기회를 주는군요."

"저하께서는 우유부단한 지금의 전하를 대신해 이 조선의 백성들을 훌륭하게 지켜내셨습니다. 응석을 부려야 할 나이에 저하께서는 칼을 잡으셨고, 부모님과 손을 잡고 뛰어 놀아야 할 때 저하께서는 봉수를 파하고 파발을 움직여 분조를 성공적으로 이끄셨습니다. 이제 이 나라의 왕이십니다. 세자 저하 만세! 세자 저하 만세!"

군사들도 함께 만세를 외쳤다. 광해는 고개를 돌려 광화문을 바라보았다. 그가 그토록 간절히 원하던 바로 그 순간이었다. 눈앞에 보이는 광화문만 열고 들어가면 새로운 세상이 펼쳐질 텐데 선뜻 발걸음이 떨어지지 않았다. 어쩌면 당연한 일이었다. 이제 그의 나이 열일곱이었다. 아무리 신의 능력을 가지고 있더라도 한 나라를 짊어지기엔 아직 어린 나이였다.

하지만 그의 망설임은 그리 오래 가지 않았다. 심호흡을 크게 한 광해는 갑옷을 벗어 박승종에게 준 후에 광화문을 향해 천천히 걸어갔다. 박승종과 군사들은 모두 숨을 죽이고 광해의 행동을 지켜보았다. 광화문 앞까지 성큼성큼 걸어간 광해는 양손으로 광화문 손잡이를 쥐었다. 오늘따라 문이 꽤 부드럽게 느껴졌다. 그 순간 말발굽 소리와 함께 우렁찬 목소리가 들려왔다.

"저하!"

광해는 뒤를 돌아보았다. 호마를 탄 사달수가 거친 숨을 몰아쉬며 달려오고 있었다. 사달수의 표정에서 뭔가 심상치 않은 일이 벌어지고 있다는 것을 짐작할 수 있었다. 광해 앞까지 달려온 사달수가 외쳤다.

"저하, 그 문을 여시면 아니 되옵니다! 함정입니다!"

"게 무슨 말이냐?"

사달수는 말에서 급히 내려, 광화문에 대고 있던 광해의 손을 저지했다.

"이순신의 전사 날짜는 11월 24일이 아니라 닷새 전인 11월 19일이었습니다. 김성태 그자가 남쪽에서 올라오는 모든 피각대를 차단했습니다. 정면 승부로는 저하를 막을 방도가 없다고 판단한 김성태가 몰래 일을 꾸민 것 같습니다."

사달수의 말을 들은 박승종과 군사들은 놀라움을 금치 못했다. 하지만 광해는 평정심을 잃지 않고 사달수를 응시했다.

"김성태 혼자 이런 어마어마한 일을 도모할 수는 없을 테고……."

"틀림없이 배후에 전하께서 계실 것입니다."

"이순신의 전사 날을 닷새 후로 속이고 성을 비워 유인하다니…….
제갈량이 울고 가겠군, 허허허."

"소인이 무능하여 저하의 심기를 어지럽혔습니다."

"당치도 않네. 사달수 사맹이 가져온 정보가 나의 목숨뿐 아니라 수많은 군사의 목숨까지 살리지 않았는가?"

"송구합니다, 저하. 좀 더 빨리 정보를 입수했더라면……."

"내 입맛에 꼭 맞는 정보가 어디 있겠는가? 어깨를 쫙 펴거라. 끝이 있어야 다시 시작도 할 수 있는 거 아닌가? 전하께선 연이고, 김성태는 실이다. 실이 없는 연은 종이에 불과하고, 연 없는 실은 구멍 난 버선이나 꿰매야겠지. 연이 없다면 다른 연을 만나면 될 것이고, 실이 없다면 다른 실을 만나면 되니……. 우선 세상에 단 하나뿐인 연을 떨어뜨려야겠다."

"그 말씀은……?"

"편한 길도 많은데 너무 험난한 길로 돌아온 것 같다. 김성태의 집은 파악해두었겠지?"

"네, 저하. 김성태의 집은 파악해두었습니다."

광해는 박승종을 불러 군사들을 퇴각시킨 후에 광화문을 열고 안으로 들어갔다. 사달수가 말려보았지만 광해의 뜻을 꺾을 수는 없었다. 광해는 광화문을 열고 들어가 후, 근정문을 향해 걸어갔다. 너무도 조용하고 고요했다. 풀벌레 우는 소리가 그의 귓가에 들려올 뿐이었다.

근정문 너머 보이는 대전이 오늘따라 멀게 느껴졌다. 근정문을 열자 광해의 예상대로 군사들이 칼과 창을 들고 서 있었다. 선조는 광해가 혼자 근정문을 열고 들어오자 일이 틀어졌음을 짐작했다. 하지만 이걸로 충분했다. 기선을 제압한 사람은 선조였다. 광해의 이번 역모를 막음으로 조정과 군사를 다시 정비할 시간을 벌게 되었고, 광해뿐 아니라 그의 측근들 역시 사기가 떨어졌을 것이다. 광해는 아무 일 없었던 것처럼 선조 앞으로 가 예를 갖추었다.

"전하, 밤공기가 찹니다."

선조 역시 아무 일 없었던 것처럼 광해를 맞이했다.

"이 시각까지 어디서 무얼 하다 온 것이냐?"
"주인 없는 주막에 가서 술이라도 한 사발 하려고 나섰습니다."
"술을 훔치려 했느냐?"
"술을 주면 훔칠 연유가 없지 않겠습니까?"
"다음에 또 그 주막에 갈 것이냐?"
"술 좋아하는 사람이 어찌 술을 끊을 수 있겠습니까?"
"주인이 따라주는 술을 기다릴 생각은 없는 것이고?"
"기다리기엔 갈증이 났습니다."
"세상 모든 갈등이 무엇에서부터 시작되는지 아느냐?"
"가르침을 받겠습니다."
"사랑 때문이니라. 돈을 사랑해서 질투가 생기는 것이고, 먹을 양식을 사랑해서 서로 칭을 드는 것이고, 드넓은 영토를 사랑해서 전쟁이 일어나는 것이고, 권력을 사랑해서 배신하고 죽이는 것이다. 사랑하는 것을 버린다면 진정한 사랑이 찾아올 것이다."

광해는 쓴웃음을 지으며 생각했다.

'아바마마께서는 소자를 사랑하셔서 버리신 것입니까!'

선조는 회심의 미소를 지으며 말했다.

"사랑하는 것을 버리겠느냐?"
"버리겠습니다. 사랑하는 것을 모두 버리겠습니다."

말은 이렇게 했지만, 광해가 버린다는 것은 다른 뜻이었다.

'지금부터 사랑하는 모든 것을 버릴 것이다. 가장 먼저, 사랑하는 아
바마마를 버릴 것이고, 사랑하는 형님과 숙부를 포함한 가족들을 버릴
것이다.'

지붕 위에서 누군가가 바짝 엎드려 이 모든 광경을 지켜보고 있었다.
김성태였다. 그는 아버지와 아들이 칼을 뽑아들고 싸우는 걸 원치 않
았다. 다행히 아무도 죽지 않았고, 아무도 다치지 않았다. 피를 보지 않
은 값진 승리였다. 그때 갑자기 시꺼먼 먹구름이 끼기 시작했다.

24. 광해의 공성지계

김성태는 궁을 나와 가까운 폐가로 가 잠을 청했다. 나흘 동안 잠을 한 숨도 자지 못했다. 눈을 감자마자 잠이 들었다. 일어나 보니 오후였다. 비가 내리기 시작했다. 저잣거리를 지나 압구정 정자 앞에 도착한 그는 말에서 내려 정자 위에 올라가 풀피리를 불었다. 빗방울 소리와 뒤섞인 풀피리 소리가 일대에 울려 퍼졌다. 이각 정도쯤 흘렀을 때였다.

'저벅, 저벅……'

도롱이에 찢어진 도포를 뒤집어쓴 네 명의 사내가 걸어오고 있었다. 그런데 그들의 걸음걸이는 보통 사람들과 사뭇 달랐다. 걷는 것 같으면서도 뛰는 것 같았고, 뛰는 것 같으면서도 걷는 것 같았다. 김성태는 그들의 보법을 보고 암행어사임을 단박에 알아차렸다. 풀피리 부는 것을 멈추고 천천히 일어나 그들을 맞이했다. 그들 중 키가 유난히 크고 기골이 장대한 노인 한 명이 눈에 띄었다. 수염은 명치까지 내려와 있었고, 눈에서는 살기가 느껴졌다. 김성태는 놀라움을 금치 못했다.

"설마?"

노인의 허리춤에 마패가 달려 있었다. 그런데 이 마패에 그려진 말의 수가 무려 열 마리였다. 암행어사는 한 마리가 수놓아진 일마에서부터 열 마리가 수놓아진 십마까지 모두 열 개의 계급이 있었다. 지금 김성태 앞에 있는 십마는 조선 팔도 모든 암행어사의 수장으로서, 훗날 암행어사로 이름을 날릴 박문수의 현조부였다. 십마는 어둠 중에서도 더 깊은 어둠에 있는 자로, 세상에 얼굴을 드러내는 일이 극히 드물었다. 그런 자가 바로 눈앞에 있으니 김성태가 놀라는 건 당연지사였다. 하지만 십마 역시 놀란 건 마찬가지였다.

"자네는…… 남파발 사맹 김성태가 아닌가?"

이 말에 십마 뒤에서 주변을 경계하고 있던 세 명의 암행어사가 일제히 죽창을 고쳐들더니 단검을 뽑아 들었다. 암행어사는 이미 광해의 수중에 있었다. 남파발이 선조 편에 있으니 당연히 암행어사와 남파발은 적대 관계였다. 십마가 손을 흔들자 세 명의 암행어사는 단검을 다시 품에 넣었다.

"어째서 파발이 암행어사를 찾는 것이냐?"

"정보를 얻고자 찾아왔습니다. 그런데 십마께서 여기에 계실 줄은
몰랐습니다."

"정보력이라면 파발 역시 암행어사에 뒤지지 않을 텐데……. 어떤
정보가 필요한 것이냐?"

"닷새 전 광화문 앞에서 수하들이 감쪽같이 사라졌습니다. 죽었다면
시신이라도 있을 텐데 그것이 보이지 않습니다. 내금위와 포청에다 수
소문을 해보았는데 거기서도 아무것도 모르고 있었습니다."

십마는 암행어사들에게 남파발꾼들의 행방을 물었지만 그들 역시
알지 못했다. 십마는 고개를 돌려 김성태를 응시했다.

"하늘로 날아가지 않았다면 조선 팔도 어딘가에 있지 않겠느냐? 이
할애비도 하나 물어보마. 네놈은 어째서 아직까지 왕을 섬기고 있느
냐?"

"사내가 두 명의 주군을 모실 수 있겠습니까?"

"이놈!"

십마가 지팡이로 바닥을 내리쳤다. 굉음과 함께 돌들이 산산조각 나

며 파편들이 사방으로 튀었다. 세 명의 암행어사는 화들짝 놀라며 뒤로 물러섰다. 하지만 김성태는 눈 하나 꿈쩍하지 않고 말했다.

"파발과 암행어사는 첩보를 통해 정보를 입수하는 특수 기관입니다. 십마께서는 정보란 무엇이라고 생각하십니까? 저하의 정보력이 진정 백성들의 삶을 윤택하게 한다고 생각하십니까? 백성들이 원하는 정보의 원칙이 아니라, 저하께서 이해하는 국익에 이기를 합리화한 통찰일 뿐입니다. 진정 조선의 평화와 정보화를 지향한다면 백성들을 고려해야 합니다. 백성 위에 정보가 있는 것이 아니라, 정보가 백성과 더불어 있어야 하는 것입니다."

"개나 소나 정보를 다 가지고 있다면 그것이 어찌 정보이겠느냐? 빨래터 잡담이겠지."

"정보란 소수를 위해 존재하는 것이 아닙니다. 아는 것이 힘입니다."

"모르는 게 약일 때도 있지."

"조선의 모든 백성이 모든 정보를 공유하고, 질책하고, 웃고, 웃으며, 화합해 나갈 때 그 정보는 진정한 결착이 되는 것입니다."

"모든 백성이 정보를 손쉽게 공유한다면 세상은 큰 혼란에 빠지겠지."

"그 반대라 생각합니다. 백성들이 정보를 공유한다면 탐관오리들을 단죄할 수 있고, 힘겹게 살아가는 백성들이 서로 도울 수 있게 됩니다. 백성들의 통찰력도 존중해주어야 합니다."

"그러다 백성들이 임금도 바꾸겠구나. 허허허. 할애비 역시 지금의 왕을 이십 년 넘게 모셔왔다. 그런 할애비가 왜 등을 돌렸겠느냐? 지금의 왕은 무능하다. 전하와는 달리 저하께서는 정보를 수집하는 능력뿐 아니라 그 정보를 공유하고 판단하는 능력 또한 탁월하시다. 정보를 정확하게 판단하지 못한다면 그건 정보가 아니다. 십 년 묵은 된장과 다를 바가 무엇이겠느냐? 저하의 능력은 너도 잘 알고 있을 터, 나와 함께 신의 능력을 가진 저하를 모시도록 하자."

"정보는 한 사람의 판단으로 이뤄져서는 안 됩니다."

"이놈! 이 할애비가 꼭 볼기짝을 때려야겠느냐!"

십마는 푸른빛을 띠고 있는 지팡이를 들어 김성태의 엉덩이를 향해 휘둘렀다. 그는 십마를 상대로 싸운 적이 한 번도 없었다. 우선 당황하지 않고 단도를 들어 지팡이를 막아보았다. 그런데 이건 지팡이가 아니라 마치 쇠망치 같았다.

'대체 지팡이를 무엇으로 만들었기에 이리도 단단하단 말인가?'

십마가 들고 있는 지팡이는 십마봉으로, 1493년 화성 지방에 떨어진 운석을 백 일 동안 녹여 만든 것이다. 무게는 나뭇가지처럼 가벼우나 강함은 강철을 능가하는, 보검 중의 보검이었다.

'저런 보검을 들고 있을 줄이야. 파발보다 백 년 앞선 암행어사의 명성이 헛소문만은 아니었구나.'

하지만 지금 암행어사와 싸울 이유가 없었다. 김성태는 철질려를 흩뿌리며 빠져나갈 구멍을 찾았다. 하지만 순순히 보내줄 암행어사가 아니었다. 세 명의 암행어사는 원을 그리며 그를 포위했다. 그렇다고 순순히 잡힐 김성태도 아니었다. 김성태는 철질려를 계속 뿌리며 공간을 찾았다. 철질려 세 통을 다 쓸 때 쯤 드디어 도망칠 행로가 보였다.

김성태는 있는 힘을 다해 도망쳤다. 하지만 십마가 저 앞에서 퇴로를 확보하고 있었다. 십마와 정면 대결을 할 수밖에 없다. 십마는 김성태를 향해 수박을 펼쳤다. 탐마세로 김성태에게 한 발 내딛으며, 왼쪽 주먹으로 김성태의 어깨를 후려쳤다. 김성태가 오른쪽으로 피하자, 십마는 곧바로 오른쪽으로 요란주세를 시전한 후 오른발과 왼쪽 주먹을 김성태의 왼발과 오른쪽 가슴에 동시에 날렸다. 김성태가 뒤로 한 보 물러서자 십마는 한 발 앞으로 나서며 고사평세의 자세를 취했다. 즉시 왼손과 오른손을 높이 들더니, 뒤로 돌아서며 일삽보세를 취한 후, 오른손을 겨드랑이에 끼면서 십마봉을 김성태 허리를 향해 휘둘렀다. 화들짝 놀란 김성태는 뒤로 한 보 물러섰다. 하지만 십마봉은 벌써 김성태의 좌측 허리 쪽에 와 있었다. 둔탁한 소리와 함께 허리를 얻어맞은 김성태는 뒤로 물러서며 붉은 피를 토했다.

'십마가 벌써 수박을 구 단계까지 완성시켰다니!'

수박은 크게 심공, 외공, 내공의 기법으로 나누어져 있다. 심공은 '범
행공시선필명심식사려절정욕이고수신기' 행공에 앞서 생각과 마음을
편안하게 하고, 욕정을 끊으며 신통한 기운으로 정신을 수양하는 것이
며, 외공은 신공, 수공, 면공, 이공, 목공, 구공, 설공, 치공, 비공, 족공,
수공, 견공, 배공, 복공, 요공, 심공, 총 열여섯 가지로 나누어져 있다.
또 내공은 가부좌를 통한 호흡법으로 심장, 간장, 비장, 신장, 폐장을
단련하는 기법이다. 무예를 하는 사람들은 수박을 오 단계까지 연마하
면 포도대장까지 간다는 말을 술안주 삼아 내뱉곤 한다. 그만큼 오 단
계도 힘들다는 뜻이다. 하지만 십마가 구 단계까지 연마했으니 김성태
가 경악하는 건 당연지사였다.

십마는 즉시 입보도수전진 곤각귀초비보를 시전했다. 김성태는 입
보하여 유유히 날 듯 달려오는 십마를 보자 겁이 덜컥 났다. 마치 신선
이 구름 위를 달리는 것 같았다. 생각할 겨를도 없이 뒤로 물러섰다. 십
마는 빈틈을 주지 않았다. 즉시 수박의 외공 중 수공, 요공, 복공, 치공
을 차례대로 시전했다. 신선이 춤을 추는 것 같았다.

"아차!"

치공이 들어올 때 김성태의 허리가 위험에 노출되고 말았다. 그 기회

를 놓칠 심마가 아니었다. 즉시 요단편세를 취하며 한 걸음 뒤로 뛰어오르더니, 오른손으로 김성태의 허리를 치는 척하며 엉덩이를 치고 뒤로 빠졌다. 그리고 곧바로 김성태의 오른쪽 어깨를 향해 심마봉을 휘둘렀다.

'이 일격을 맞는다면 어깨뼈가 으스러질 것이야!'

이렇게 생각한 김성태는 즉시 주저앉으며 왼쪽으로 한 바퀴 굴렀다. 심마봉은 김성태의 어깨 대신 소나무를 찍어 내렸다. 소나무가 굉음을 내며 반으로 갈라졌다.

마침 갈라진 소나무가 심마의 시야를 가려주었다. 김성태는 이때를 놓치지 않고 철질려를 흩뿌리며 백영 위에 올라탔다. 세 명의 암행어사가 죽창을 들고 그의 뒤를 쫓으려 했지만, 김성태는 이미 저 멀리 도망갔다.

"쫓지 말거라. 쫓는다고 잡힐 놈이 아니다. 김성태가 타고 있는 말은 이주영의 백영인 듯하구나. 이런, 저하께서 기다리고 계시겠다. 나이가 들수록 건망증이 더 심해지니, 원……. 자, 기력 떨어지기 전에 빨리 가자."

심마와 암행어사들이 어둠 속으로 사라져갔다. 마치 바람에 날아가는 연기처럼.

→•←

김성태는 백영을 타고 한참을 달렸다.

'이렇다 할 공격 한 번 못해보고 이리 호되게 당하다니.'

십마를 직접 상대하고도 믿기지가 않았다. 김성태는 퍼렇게 부어오른 허리를 치료하기 위해 저잣거리 문방구 김 씨를 찾아갔다. 김 씨는 그의 허리에 약초를 발라주며 욕을 해댔다.

"암행어사 이 우라질 놈들! 왕의 직속 부하끼리 서로 칼을 휘둘러? 개도 개고기는 먹지 않는당께요!"

"큰 상처가 아니니 되었다."

"시방 이건 자존심 싸움이랑께요! 울화통이 터져 참을 수가 없습니다요! 오늘 암행어사 놈들과 사단을 내든지 해야지! 가시나도 아니고, 한 명을 상대로 떼로 덤비다니! 비겁한 놈들!"

"흥분하지 말고 앉거라."

"내 조만간 어사 놈들 혼구녕을 내줄 것입니다요. 그나저나 대장, 십마의 실력이 그리도 대단합니까? 수박을 구 단계까지 연마를 하다니요."

"사달수가 호랑이라면 십마는 신선이더구나. 인간이 어찌 신선과 대결할 수 있겠느냐?"

"이런 우라질! 노인네가 뭘 자시고 살기에 그리 팔팔하단 말입니까?"

"그나저나, 마철의 행방은 알아보고 있는 것이냐?"

"아따, 고것이 감쪽같이 사라졌당께요. 마철 부사맹님도 부사맹님이지만, 전라도에서 올라오던 까치하고 미꾸라지, 제비다리도 귀신같이 사라졌당께요."

"언제더냐?"

"대충 고것이 가직혔으니께, 서너일 안짝입니다요. 하늘로 솟은 것도 아니고, 땅으로 꺼진 것도 아닐 텐데……. 시방 수상한 일이 벌어지고 있기는 있는디요."

"발 빠른 남파발꾼 다섯만 모으거라."

"아따! 대장이 직접 나서시게라?"

"남파발꾼들이 하나둘 사라지고 있다. 무엇보다 세상에 모습을 드러내지 않는 십마까지 움직이고 있으니, 뭔가 불길한 예감이 드는구나."

"나도 같이 간당게요."

"내가 사는 곳을 아는 사람은 마철과 너뿐이다. 너는 문방구나 잘 지키고 있다가 마철의 행방을 찾거든 바로 알리거라."

"알겠어라."

한편, 김인성은 변소 앞에서 표씨 부인에게 잔소리를 듣고 있었다.

"빨래는 절구통 옆에 두라고 어미가 몇 번이나 말했어? 변소 다녀오면 손 씻고, 짚신은 아궁이 옆에 두고, 점심 먹은 후에는 글공부 하라고 했지!"

"어머니! 밖에! 아버지가 오셨어요!"

"어디?"

부인은 눈을 동그랗게 뜨고 주변을 살펴보았다. 싸리문 밖으로 닭 한 마리를 들고 있는 김성태의 모습이 보였다. 부인은 싸리문을 열고 가장 먼저 그의 몸 여기저기를 살펴보았다. 다행히 피가 나는 곳도, 멍든 곳도, 부러진 곳도 없어 보였다. 부인은 안도의 한숨을 내쉰 후, 잔소리를 하기 시작했다.

"어떻게 된 겁니까? 닷새 안에 돌아오신다 했으면서 하루가 더 지났잖아요? 옷은 또 왜 이리 젖은 것입니까? 비가 오면 하루 쉬었다가 내일 오면 될 것을. 고뿔 걸리면 어떡하려고……. 빨리 들어오세요. 그런데 손에 뭘 들고 있는 것입니까?"

"닭을 한 마리 사왔소."

"아니, 귀한 닭을 어디서……? 어서 들어가세요. 비 맞고 계속 서 계실 겁니까? 당신 좋아하는 백숙 해드릴게요. 방 안에 인성이랑 같이 들어가 계세요. 아! 손 씻고요."

"백숙을…… 지금?"

아버지와 아들은 동시에 서로를 바라보았다.

'안 돼!'

저 귀한 닭을 음식 솜씨 없는 어머니에게 맡길 수는 없는 노릇이었다. 백숙에서 무슨 맛이 날지 상상만 해도 끔찍했다. 아버지가 운을 띄우고, 아들이 거들었다.

"부인, 늘 고생이 많으니 오늘은 들어가서 좀 쉬도록 하세요."
"그래요, 어머니. 빨래하느라 고생하셨잖아요."
"백숙은 나와 인성이가 요리할 테니 어서 들어가시오."
"그래요! 아버지 말 들으세요. 따뜻한 아랫목에서 허리나 지지고 계시라니까요. 백숙은 저와 아버지가 맛있게 만들어서 들어갈게요. 음식을 꼭 어머니가 해야 하는 건 아니잖아요?"

부인은 둘의 속도 모른 채 콧노래를 부르며 방 안으로 들어갔다. 그리고 세상에서 가장 편한 자세로 누워 혼자만의 시간을 만끽했다. 아버지와 아들은 안도의 한숨을 내쉬었다.
둘은 부엌으로 들어가 백숙을 만들었다. 김성태는 숟가락으로 김이 모락모락 나는 국물을 떠 김인성의 입에 넣어주었다. 김인성은 엄지손가락을 들어 올렸다. 백숙이 다 만들어지자 솥단지를 들고 방 안으로 들어갔다. 세 식구는 옹기종기 앉아 식사를 했다. 부인이 고기는 먹지 않고 국물만 먹자, 김성태가 닭다리 하나를 쭉 찢어 부인의 그릇에 넣었다. 부인은 닭다리를 다시 아들에게 주며 말했다.

"어미는 국물이 좋구나. 우리 인성이 많이 먹어. 서방님도 어서 드세요."

김성태는 나머지 닭다리 한 짝을 다시 부인에게 주며 말했다.

"편식하면 안 좋다면서요."

김인성도 제 그릇에 있는 닭다리를 어머니에게 주었다.

"편식하면 안 좋다면서요, 어머니!"

표씨 부인은 조용히 닭다리를 뜯었다. 김인성은 김이 모락모락 나는 닭고기를 호호 불어가며 게걸스럽게 먹어댔다. 표씨 부인은 남은 닭다리 하나를 슬그머니 아들의 밥그릇 위에 놓아주었다. 김인성은 아버지를 바라보았다. 아버지가 미소를 지으며 고개를 끄덕이자, 기다렸다는 듯이 닭다리를 뜯기 시작했다.

그때 갑자기 '쿵' 하는 소리와 함께 피투성이의 남자 한 명이 방문을 열고 들어왔다.

"어머나!"

부인은 너무 놀란 나머지 비명을 질렀다. 김인성도 놀라기는 마찬가지였다. 김성태는 피투성이의 남자를 단박에 알아봤다. 작은 키에, 코에 작은 점, 단단해 보이는 몸. 조금 전까지 같이 있었던 문방구 김 씨였다.

김성태는 얼른 다가가 김 씨를 눕혔다. 온몸 여기저기에서 피가 줄줄 흐르고 있었다. 김성태는 다급한 목소리로 부인과 아들에게 말했다.

"부인은 약초를 준비해주시고, 인성이는 따뜻한 물을 가져오너라."

부인과 아들이 두려움에 떨고 있자 큰 소리로 외쳤다.

"어서!"

김성태의 벼락같은 소리에 정신을 차린 부인과 아들은 밖으로 나갔다. 김성태는 김 씨의 젖은 옷을 벗기며 수건으로 피 묻은 목과 어깨, 등과 가슴을 깨끗이 닦아주었다. 아들이 따뜻한 물을 가져오자 피가 흥건한 수건을 따뜻한 물에 빨아 다시 한 번 피를 닦아주었고, 부인이 가져 온 약초는 상처 난 부위에 발라주었다. 김인성은 김 씨의 얼굴을 유심히 바라보고는 김성태에게 말했다.

"아버지, 혹시 문방구 김씨 아저씨 아닙니까?"

"인성이 네가 어찌 아느냐?"

"문방구에 붓 사러 갔다가 한 번 만난 적이 있습니다. 그런데 조금 이상했습니다. 손님한테 막 반말하고, 표정도 험악했고요, 좀 무서웠습니다."

"아버지의 벗이란다."

"어디서 이렇게 다치신 겁니까?"

"인성이는 안방에 가 있거라. 당신도 인성이 데리고 먼저 가 있구려."

부인과 김인성이 나가자 김 씨가 천천히 눈을 떴다.

"대체 누가 이리 만든 것이냐?"

"아따 고것이……, 송구합니다요."

"그냥 그대로 누워 있거라. 누가 이런 것이야?"

"대장이 나간 후에 고것이……, 일각도 되지 않았는데, 밖에서 똑똑 소리가 들리지 뭡니까요? 싱숭생숭헌 맴으로 나가보니 이 서찰이 문방구 앞에 놓여 있었습니다요."

김 씨는 품에서 서찰을 꺼내 김성태에게 내밀었다. 서찰에는 '남파발 부사맹 마철을 찾고 싶다면 지금 즉시 저잣거리에 위치한 번개 맞은 소나무 앞으로 오라'는 내용의 글이 적혀 있었다. 김성태가 물었다.

"서찰을 놓고 간 자의 얼굴을 보았느냐?"

"아따 고것이, 비가 억수로 내려서 그림자만 봤당게요. 그림자가 꽤 나 커 보였습니다요. 대장에게 먼저 알릴까 말까, 알릴까 말까 허다가……, 혹시라도 농일지도 모른다는 생각에 우선 번개 맞은 소나무에 가봤지라. 우라질, 비까지 쫄딱 맞으면서 세 식경이나 기다렸는데……."

김 씨는 거친 숨을 내쉬더니 말을 이었다.

"사람 그림자는 하나도 안 나타나고, 비를 쫄딱 맞은 뻐꾸기만 지랄 맞게 울어댔당게요. 집으로 돌아가려고 하는데, 그때 그 꼴도 보기 싫은 얼굴을 보고 말았습니다요."

"누구를 본 것이냐?"

"사주를 보았습니다요."

"북파발 부사맹 사주?"

"야, 대장. 그냥 지나쳐 가려고 했는데, 또 무슨 헛짓거리를 꾸미나 싶어 뒤를 밟아봤습니다. 다행히 비가 많이 내려 제가 미행하는 것을 모르고 있는 듯했습니다요. 사주는 남산으로 가 북파발꾼 두 명을 만났습니다. 아따 길기도 허지, 셋이서 세 식경 정도 밀담을 나눴당께요. 그런 후에 셋은 뿔뿔이 흩어졌습니다요. 사주를 쫓는 건 무리라고 생각해서 다른 한 놈의 뒤를 쫓았지라. 조용히 뒤를 미행하고 있는데 동쪽으로 간 사주가 갑자기 나타나서……. 어휴, 비 오는 날 먼지 날 정도로 두들겨 맞았당께요."

"다음부턴 조심하도록 하거라."

"그래도 두들겨 맞은 보람은 좀 있었습니다요. 이 서찰을 언능 보랑께요. 북파발꾼 품에서 나온 서찰인디, 심각허요."

김 씨는 품에서 또 다른 서찰을 꺼내주었다. 서찰에는 오늘 임금을 시해한다는 내용이 적혀 있었다. 김성태의 팔이 부르르 떨렸다.

"대장, 북파발 놈들이 이제 허다허다 별 미친 짓거리를 꾸미고 있당께요. 허허, 왕을 시해허겄다? 그게 시방 가당키나 헌 소리요?"

"첩보일 뿐이다. 하지만 무시할 순 없는 노릇, 내 직접 확인해볼 것이 좀 있구나."

"아따, 저는 문방구로 가보겠습니다요. 혹시 마철 부사맹님의 첩보가 들어올 수도 있으니 말입니다."

김성태는 백영을 타고 북쪽을 향해 질주했다. 목적지는 북파발꾼들이 크고 작은 정보들을 공유하는 북파발 일 번 참이었다. 김성태는 그곳에 가 본 적이 없었지만, 지도에서 본 기억을 되살려 무작정 찾아 나섰다. 북쪽의 길은 구불구불한 남쪽과는 달리 드넓은 들판이 펼쳐져 있었다. 쉬지 않고 다섯 식경 정도를 달리자, 북파발 일 번 참 주변에 도착할 수 있었다.

그런데 막상 그가 도착한 곳은 숲속이 아니라 사람들이 번잡한 저잣거리였다. 숲속에 숨겨진 보통의 참과는 달랐다.

'저잣거리 한복판이라니……. 참의 위치가 바뀐 것일까?'

김성태는 주변 숲속을 샅샅이 뒤져보았지만 참이라고 볼 수 있는 곳은 한 곳도 없었다. 참에는 우선 참을 지키는 군정 다섯이 있어야 하고 말 다섯 필이 있어야 하는데, 그가 찾은 곳에는 초라한 흙집 아니면 허물어져가는 흉가뿐이었다. 어느덧 땅거미가 내리고 있었다.

'북파발 일 번 참은 대체 어디에 있단 말인가?'

혹시 하는 마음에 다시 번잡한 저잣거리로 돌아와 살펴보았지만 헛수고였다. 말 머리를 돌릴 수밖에 없었다.

그때 그의 눈에 붉은빛이 감도는 색주가의 풍경이 들어왔다. 술에 취해 비틀거리는 사람, 길거리에서 구토를 하는 사람, 손님을 유혹하는 기생, 그런 기생의 엉덩이를 주무르는 취객. 가난한 백성들은 먹을 음식이 없어 굶주리고 있는데, 그곳은 그야말로 별천지다.

그 가운데 익숙한 얼굴 하나가 시야에 들어왔다. 팔 척이 넘는 키, 눈꼬리가 살짝 내려간 얼굴, 얼핏 보면 웃고 있는 인상, 바로 북파발 부사맹 사주였다. 그는 말에서 내려 사주를 미행했다. 사주는 콧노래를 부르며 걸어가다, 눈이 고혹적인 기생의 엉덩이를 만지며 귓속말을 던졌다. 기생은 허리를 숙이고 깔깔거리며 웃더니, 사주를 데리고 색주가 안으로 들어갔다. 김성태는 시간차를 두고 사주의 뒤를 은밀히 쫓았다.

대문 앞에서 팔 척 장신에 짐승 같이 생긴 문지기 두 명이 김성태를 막아섰다.

"어떻게 오셨습메까?"

"사내가 색주가에 왜 오겠소."

"이켠은 뜨내기는 받지 않는 곳입메다. 돌아가시라요."

난처한 일이었다. 소란을 피울 수도 없고, 그렇다고 그냥 돌아갈 수도 없었다. 김성태는 품에서 엽전을 꺼내 문지기의 손에 은밀히 쥐어 주었다. 순간 그의 오감이 반응했다. 문지기의 손이 거북이 등처럼 단단한 것이다.

'이 정도의 굳은살이라면 틀림없이 십 년 넘게 칼을 잡았다는 말인

데, 어째서 문지기를 하고 있단 말인가?'

이때 문지기가 친절한 표정을 지으며 입을 열었다.

"찾아보면 방이 하나쯤은 있을 것 같기도 한데……. 아니, 방만 있으면 뭐합메까? 기집이 있어야 하는데. 가만, 누가 있을까……."
"보시오. 뜨내기가 한 번 오고 두 번 오면서 단골이 되는 것 아니겠소. 그러지 말고 황진이 같이 예쁜 처자로 부탁하오."

김성태가 엽전을 조금 더 주자, 문지기는 주변의 눈치를 보더니 길을 열어주었다. 김성태는 안으로 들어가 주변을 살펴보았다. 이곳 색주가의 풍경은 한양의 기생집과는 사뭇 달랐다. 한양의 기생들은 우아한 자태와 품위가 느껴졌다. 하지만 이곳의 기생들은 치마를 올리고 달려가거나, 술에 취에 욕을 하거나, 가야금 반주도 없이 혼자 노래를 고래고래 불렀다. 김성태는 손님인 척 행동하며 두 눈으로 사주의 행방을 찾았다. 하지만 사주의 모습은 어디에도 보이지 않았다.
체념한 듯 뒤돌아서려던 순간, 그의 표정이 심하게 일그러졌다. 김이 모락모락 피어나는 부엌 앞에 사내 둘이 서 있는 것이다. 그 둘은 남자들을 유혹하는 기생들 따위에는 전혀 관심이 없어 보였다. 오로지 머리를 가까이 하고 은밀한 대화를 나눌 뿐이었다. 그는 그 둘을 한 번에 알아볼 수 있었다. 북파발 사맹 사달수와 암행어사의 수장인 십마였다.

거리가 멀어 두 사람의 대화를 들을 수는 없었으나, 표정으로 볼 때 꽤나 심각한 이야기가 오가는 것을 알 수 있었다. 어떨 땐 십마가 호통을 치기도 했고, 어떨 땐 사달수가 미간을 찌푸리기도 했다.

'십마가 이곳에 있다면 그를 수행하는 암행어사들이 있을 텐데……'

예상대로 암행어사 세 명이 십마의 주변을 철저하게 경계하고 있었다.

'사달수와 십마가 왜 하필 색주가에서 만났을까? 설마, 이 색주가가 북파발 일 번 참?'

이렇게 생각하자 모든 의문이 한꺼번에 풀렸다. 밖에 있는 문지기들은 군정들이었던 것이다. 사달수와 십마는 일다경 정도 대화를 이어갔다. 다섯 발자국만 더 다가가면 둘의 대화를 엿들을 수 있을 것 같았다. 하지만 사달수와 십마가 누구인가? 만에 하나 두 사람에게 정체가 발각되기라도 한다면 북파발꾼들과 암행어사들이 구름처럼 몰려올 것이 불 보듯 뻔했다. 그는 먼발치에서 둘의 동태를 살필 수밖에 없었다. 순간 사달수의 오감이 반응했는지 크고 부리부리한 눈으로 주변을 수색하기 시작했다. 김성태는 당황하지 않고 지나가던 기생의 허리를 감싸안으며 입맞춤을 했다.

"어머나, 오라버니. 너무 급하셨나 보다. 옷도 벗기 전에 배꼽부터 맞추면 어떻게 해? 이곳엔 처음 오셨어요?"

"그래, 처음 왔지. 여기 물 좋은데?"

"말투로 봐 이곳 분은 아닌 것 같은데, 어디서 오셨어요?"

"한양에서 왔지."

"어머, 정말요? 한양에 살면 임금님도 볼 수 있다고 하던데. 오라버니도 임금님 봤어요? 다음에 저도 한양 구경시켜주세요, 네? 임금님 보고 싶어요."

"그래, 내 함 구경시켜주지."

김성태는 호색가처럼 기생에게 거드름을 피웠지만, 시선은 사달수에게 가 있었다. 둘은 여전히 긴밀한 대화를 나누고 있었다. 이대로 둘의 동태를 살피는 건 무의미한 일이었다. 그렇다고 다가갈 수도 없었다.

'무슨 뾰족한 수가 없을까?'

그때 한 노인이 술동이를 들고 힘겹게 걸어 들어왔다. 그는 후다닥 달려가 노인의 술동이를 같이 들었다.

"노인장, 이 술은 어디로 가져가는 것입니까?"

"부엌으로 가는데, 뉘시오?"

"제가 도와드리겠습니다."

"아이고, 이게 생각보다 무거운데……."

김성태는 노인과 함께 최대한 자연스럽게 술동이를 들고 부엌으로 들어갔다. 그리고 문 안쪽에 있는 큰 항아리에 술을 부었다. 다행히 부엌문이 사달수와 십마의 시선을 가려주었다. 그는 술 취한 행인들의 술주정 소리와 기생들의 깔깔거리는 웃음소리 속에서 둘의 목소리를 잡아내기 위해 귀를 기울였다. 다행히 작게나마 둘의 대화가 들려왔다.

"암행어사의 수장인 십마께서 이번 거사에 동참해주시니 감사할 따름입니다."

"그렇다고 파발 따위가 암행어사와 동급이라고 생각하지는 말게. 암행어사는 파발보다 백 년 앞서 만들어진 첩보 기관이니."

"이주영의 성격이 누굴 닮았나 했더니 십마의 성격을 닮았군요."

"그 고약한 놈 얘기는 꺼내지도 말게!"

"그래도 한때는 십마가 가장 아꼈던 자가 아니었습니까."

"누가 그런 놈을 아꼈다는 것이냐!"

"다음 후계자로 이주영을 점찍어두신 걸로 알고 있는데, 아닙니까?"

"파발의 정보력도 꽤나 깊숙이 들어와 있군 그래."

"파발이 만들어진 지 이 년도 안 됐지만, 십 년 후엔 암행어사를 능가할 것입니다."

"할애비가 웃을 힘도 없으니 말장난은 잠시 접어두시게나. 대체 조선의 임금을 어떻게 시해하려 하는 것이냐?"

"내금위장 차천수와 이미 손발을 다 맞춰두었습니다."

"금군까지 저하를 따르기로 한 것이냐?"

"똥인지 된장인지 알아보는 것은 당연지사 아니겠습니까?"

"암행어사가 무엇을 도와주면 되겠는가?"

"차천수가 뜻을 같이 하기로 했지만 내금위를 모두 장악한 것은 아닙니다. 내금위장은 총 세 명. 암행어사께서는 나머지 둘을 상대해주시면 됩니다."

"내금위는 이 할애비가 책임지겠네."

"시해 시각은 해(亥)시로 정했습니다."

술 항아리에 술을 다 부은 김성태는 돌아갈 수밖에 없었다. 하지만 이것으로 충분했다. 적어도 조선의 임금을 시해하려 한다는 정확한 정보를 입수했으니 말이다. 그는 술동이를 들고 밖으로 나가며 사달수의 뒷모습을 쳐다보았다.

순간 그의 뇌리에 무언가가 떠올랐다. 선조와 한승겸이 김성태의 집에 온 그날 떡장수의 뒷모습. 지금의 사달수와 떡장수의 모습이 일치했다! 김성태의 이마에서는 식은땀이 흘러내렸다.

'집이 노출되고 말았다. 부인과 인성이가 위험하다!'

술동이를 들고 밖으로 나온 김성태는 백영을 타고 남쪽을 향해 쉬지 않고 달려갔다. 그의 머릿속은 복잡해졌다. 북파발이 이번 역모를 꾸몄고, 암행어사의 수장인 십마가 거사에 동참했고, 내금위장 역시 거사에 동참했다. 남파발꾼들은 하나둘 사라져 가고 있었고, 마철은 어디로 갔는지 전혀 알 수가 없었다. 그것도 모자라 자신의 집까지 북파발에 노출되었으니……. 네 식경쯤 쉬지 않고 달리자 한성 일대에 도착할 수 있었다. 김성태는 가장 먼저 집으로 갔다.

"인성아! 부인!"

온 집안을 다 뒤져도 부인과 아들의 모습은 보이지 않았다. 그의 등에서 식은땀이 흘러내렸다. 그때였다. 익숙한 콧노래 소리가 들려왔다. 그는 싸리문을 열고 밖으로 뛰어나갔다. 김인성이 콧노래를 부르며 걸어오고 있었다. 안도의 한숨을 내쉰 그는 김인성에게 달려가 다급하게 물었다.

"인성아! 어머니는 어디 있어?"
"아버지, 왜 갑자기 화난 얼굴을 하시고……, 무섭습니다."
"어머니는 어디 갔냐니까!"
"아랫마을에 가신다고 하셨어요. 바느질할 거 얻어 오신데요."

안도의 숨을 내쉰 김성태는 품에서 필낭을 꺼냈다. 필낭 안에는 종이 한 장과 새끼 붓이 들어 있었다. 그는 흰 종이 위에 새끼 붓으로 글을 쓴 후 김인성에게 내밀었다.

"인성아, 아비 말 똑똑히 들어야 한다. 이 서찰을 저잣거리 문방구 김씨에게 전해주거라."

"뭔데요, 이게?"

"중요한 정보가 들어 있으니 틀림없이 전해야 한다."

"그렇게 중요하면 아버지가 전해주시면 되잖아요."

"저잣거리까지 갈 시간이 없으니 인성이 네가 전해주어야겠다. 할 수 있겠지?"

"혹시 저에게 임무를 주는 겁니까?"

"그래."

"네, 지금 바로 출발할게요. 이주영 사맹님처럼 임무를 완수하겠습니다. 말 타고 가야 더 빠르지 않을까요?"

"말을 타고 가거라."

"네, 아버지. 대신 어머니한테는 아버지가 말 타라고 했다고 말해줘야 해요."

"그래, 어서 가거라."

말을 마치자 김성태는 백영을 타고 궁을 향해 달려갔다. 김인성도 말을 타려고 마구간으로 가려는데, 순간 등 뒤에서 목소리가 들려왔다.

"혼자 뭐하냐?"

김인성이 뒤를 돌아보았다. 경마를 같이 하던 소년 넷이 거만한 자세로 말을 타고 서 있었다. 코에 점이 난 소년이 말을 이었다.

"할 일 없으면 한 판 붙지?"
"해가 떨어진지 오래야."
"왜? 꽁무니 빼는 거야?"
"누가 꽁무니를 뺀다고 그래!"
"하긴 그럴 만도 하지. 단 한 번도 날 이긴 적이 없으니 말이야."

김인성은 자존심이 상했다. 당장이라도 본때를 보여주고 싶었지만, 지금은 아버지가 전해주라고 한 서찰이 우선이었다. 하지만 도전을 받고 도망가는 건 사내의 길이 아니라고 생각했다.

'아버지께서 서찰을 전해주라고 하셨을 뿐, 지금 바로 전해주라고 하시지는 않았잖아? 그래, 경마하고 오는 길에 서찰을 전해주면 되지 뭐.'

마음을 굳힌 김인성은 코에 점이 난 소년에게 소리쳤다.

"그래. 해. 오늘은 어디야?"

→•←

김성태는 백영을 타고 남산을 올랐다. 하지만 경사가 높아 더 이상 백영을 타고 산에 오르는 건 무리였다. 말에서 내린 그는 설피로 갈아 신은 후, 흰 눈밭을 뛰어 올라갔다. 일다경 정도를 달리자 흰 눈이 쌓인 남산 꼭대기에 도착할 수 있었다. 등에 짊어진 봇짐을 열자 풍등(불이 연소될 때 발생하는 열기의 힘으로 공중으로 올라가는 작은 열기구로, 백성들이 명절 때 소원 성취를 위해 하늘로 날려 보내곤 했다.)이 나왔다. 김성태는 붉은색 풍등 다섯 개를 꺼내, 불을 붙여 하늘로 날려 보냈다. 붉은색 풍등은 밤하늘을 수놓으며 남동풍을 타고 날아갔다.

한 가족이 화로 앞에 둘러 앉아 김치전을 먹고 있었다. 아버지는 김치전을 찢어 할머니 입에 넣어드렸다. 할머니는 김치전을 찢어 손녀의 입에 넣어주었다. 어머니는 부엌에서 기분 좋게 김치전을 만들었다. 그때 문풍지 밖으로 붉은빛이 돌았다. 아버지는 즉시 밖으로 나와 하늘을 쳐다보았다. 지붕 위로 붉은색 풍등이 날아가고 있었다. 아버지는 신을 신고 어디론가 급히 달려갔다.

늦은 밤에도 나무꾼들은 쉬지 않고 나무를 베고 있었다. 대나무 숲 사이로 붉은빛이 돌자 나무꾼들 중 한 명이 다람쥐처럼 재빠르게 나무 위로 올라가 하늘을 쳐다보았다. 멀리 붉은색 풍등이 바람을 타고 날아가고 있었다. 나무꾼은 즉시 아래로 내려와 어디론가 급히 달려갔다.

밤이 깊어갈수록 주막의 분위기는 무르익어갔다. 술에 취해 노래를 부르는 사람들, 신세 한탄을 하는 사람들, 주모에게 추파를 던지는 사람들, 점잖게 앉아 술잔을 기울이는 사람들로 북적거렸다. 그때 하늘 위로 붉은색 풍등이 날아왔다. 풍등을 본 취객들은 잠시나마 향수에 젖어 소원을 빌었다. 하지만 국밥을 먹고 있던 한 사람은 미간을 찌푸렸다. 그는 벌떡 일어나 어디론가 급히 달려갔다.

해가 떨어져도 노비들의 일상은 아직 끝나지 않은 모양이었다. 노비 한 명이 마구간에 있는 말똥을 열심히 치우고 있었다. 그때 마구간 창문 사이로 붉은빛이 감돌았다. 노비는 들고 있던 삽을 집어던지며 밖을 내다보았다. 붉은색 풍등이 주변을 환하게 밝히며 바람을 타고 날아오고 있었다. 노비는 즉시 마구간을 나와 어디론가 달려갔다.

풍등을 날린 김성태는 보름달을 등지고 초조하게 누군가를 기다렸다. 그의 오감이 반응하기 시작했다. 동쪽 능선에서 누군가 빠르게 달려오고 있었고, 서쪽 대나무 숲속에선 두 개의 움직임이 포착되었다.

남동쪽, 북쪽, 남쪽 역시 움직임이 느껴졌다. 그들은 모두 한곳을 향해 달려왔다. 바로 김성태가 있는 노록 바위 앞이었다. 그들은 조용하고 빠르게 달려와 김성태 앞에 모두 무릎을 꿇었다. 모인 자들은 모두 아홉. 하나같이 작은 키에 차돌처럼 단단해 보이는 것으로 보아 남파발꾼들이 틀림없었다. 김성태는 자리에서 일어나 입을 열었다.

"전하를 시해하려는 움직임이 포착됐다."

김성태 앞에 모인 자들은 하나같이 놀라움을 금치 못했다.

"어허, 대글빡에 화살 맞았고만!"
"세살허는 소리하고 자빠졌구먼!"
"귀빵머리를 한 대씩 올려불까부다!"
"염병허고 자빠졌어!"
"오사랄 놈들! 궁에 육조와 금군을 포함해 멸화군까지 일천이 넘는디 먼 수로 전하를 시해해?"
"헛소리랑께! 전하를 시해헌다고? 지금이 삼국 시대여? 여기는 조선이여, 조선. 어따 대고 조선의 임금을……."
"잘못된 첩보랑께요."
"아따 근디 어떤 쌍판이 임금님을 시해한다는 말이오, 대장?"

김성태가 천천히 입을 열었다.

"저하시다."

남파발꾼들의 눈이 휘둥그레졌다. 조금 전까지 떠들어대던 그들의
입은 저하라는 한마디에 바위처럼 굳어버렸다. 어쩌면 당연한 일이었
다. 광해가 누구인가? 유비의 인자함과 관우의 지혜와 무력, 장비의 추
진력을 두루 갖춘 기린아로, 어린 나이에 분조의 수장을 맡아 일만 대
군을 통솔한 인물이었다. 김성태가 말을 이었다.

"이순신 장군의 전사 소식을 닷새 동안 숨긴 것에 대한 결착인 듯하
다. 지금부터 방울 세 개인 초비상으로 돌입한다. 시해 예정 시각은 오
늘 밤 해(亥)시. 하지만 적들이 어떤 방법으로 왕을 시해하려는지는 아
직 알 수는 없다. 분명한 건 십마와 내금위장 차천수가 이번 시해 모의
에 가담했다는 것이다."

남파발꾼들은 분노를 참지 못하고 떠들어댔다.

"아따 이거 심상치가 않소, 대장. 십마에 내금위장이오?"
"왜 쫀 거여?"
"아따, 나가 쫄고 그럴 사람이여? 십마 노인네가 와도 끄떡없당께."

"그려도, 십마는 십마여."

"십마가 나이를 먹었어도 말이여……."

"쪼까 비겁허더러도 같이 덤벼야 허지 않겠어?"

"이거 궁에 들어가서 살아 돌아오기 힘들 거 같은디."

"아이고, 무서운겨?"

"자넨 살 만큼 살지 않았나?"

"아따 누가 들으믄 나가 자네보다 몇 십 년 더 산줄 알겄고만. 고작 일 년 차이여."

"뭐시? 고것밖에 차이가 안 나?"

"내가 노안이여."

"아따 대장! 까짓것 궁으로 갑시다요. 한 번 뒈지지, 두 번 뒈지겄 습니까? 나는 할 거 다 혔소. 마누라도 얻었고, 떡두꺼비도 한 마리 있 고."

"그려, 가는 거여. 시방 임금님을 시해한다는디 남파발이 가만히 있 을 수는 없지."

"조선을 구하장께요."

김성태는 목숨을 버려야 하는 상황에서 부하들이 선뜻 동참하자 미 소를 지으며 말했다.

"말썽만 부리는 놈들이 오늘은 어쩐 일로 의기투합한 것이냐?"

"우리 엄니가 그렸소. 말썽부리는 것들이 뒈지기 전에 효도헌다고 요."

이 말에 남파발꾼들은 한바탕 웃음을 터트렸다. 김성태가 천천히 그들 앞으로 걸어가 입을 열었다.

"파발은 안으로는 도탄에 빠진 백성을 구하고, 밖으로는 은밀한 첩보 활동으로 왜적의 침입에 대비해왔다! 아무도 우리를 알지 못한다! 역사 역시 우리를 기억하지 못할 것이다! 하지만 파발은 조선의 그림자로서 그 임무를 수행해나갈 것이다! 파발은 왕을 지킬 것이며 파발은 조선의 백성을 지켜나갈 것이다! 그런데 오늘 겁을 상실한 놈들이 감히 전하를 시해하려 한다! 남파발은 목숨을 걸고 조선의 임금을 지킨다! 그리고 살아라. 죽은 정승보다 산 백정이 났다!"

김성태의 마지막 말이 끝나자 남파발꾼들은 결의에 찬 함성을 질렀다.

→•←

구름이 보름달을 가릴 때 남파발꾼들은 조용하고 빠르게 궁의 담을 넘었다. 그런 후, 가장 가까운 궐내각사 지붕 위로 올라가 주변을 살펴보았다. 멀리 동궁전과 중궁전, 대전이 보였다. 그들이 향할 곳은 선조가 잠들어 있는 침전이었다. 침전까지 가기 위해서는 모두 아홉 개의 지붕을 넘어야 했다. 해시까지는 다섯 식경 정도의 시간적 여유가 있다. 일다경에 지붕 하나씩을 넘는다면 시간 안에 침전에 도착할 수 있을 것이다. 하지만 한 번의 실수라도 있는 날에는 선조의 목숨은 장담할 수 없었다.

남파발꾼들은 금군들과 멸화군의 눈을 피해 지붕을 하나씩 넘기 시작했다. 다행히 여덟 개의 지붕을 무사히 넘어갈 수 있었다. 이제 남은 지붕은 하나. 그들은 조용하고 은밀하게 마지막 남은 지붕을 넘었다. 순간 그들의 눈이 휘둥그레졌다. 침전 입구에 금군 다섯 명이 피를 흘리고 쓰러져 있는 것이 아닌가? 생각할 겨를도 없이 지붕에서 내려와 침전의 문을 열었다. 침전 문은 무게에 비해 꽤나 부드럽게 열렸다. 문을 열고 들어가자 구불구불한 복도가 나왔다. 복도를 지나 침전으로 가는 동안 여덟 명의 나인과 아홉 명의 금군, 세 명의 내관이 피를 흘리며 죽어 있는 것을 보았다. 김성태의 등에서 식은땀이 흘러내렸다.

'전하! 무사하셔야 합니다!'

김성태는 조심스럽게 침전 문을 열었다. 바깥바람이 침전 안으로 들어가자 침전 옆에 있던 촛불이 희미하게 흔들렸다. 흔들리는 촛불 사이로 시체처럼 누워 있는 선조의 모습이 보였다. 김성태는 경악을 금치 못했다.

'설마?'

모든 정황상 선조는 죽은 것이 틀림없었다. 그는 분하고 억울해 참을 수가 없었다. 그때 뒤에서 크고 굵은 목소리가 들려왔다.

"누구냐?"

광해였다. 광해는 김성태와 남파발꾼들에 손에 단도가 들려 있자 금군들을 향해 소리쳤다.

"침전을 습격한 자객들이다!"

말이 끝남과 동시에 오십여 명의 금군이 남파발꾼들을 포위했다.

그때였다. 죽은 줄만 알았던 선조가 천천히 눈을 뜨고 일어났다. 남파발꾼들은 놀라움을 금치 못했다. 김성태가 급히 다가가 여쭈었다.

"전하! 무사하셨습니까!"
"김성태, 자네가 이 시간에 무슨 일인가?"
"무사하셔서 다행입니다, 전하. 전하를 시해하려 한다는 정보가 입수되었습니다."

광해가 둘 사이의 대화에 끼어들었다.

"전하, 남파발꾼들이 전하를 시해하기 위해 이곳 침전에 침입했습니다."

김성태는 기가 찬 표정으로 광해를 응시했다.

'정말 몰라서 이러시는 겁니까. 해시에 전하를 시해하려 한 사람은 바로 광해 저하가 아니십니까?'

그런 사람이 지금 자신을 대역 죄인으로 몰아가자 입에서 천불이 났다. 하지만 곧 정신을 차리고 광해를 향해 입을 열었다.

"저하! 전하를 시해하려 한다는 정보가 입수되었습니다!"
"정확한 정보가 틀림없더냐?"
"복도에 자객들의 습격을 받은 금군들과 내관들, 나인들의 시체들이 지척에 깔려 있습니다. 침전 입구에도 금군들의 시체가 있었습니다. 틀림없이 누군가 전하를 노리고 있습니다."
"감히 누가 전하를 시해한다는 말이냐? 밖으로 나와 눈으로 직접 확인해보거라."

김성태는 복도로 나와 시체들을 확인했다. 그런데 시체들이 감쪽같이 사라지고 없었다. 피 또한 보이지 않았다. 김성태는 망치로 뒤통수를 얻어맞은 기분이 들었다.

'대체 복도에 있던 시체들이 어디로 사라졌단 말인가? 설마……?'

김성태는 고개를 돌려 광해를 응시했다. 광해는 미소를 띠고 있었다. 그 순간 자신과 남파발꾼들이 함정에 빠졌다는 사실을 깨달았다.

'대체 어디서부터 시작된 것이란 말인가? 피투성이가 된 문방구 김씨부터? 아니면 십마와의 만남부터? 그것도 아니라면 사달수와 십마의 대화부터? 잠깐! 전하를 시해하려던 목적이 아니었다면 사달수와 십마는 왜 전하를 시해한다는 대화를 나누었단 말인가? 그러면 사달수와 십마는 이미 나의 존재를 알고 있었단 말인가? 이 모든 계획을 꾸민 사람은 틀림없이 저하일 것이다. 처음부터 전하를 시해하려는 목적이 아니었다면 저하가 노린 것은……, 설마!'

김성태의 생각은 꼬리에 꼬리를 물었다. 그때 남파발꾼 하나가 소리쳤다.

"대장! 함정에 빠졌습니다! 처음부터 전하를 시해하려는 목적이 아니었습니다! 명분을 만들어 대장과 남파발을 섬멸하려는 속셈이었습니다!"

김성태는 미치고 팔짝 뛸 노릇이었다. 자신의 그릇된 정보 하나로 모든 남파발이 위험에 빠지게 되었다. 그렇다고 이대로 당할 수만은 없었다. 우선 부하들의 목숨부터 구해야 했다. 하지만 뾰족한 수가 생각나지 않았다. 그때였다. 선조의 나지막한 목소리가 들려왔다.

"김성태, 나를 미끼로 삼게."

아무리 위험에 노출되었어도 왕의 목숨을 담보로 도망갈 수는 없었다. 김성태가 망설이자 선조가 작은 목소리로 말했다.

"시간이 없네, 어서. 어명이네."

몇 번을 생각해도 선조의 어명은 받아들일 수가 없었다. 김성태는 부하들에게 명을 내렸다.

"전하께서는 무사하시다! 지금부터 궁을 빠져나간다!"

남파발꾼들이 들고 있던 단도를 고쳐 잡자 광해가 금군들에게 명을 내렸다.

"전하를 시해하려던 남파발들을 하나도 빠짐없이 잡아 들이거라!"

금군들은 남파발꾼들을 향해 칼을 휘둘렀다. 하지만 다람쥐처럼 날렵한 그들의 움직임을 쫓아가진 못했다. 금군들을 따돌린 그들은 철질려를 흩뿌리며 달아났다. 구불구불한 복도를 달려 침전 문을 활짝 열었다. 그와 동시에 화살들이 그들을 향해 벼락처럼 쏟아졌다. 남파발꾼 세 명이 화살에 맞아 그 자리에서 즉사했다.

김성태는 얼른 문을 닫았다. 밖에는 궁수들이 진을 치고 있었고, 뒤에는 광해와 금군들이 쫓고 있었다. 나가느냐 마느냐, 둘 중 하나였다. 둘 다 위험하긴 마찬가지였다. 고민하던 김성태는 벽에 걸린 그림을 쳐다보았다.

"그림을 방패 삼는다."

김성태와 부하들은 벽에 걸려 있는 그림을 여러 겹으로 겹쳐 방패로 활용하기로 했다. 그들은 침전 문을 열고 나갔다. 기다렸다는 듯 화살들이 빗발쳤다. 다행히 겹겹이 쌓인 그림들이 방패 역할을 해주었다. 하지만 시간이 지나자 너덜너덜해진 그림은 더 이상 방패 역할을 해주지 못했다.

어쩔 수 없이 그림을 버리고 도망쳤다. 안타깝게도 남파발꾼 두 명이 더 화살에 맞고 쓰러졌다. 부하들이 하나씩 화살에 맞자 김성태는 가슴이 찢어질 듯 아팠다. 이제 남은 남파발꾼은 김성태를 포함해 겨우 다섯 명뿐이었다.

침입자를 알리는 북소리가 궁 전역에 울려 퍼졌다. 김성태는 궁을 빠져 나가기 위해 퇴로를 찾았지만 경복궁에도, 창덕궁에도, 창경궁에도, 덕수궁에도, 경희궁에도 모두 금군들이 진을 치고 있었다. 퇴로를 찾던 김성태는 부하 두 명을 더 잃고 말았다. 이대로 가다간 남은 부하들의 목숨도 보장할 수 없다는 생각이 들었다. 그가 죄의식에 시달리고 있을 때 익숙한 목소리가 들려왔다.

"김성태! 김성태! 이쪽이네!"

김성태는 소리가 나는 곳을 쳐다보았다. 한승겸이 담 뒤에 숨어 손짓을 하고 있었다. 김성태는 한승겸에게 다가가 무릎을 꿇었다.

"송구합니다. 함정에 빠졌습니다."

"일어나게. 대체 궁 안에서 무슨 일이 벌어지고 있는 겐가? 그리고 자넨 어째서 이 시간에 궁에 있는 것이야?"

"전하를 시해하려 한다는 정보를 입수했습니다. 남파발을 소집해 전하를 구하려 했는데……. 모든 것이 함정이었습니다."

"누가 함정을 판 것인가? 설마?"

"저하십니다. 전하를 시해하려고 한 것이 아니라 저와 남파발을 섬멸하려는 속셈이었습니다. 제가 조금만 더 신중하게 움직였더라면……. 이대로 남파발까지 무너진다면 이제는 정말 저하의 세상이 되고 맙니다. 모든 것이 다 저의 무능함 때문입니다. 전하를 지켜드리지 못했습니다. 송구합니다."

"자네는 지금까지 전하를 위해 최선을 다했네. 애석하게도 저하께서 신에 버금가는 능력을 가지고 계셨을 뿐이네. 인간이 어찌 신을 넘볼 수 있겠는가? 자네까지 이리 함정에 빠졌다면 이 조선 팔도에서 저하를 상대할 자는 없을 것 같군 그래."

"포기하시면 아니 됩니다. 누명을 벗고 곧 전하 곁으로 돌아가겠습니다."

"그 이야기는 우선 이곳을 빠져나간 후에 하세나. 날 따라오게."

한승겸의 도움으로 무사히 궁을 빠져 나온 김성태는 백영을 타고 김 씨가 있는 문방구를 향해 달려갔다. 그는 괴로웠다. 자신이 전한 잘못된 정보 하나로 부하들이 죽고 왕까지 위험에 빠졌기 때문이었다. 당장이라도 광해를 찾아가 결판을 내고 싶었다. 하지만 아내와 아들을 생각하자 정신이 번쩍 들었다. 김성태는 속도를 내 달렸다. 문방구 문을 열고 들어가자 잠을 자고 있던 김 씨가 눈을 비비며 일어났다.

"대장?"

"아내와 인성이는 어디에 있나?"

"아따! 이 밤중에 인성이랑 형수님을 찾으세요? 두 사람이 없어지기라도 했습니까?"

"인성이가 서찰 한 장을 들고 오지 않았나?"

"인성이 그림자도 못 봤습니다요."

이 말을 듣자 머리에서 발끝까지 오싹한 기분이 들었다. 김 씨가 떠드는 소리까지 들리지 않을 정도로 그는 지금 혼란스러웠다. 인성이는 대체 어디에 있단 말인가?

25. 위험한 그림자들

아버지가 애타게 찾고 있다는 사실도 모른 채 김인성은 늦은 밤까지 신나게 경마를 했다. 오랜만에 선두에 선 그는 눈 덮인 숲속을 질주했다. 뒤를 돌아보자 소년들이 똥 마려운 강아지처럼 쫓아오고 있었다. 이대로만 달린다면 승리는 김인성의 몫이었다. 오늘의 우승 상은 꿀밤 한 대였다. 녀석들에게 꿀밤 한 대씩 줄 생각을 하자 절로 웃음이 나왔다. 실실 웃으며 숲속을 달리던 그의 시야에 가로로 길게 뻗은 나뭇가지가 들어왔다. 화들짝 놀란 김인성이 즉시 고개를 숙였지만, 이미 때는 늦었다. 나뭇가지는 김인성의 코와 인중 사이에 그대로 걸리고 말았다. 김인성은 말에서 떨어져 벌러덩 넘어졌다.

"이런 제장."

결국 오늘도 김인성은 경마에서 꼴찌를 하고 말았다. 역시 이번에도 코에 점이 난 소년이 우승을 했다. 코에 점이 난 소년이 김인성에게 말했다.

"고개 숙여"
"살살해!"
"당연하지! 우린 벗이잖아."

김인성은 눈을 감고 기다렸다. 그런데 시간이 흘러도 꿀밤은 날아오지 않았다.

"뭐해? 빨리 때려. 빨리 때리라니까. 지금 뭐하는 거야!"

김인성은 답답한 마음에 눈을 살짝 떴다. 그때 꿀밤이 날아왔다.

"딱!"
"아! 뭐야?"
"긴장이 풀렸을 때 맞아야 더 아프잖아."
"너, 이 자식. 한 번 더 해!"
"밤이 깊었어! 내일 하자."
"지금 해! 지금 하자고! 당장!"

"왜 이래? 어린아이처럼!"

"난 어린아이야! 그러니까 빨리 시작하자고! 꿀밤 때리기 한 번 더 하자고!"

김인성은 떼를 썼다. 하지만 코에 점이 난 소년과 친구들은 밥 먹으로 간다며 언덕을 내려갔다. 김인성은 분이 풀리지 않는지 발로 사정없이 나무를 찼다. 하지만 자기 발만 아플 뿐이었다.

'내일은 기필코 네놈들의 이마에 꿀밤을 선사할 것이다.'

이렇게 다짐한 김인성은 말을 타고 집으로 향했다. 저 멀리 달갑지 않은 사람이 보였다. 박치기를 한 다혈질 소녀와 인상이 험악한 양굴리였다. 김인성은 말고삐를 돌려 급히 도망쳤다. 다혈질 소녀는 하루 종일 김인성을 찾아다니던 중이었다.

"다람쥐, 잡히기만 해봐. 다리를 부러뜨려서 평생 내 옆에 있게 할 거야."

"공주님, 아직 저녁도 드시지 않았습니다."

"배고프면 너 먼저 먹어."

"그 말이 아닙니다, 공주님. 혹시 쓰러지기라도 하시는 날엔 칸께서."

"입 다물어."

"네."

다혈질 소녀는 마차를 끄는 노인에게 다가가 말했다.

"너 이리 와봐. 너, 그래 너, 늙은 너."

"어허, 동방예의지국에서 감히 어린 소녀가 어찌 이리 방자하단 말이더냐?"

"김인성을 아느냐?"

"어허, 그래도."

"김인성 알아 몰라?"

"어허!"

다혈질 소녀는 다짜고짜 노인의 뺨을 후려치며 소리쳤다.

"꺼져."

노인은 분하고 억울해서 눈을 부릅떴다. 하지만 양굴리의 표정을 보고는 빠른 걸음으로 도망쳤다. 다혈질 소녀는 이번엔 떡장수에게 말을 걸었다.

"너 이리 와봐. 그래 너, 코 큰 너."

떡장수는 후다닥 달려가 말했다.

"떡 사시게요?"
"인성이라고 알아?"
"그런 떡은 없는데요."

소녀는 다짜고짜 떡장수의 뺨을 때렸다.

"꺼져!"

떡장수 역시 양굴리를 보자 줄행랑을 쳤다. 소녀는 말을 타고 달려오
는 소년들의 앞을 가로 막았다. 조금 전에 김인성과 경마를 했던 소년
들이었다. 코에 점이 난 소년이 미간을 찌푸렸다.

"다치면 어떡하려고 이리 막무가내로 달려드는 것이야?"
"인성이를 아느냐?"
"그걸 네가 왜 물어봐?"

소녀의 눈이 반짝거렸다.

"그 말은 인성이를 알고 있다는 것이네. 인성이 사는 곳이 어디야?"

"나는 김인성의 벗이다. 무슨 일로 김인성을 찾는 것이야?"

"죽기 싫으면 넌 내가 묻는 말에만 대답해! 인성이 어디 살아?"

"타당한 용무가 없는 것 같다. 어서 길을 열어, 다치고 싶지 않으면. 내 밑으로 부하가 몇 인지 알아?"

소녀는 양굴리를 향해 소리쳤다.

"양굴리, 저 다람쥐들의 목을 다 따버려!"

양굴리는 잠깐의 망설임도 없이 칼을 뽑아들었다. 검광이라곤 전혀 찾아볼 수 없는 흑도였다. 소년들은 양굴리의 모습을 보는 순간 한 번 도 경험해보지 못한 공포를 느꼈다. 코에 점이 난 소년은 약간의 망설 임도 없이 이실직고했다.

"이대로 쭉 가면 큰 소나무가 나옵니다. 소나무를 끼고 오른쪽으로 돌아서 다시 한 번 쭉 올라가면 감나무가 있는 집이 보입니다. 그 집이 김인성이 사는 집입니다."

"안내해! 쭉."

"아니 쭉 올라가면 감나무가 있다니까!"

"안내해!! 쭉!"

코에 점이 난 소년은 어쩔 수 없이 말에서 내려 다혈질 소녀와 양굴리를 김성태 집으로 안내했다.

"바로 이 집이 김인성이 사는 집입니다. 소자는 이만 가보겠습니다."
"꺼져!"

코에 점이 난 소년은 말을 타고 후다닥 도망쳤다. 다혈질 소녀는 싸리문을 열고 들어가 다짜고짜 소리를 질러댔다.

"인성아! 김인성!"

표씨 부인이 안방 문을 열고 나왔다.

"너 말고 김인성 나오라고!"
"인성이는 왜 찾는 것이야?"
"인성이 어딨어?"
"우리 인성이 벗인가 보구나? 나는 인성이 어미란다."

소녀의 볼이 붉게 물들었다.

"어, 어머니?"

"너 참 예쁘게 생겼구나. 눈도 크고, 피부도 하얗고⋯⋯. 우리 인성이한테 이렇게 예쁜 벗이 있는 줄은 몰랐네. 인성이와는 언제부터 알고 지낸 것이야?"

"오늘 만났어."

"오늘? 우리 인성이가 사교성이 없어서 주변에 친한 벗이 없는데 잘되었구나. 앞으로 인성이랑 친하게 지내거라. 옆에서 말도 못 타게 하고."

"응, 어머니."

"밥은 먹었어?"

"못 먹었어. 하루 종일 인성이 찾느라⋯⋯. 나하고 밥 같이 먹기로 약속했는데 말이야. 인성이 지금 없어?"

"아직 밥도 못 먹은 거야?"

"응. 인성이랑 같이 먹으려고."

"저런. 우선 안으로 들어와 요기라도 좀 해야겠다. 들어와."

그때 소녀의 등 뒤에서 목소리가 들려왔다.

"왜 우리 집에서 밥을 먹는데?"

소녀는 환하게 웃으며 뒤를 돌아보았다. 그토록 찾아다닌 김인성이 서 있자 소녀의 볼은 더욱더 붉게 물들었다. 인상을 쓴 김인성이 말을 이었다.

"네가 왜 여기에 있어?"

"다람쥐, 나 오늘 떠나. 실은 아버지 몰래 놀러 나왔거든."

"그래? 아버지께서 걱정 많이 하시겠다. 어서 가봐."

"같이 가."

"어딜 같이 가는데?"

"나랑 같이 가서 맛있는 음식도 먹고, 좋은 옷도 사 입고, 백두산도 같이 놀러가자. 여기 조선의 음식은 맵고 짜서 입맛에 안 맞아. 그리고 너 혹시 여기서 사는 거야? 사람이 어떻게 이런 곳에서 살 수가 있어? 나랑 같이 가면 이 집보다 더 좋고 큰 집에서 살 수 있어. 이 집은 그냥 버려도 되겠다. 아차! 네가 떠나면 어머니가 혼자 계시겠구나? 그럼 어머니도 같이 가자."

소녀는 고개를 돌려 부인을 향해 공손하게 말했다.

"어머니 너도 떠날 준비해. 입고 있는 옷이 너무 초라하다. 사는 집도 좀 허름하고. 대륙으로 가면 내가 가장 좋은 비단옷으로 한 벌 아니 열 벌 해줄게. 집도 큰 걸로 사주고. 빨리 준비해."

김인성은 기가 막혔다.

"아니 넌 상대방 의사는 안중에도 없어?"

"너 사는 꼴을 봐."

"뭐 어때서?"

"준비해. 아니다. 그냥 이대로 가면 되겠다."

"내가 너랑 왜 같이 가는데? 너나 가서 맛있는 음식 많이 먹어. 난 우리 어머니가 해준 음식이 더 좋아. 맛은 없어도 말이야. 어서 가!"

"어차피 어머니도 같이 갈 거야. 그럼 넌 어머니가 해준 음식 먹으면 되잖아."

"무슨 말을 하는 거야, 지금?"

"또 다른 식구가 있어?"

"아니, 왜 계속 삼천포로 빠지는데."

"삼천포에 누가 빠졌어? 양굴리, 빨리 삼천포로 가봐! 누가 빠졌다는데!"

김인성은 어이가 없어 헛웃음이 나왔다. 더 이상의 대화는 무의미하다고 생각하고 소녀의 등을 밀면서 말했다.

"먼 길 떠나려면 서둘러야지. 길조심하고, 산적 조심하고, 어서 가! 부모님이 기다리시겠다."

"싫어! 나 혼자 안 가! 같이 가!"

말을 마친 소녀는 다짜고짜 김인성 품에 안겼다. 화들짝 놀란 김인성은 소녀를 밀어냈다. 소녀는 지금껏 그 누구에게도 이런 천대를 받은 적이 없었다. 소녀가 걸어가면 모두 허리를 굽혔고, 소녀가 손을 들면 앞으로 다가왔고, 소녀가 왼손을 두 번 흔들면 이부자리를 준비했다. 그런 소녀가 지금 시골의 한 소년에게 이런 무시를 당했으니 뒷일은 불 보듯 뻔했다. 소녀는 김인성의 왼팔을 있는 힘껏 물어버렸다.

"아!"

화들짝 놀란 부인이 달려와 김인성의 왼팔을 살펴보았다. 피는 꽤 많이 흐르고 있었지만 그리 심각한 상처는 아니었다. 부인은 치마저고리를 찢어 왼팔을 동여맨 후, 김인성을 혼냈다.

"어미가 뭐라고 했어. 벗은 영원토록 곁에 두고 지켜주는 것이라 했지?"
"네?"
"벗이 멀리 떠나기 전에 너를 보러 왔잖아. 그런 벗을 이렇게 문전박대 해야겠어? 어서 사과해."
"팔에서 피가 납니다."
"사내자식이 피 좀 흘렸다고 엄살은. 어서 사과해. 어서."

김인성은 하는 수 없이 소녀에게 사과를 했다.

"미안해."
"괜찮아, 다람쥐. 안 죽일 거야. 앞으로 잘해."

부인의 잔소리는 소녀에게까지 이어졌다.

"너도 그러면 못써."
"나? 아니, 내가 뭘?"
"아무리 벗이 마음에 들지 않는다고 해도 폭력을 쓰면 안 돼."
"그게. 그러니까……."
"어서 사과해."
"내가? 사과를? 왜?"
"벗이니까 사과를 해야지."

양굴리는 속으로 생각했다.

'공주님이 누군가에게 사과를? 어림없지!'

하지만 소녀는 김인성을 향해 허리를 숙였다.

"음⋯⋯. 미안해, 다람쥐⋯⋯. 내가 잘못했어."

'헉!'

양굴리는 놀라움을 금치 못했다. 단 한 번도 누구에게 사과한 적이 없는 공주였다. 공주의 아버지인 칸도 공주의 말이라면 쩔쩔맸다.
김인성이 울먹이며 말했다.

"이빨 자국 나겠습니다, 어머니."
"이순신 장군님의 몸엔 칼자국이 수도 없이 많아. 이빨 자국 정도면 양반이야."
"하지만⋯⋯."

소녀가 김인성에게 말했다.

"다람쥐, 팔은 괜찮아? 내가 잘못했어."
"아니야, 내가 남자로서 속이 좁았어."
"그건 그래. 네가 남자로서 속이 좁았지."
"뭐?"
"이제 나랑 같이 가자."
"내가 왜?"

"같이 가는 게 좋을 거야."

"혼자 가는 게 좋을 거야."

"같이 가자, 다람쥐."

"너나 가."

"여기보다 훨씬 맛있는 것도 많고, 좋은 옷도 많아."

"그래도 난 여기가 좋아."

이쯤 되자 소녀의 인내심이 한계를 넘어섰다. 즉시 양굴리를 향해 소리쳤다.

"양굴리! 당장 이 다람쥐의 목을 베어버려!"

말이 끝나기 무섭게 양굴리의 흑도가 김인성의 목을 노렸다. 부인은 비명을 질렀다. 김인성은 너무 무서워 달아나려 했지만, 발걸음이 떨어지지 않았다. 김인성은 자신도 모르게 눈을 감았다.

'이렇게 죽는구나. 그런데, 잠깐! 왜 아무 일도 벌어지지 않는 거지? 눈을 떠볼까?'

그 순간 코에 점이 난 소년이 했던 말이 생각났다.

"긴장이 풀렸을 때 맞아야 더 아프잖아."

김인성의 등에선 식은땀이 흘러내렸다.

'절대 눈을 뜨면 안 돼. 그 순간……. 안 돼!'

김인성은 그렇게 한동안 눈을 감고 있었다. 하지만 아무 소리도 나지 않자 천천히 눈을 떴다. 누군가 단도로 양굴리의 검을 막고 서 있었다. 김성태였다.

"아버지?"
"어머니를 모시고 뒤로 물러나 있거라."
"네? 네!"

김인성은 부인을 데리고 뒤로 물러섰다. 김성태는 양굴리를 노려보았다.

"어른이 어찌하여 어린아이에게 살수를 펼치는 것이오?"
"악의는 없었소이다."
"악의가 없는 살수라?"
"이렇게 만난 것도 인연인데 통성명이나 합시다. 나는 양굴리라 하오. 그대의 이름은 무엇이오?"

"하찮은 이름이오."

"하찮은 이름이라도 좋소."

"사교성이 없소이다."

대륙에서는 먼저 이름을 밝히면 상대 역시 이름을 밝히는 것이 예의였다. 양굴리는 살짝 자존심이 상했는지 흑도에 힘을 주었다. 김성태역시 단도에 힘을 주며 눈싸움을 했다. 하지만 둘의 눈싸움은 그리 오래가지 못했다. 뒤에서 소녀의 앙칼진 목소리가 들려왔다.

"양굴리, 너 이리와! 미쳤어? 정말로 다람쥐를 죽이려고 했던 거야?"

양굴리는 즉시 몸을 날려 소녀 앞에서 예를 갖추었다.

"소인은 명을 따랐을 뿐입니다."

"양굴리, 언제부터 내 명을 따랐다고! 너 말 잘했다. 지금부터 내가 너한테 명령을 할 거야."

"무엇이든 할 것입니다."

"그래, 알았어. 그럼 죽어."

"네?"

"자결을 하라고! 이건 명령이야. 어서!"

양굴리는 흑도로 배를 그으며 죽는 척했다. 화가 머리끝까지 난 소녀가 양굴리의 귀를 잡아당기며 소리를 질렀다.

"지금 장난해? 죽는 척하지 말고 진짜 죽으라고! 죽어! 죽어!"

양굴리가 소녀에게 혼나고 있는 사이 김성태가 부인과 아들에게 다가가 말했다.

"어디 다친 곳은 없소, 부인?"
"네. 서방님은요?"
"난 괜찮소. 사정이 있어 이곳을 즉시 떠나야겠소."
"갑자기 어디로 떠난다는 말입니까?"
"자세한 얘기는 이곳을 벗어난 후에 해주겠소. 어서 떠날 준비를 하시오."

부인은 남편이 갑자기 왜 그러는지 이해할 수 없었다. 하지만 남편의 진지한 표정으로 미루어 무슨 사정이 있을 것이라 생각했다. 김성태와 부인, 김인성은 짐을 꾸려 밖으로 나왔다. 이를 본 소녀가 말했다.

"같이 가는 거야? 그래 잘 생각했어. 이제부터 다람쥐 가족은 내가 책임질게. 양굴리 뭐하고 있어. 짐 들어."

"네."

양굴리는 부인과 김인성의 짐을 대신 들어줬다. 김인성이 소녀를 향해 소리쳤다.

"너 왜 그래! 너랑 같이 안 가!"
"양굴리! 다람쥐 가족을 전부 죽여!"

양굴리는 김성태를 향해 달려갔다.

'이런 시급한 상황에서 처음 본 자와 결투라니.'

이러고 있을 시간이 없었다. 왕을 시해하려 했다는 누명을 썼고, 이미 집이 북파발에게 노출된 상황이었다.

'빨리 제압하고 가야겠다.'

양굴리는 칼집에서 흑도를 꺼내 한 일자로 눕혀 김성태의 허리를 노렸다. 흑도는 천천히 날아갔다. 김성태는 단도를 꺼내 흑도를 가볍게 막았다. 순간 흑도의 속도가 빨라지며 전광석화처럼 그의 허리를 향해 날아갔다. 소스라치게 놀란 김성태는 뒤로 물러서며 단도로 흑도를 흘려보내며 생각했다.

'조선에 이리도 빠른 자가 있었단 말인가? 속도로만 봤을 때는 이주영과 대등하다.'

놀란 건 양굴리 역시 마찬가지였다. 양굴리가 날린 일초는 달마검법으로, 소림사에서도 양굴리의 일초를 받아 낸 자는 극히 드물었다. 양굴리는 김성태를 향해 달마검법을 다시 펼쳤다. 좌조천답지를 시전하며 김성태의 허리를 노렸고, 우조천답지를 시전하며 김성태의 등을 노렸다. 연이어 금표로조와 퇴력질탕을 시전했다. 하지만 김성태는 다람쥐처럼 검법을 요리조리 잘도 피했다. 양굴리가 소리쳤다.

"어느 문파요?"
"문파 같은 건 없소이다."

김성태 말이 맞았다. 김성태의 움직임은 틀에 박혀 있는 움직임이 아니었다. 그냥 본능적으로 움직이고 있었다. 양굴리가 소리쳤다.

"타고난 씨움꾼이로군요."
"시정잡배일 뿐."

다혈질 소녀가 소리쳤다.

"양굴리! 장난 그만치고 어서 죽여!"

양굴리는 흑도로 달마검법을 펼치며 왼손으로는 나한십팔수도세를
펼쳤다. 우선 혼원일기세를 펼치며 김성태를 담 쪽으로 몰아갔다. 그
후에 담전고후세와 투천환일세, 맹호박식세를 차례대로 펼쳤다. 흑도
가 김성태의 허리를 노리는가 싶다가도 갑자기 방향을 바꿔 김성태의
오른쪽 다리를 노렸다. 흑도와 그의 왼손은 변화무쌍한 모습을 보이며
김성태를 노렸다.
　일격을 가하고 나면 빈 공간이 생기기 마련이다. 하지만 양굴리에게
선 전혀 빈틈을 찾아 볼 수 없었다. 소림사의 무공은 대부분 용맹쾌속
했다. 공격이 단순해 보이지만 조금만 응용하면 뱀 혓바닥처럼 변화무
쌍해졌다. 김성태는 소름이 돋았다.

　'세상에 이리 빠르고 이리도 강한 자가 있단 말인가? 빠르기는 이주
영과 흡사하고, 힘은 사달수와 동급이다. 마치 독수리 한 마리를 보는
듯하구나. 조선에 이런 자가 있었단 말인가? 이 자라면 십마와 상대를
해도 전혀 손색이 없겠구나.'

　하지만 놀란 건 양굴리 역시 마찬가지였다.

'대륙에서조차 달마검법과 나한십팔수를 동시에 펼쳤을 때 이를 막아낸 자는 없었다. 그런데 이 조그만 조선에서 그것도 시골 마을에서 이런 자를 만나게 될 줄이야!'

무엇보다 가장 놀란 건 김인성과 표씨 부인이었다. 지금까지 김성태는 누가 싸움을 걸면 죄송하다고 사과를 했었고, 어려운 일이 있으면 두 팔을 걷고 남을 도왔던 사람이었다. 그런 김성태가 칼을 들고 살수를 펼치고 있다니! 부인과 김인성은 놀랍기도 하고 두렵기도 했다.

양굴리는 흑도로 달마검법을 펼쳤다. 김성태는 단도로 달마검법을 막았다. 그 순간 양굴리는 왼손을 독수리 발톱처럼 쫙 펴며 김성태의 가슴을 그었다. 김성태에 가슴에서 다섯 줄기에 피가 흘러내렸다. 김성태는 뒤로 물러서며 외마디를 내뱉었다.

"용조수!"
"용조수를 어찌 아는 것이오?"
"양굴리라 하셨소?"
"그렇소만."
"소림사의 양굴리가 조선엔 무슨 일로?"
"유람 왔소이다. 용조수는 서른여섯 개의 초식으로 이루어져 있소. 이제 아홉 초식이 남아 있소. 소림사에서 용조수의 서른여섯 개의 초식 안에 쓰러지지 않은 자는 단 한 명도 없었소이다."

양굴리의 용조수는 계속 이어졌다. 초식이 뒤로 갈수록 용조수는 더욱더 변화무쌍해져갔다. 마치 하늘을 나는 독수리가 춤을 추는 것처럼 보였다. 시간이 지날수록 김성태의 간담은 서늘해졌다. 이대로 가다간 당하고 만다.

→•←

같은 시간 횃불이 기와집 마당을 환하게 비추고 있었다. 코에 점이 난 소년이 하인들에게 말했다.

"다들 모였어?"
"네!"
"짐승 같이 생긴 놈하고 싸가지 없는 꼬맹이를 혼내주러 가자. 짐승 같은 놈은 다리 하나랑 팔 하나만 부러뜨려. 싸가지 없는 꼬맹이는……. 내가 엉덩이를 발로 찰게!"

코에 점이 난 소년은 하인들을 데리고 김인성의 집으로 갔다. 하인들은 한 손에 몽둥이를 들고 있었다. 싸리문을 열고 하인들이 들어가 소리쳤다.

"어떤 놈이 우리 도련님을 괴롭혔느냐! 당장 나오너라!"
"감히 도련님에게 행패를 부리다니!"

"우리 도련님으로 말씀드릴 것 같으면 병마절도사 어르신의 외동아
드님이시다!"

"누구야! 누구!"

이렇게 말들은 했지만 막상 양굴리와 김성태가 대결하고 있는 모습
을 보자 다리가 후들거렸다. 양굴리는 한 발짝 옮기며 흑검으로 달마
검법을 시전하고, 왼손으로 그의 정수리를 찍어 내렸다. 김성태는 왼쪽
으로 움직이며 흑도를 피하고, 오른쪽으로 신속하게 움직이며 용조수
를 피했다. 빗나간 양굴리의 흑도는 대추나무를 무 베듯 잘라버렸다.
빗나간 용조수 역시 맷돌을 박살내고 말았다. 일초가 실패하자 양굴리
는 이초, 삼초, 사초, 오초를 순식간에 발출하며 김성태를 궁지로 몰아
갔다. 찍 소리와 함께 김성태 왼쪽 소매가 찢어졌다. 찢어진 소매 사이
로 다섯 줄기의 피가 흘러내렸다.

코에 점이 난 소년과 하인들은 너무도 놀란 나머지 입을 벌리고 뒤
돌아갔다.

"보부상이라고 했지? 근데 보부상의 무예가 어찌 저리 뛰어나느냐?"

"도련님, 보부상도 보부상이지만 그 시커먼 놈이 한 수 위인 거 같습
니다요. 독수리가 하늘을 나는 것처럼 보였습니다."

"저것들 정체가 대체 뭐야? 사람을 좀 더 모아야겠어."

"도련님, 저기……."

코에 점이 난 소년이 하인의 시선을 따라갔다. 광해가 내금위 병사들과 함께 말을 타고 달려오고 있었다.

→•←

양굴리는 김성태를 궁지로 몰아가고 있었다. 김성태가 말했다.

"나는 지금 이곳에서 이러고 있을 시간이 없소이다. 길을 열어주시오."
"난 명을 따를 뿐이오. 악의는 없소이다."

양굴리는 맑은 기합 소리를 내며 흑도를 한 일 자로 눕혀 김성태의 가슴을 향해 찔러 들어갔다. 지금까지 양굴리의 흑도는 종횡으로 움직여 종잡을 수 없었지만 지금의 일초는 어떠한 흔들림도 없이 곧장 날아갔다. 김성태는 날아오는 흑도에 집중했다. 그런데 흑도가 갑자기 큰 바위만큼 크게 보였다. 피하기엔 늦었다고 생각한 김성태가 단도의 넓은 면으로 흑도를 막았다. 순간 땡그랑 소리가 나며 김성태가 들고 있던 단도가 두 동강 나고 말았다. 그와 동시에 양굴리의 왼손은 마지막 용조수의 초식을 펼치고 있었다. 양굴리의 왼손이 김성태의 목을 노리는 순간이었다. 이대로 가다간 김성태의 목이 부러지는 건 불 보듯 뻔했다.

그때였다. 수많은 화살이 김성태가 있는 집을 향해 날아왔다. 양굴리는 마지막 용조수를 접고, 날아오는 화살을 흑도로 튕겨내며 소녀를 안고 부엌으로 들어갔다. 김성태 역시 아들과 부인을 보호하며 부엌으로 들어갔다. 지금 이 위급한 상황에서도 소녀의 고집은 계속됐다.

"인성아, 지금이라도 늦지 않았어. 나랑 같이 대륙으로 가자."

김인성은 소녀의 뺨이라도 치고 싶었다. 하지만 지금은 김성태가 부상을 당했고, 화살이 빗발치는 위험한 순간이었다. 우선 소녀의 비위를 맞춰주기로 했다.

"그래, 같이 가자, 대륙으로."
"정말?"
"그래."
"약속했다. 같이 가는 거야. 그리고 나와 함께 평생 사는 거야. 알았지?"
"그래 평생 같이 살자. 그러니까 이제 우리 아버지 그만 괴롭히란 말이야."
"알았어. 알았다니까."

김인성의 부드러운 말투가 효과를 발휘했다. 소녀는 깡충깡충 뛰며 좋아했다. 정말이지 단순하고 도발적인 소녀였다. 부인은 떨리는 손으로 김성태의 가슴과 팔을 치료해주었다.

"부인, 그만 우시오. 다행히 급소는 피했으니 하루 이틀 쉬면 괜찮아질 것이오."

"지금 화살을 쏘는 자들은 누굽니까? 대체 무예는 언제 또 배운 것입니까? 그리고 왜 갑자기 이곳을 떠나자고 하는지. 저는 서방님에 대해 아무것도 아는 것이 없습니다. 고향이 어디인지, 부모님이 누구인지……. 고작 아는 거라고는 보부상을 한다는 것뿐인데……. 보부상을 하는 것은 맞습니까?"

"미안하오."

"대체 뭐가 미안하다는 것입니까? 서방님은 대체 누구십니까?"

김성태가 괴로워하는 사이 밖에서 굵고 웅장한 목소리가 들려왔다.

"대역 죄인은 어서 나와 포박을 받거라!"

소녀는 고개를 돌려 양굴리를 노려보았다.

"너 또 무슨 사고 쳤어?"

"소인은 아닙니다."

"그럼 누구야?"

소녀와 양굴리는 고개를 돌려 김성태를 바라보았다. 김성태는 천천히 일어나 밖으로 나갔다. 부인과 아들이 말렸지만 소용없었다. 싸리문 밖에 광해가 서 있었고 집 주변으로는 활과 창을 든 금군들이 진을 치고 있었다. 광해가 김성태를 향해 소리쳤다.

"남파발 사맹 김성태. 어찌 왕을 시해하려 한 것이냐?"

이 말에 양굴리는 놀라움을 금치 못했다.

'남파발 사맹 김성태? 이 자가? 움직임이 범상치 않다 했더니, 남파발 사맹 김성태였구나. 세자가 내 수고를 덜어주는구나. 김성태가 없다면 우리 후금이 조선을 침략하는 것이 그만큼 더 수월해질 것이다. 김성태의 아내와 아들을 미끼로 남파발 참의 위치를 알아내야겠다.'

김인성 역시 감탄사를 토해냈다.

'아버지가 남파발 사맹 김성태라고? 조선 최고의 싸움꾼 김성태가 우리 아버지라고?'

광해가 말을 이었다.

"남파발 사맹 김성태! 마지막으로 기회를 주겠네. 순순히 포박을 받는다면 가족들은 살려주겠네."

"한 가지만 여쭙겠습니다. 그때 어째서 북파발은 정보를 공유하지 않은 것입니까?"

"뭐라?"

"벌써 잊으신 것입니까? 금산성에서 일어난 사건! 어째서! 왜 정보를 공유하지 않은 것입니까? 죄 없는 백성들과 어린 핏덩이들이 왜적의 칼에 무참히 죽어 갔습니다! 북파발이 정보만 공유했더라도 백성들의 목숨을 살릴 수 있었습니다! 그들의 처절한 비명이 아직도 귓전에 맴돌고 있습니다! 어째서 정보를 공유하지 않은 것입니까, 저하?"

"정보를 공유했더라면 일천의 군사를 잃었을 것이네. 일백도 되지 않는 백성들을 구하고자 일천의 군사를 잃어야 되겠는가? 천 명의 군사를 보내 일백의 백성을 구할 수 있다는 정확한 정보가 있었다면 보냈을 것이야."

"저하께서 그리 명하신 것입니까?"

"정보를 수십 번 분석하고 내린 최상의 선택이었네."

"백성의 목숨이 어찌 한 사람의 판단으로 좌지우지된단 말입니까?"

"대를 위해 소를 희생하고, 소의 희생으로 대를 취하는 것. 세상의 어떤 이치가 대를 희생하고 소를 취한단 말인가? 그것이 정치네. 정보를 가진 자가 세상을 다스리는 세상이 곧 올 것이야. 나와 함께 새로운 세상을 열지 않겠나?"

김성태가 답을 하려 하자 소녀가 대뜸 광해를 향해 소리쳤다.

"시끄러워 죽겠네! 싫다는 사람 왜 자꾸 괴롭히고 그래! 그리고 다람쥐 가족은 나랑 같이 대륙으로 가기로 했으니까 너는 그만 돌아가! 어서!"

광해가 아무 표정도 짓지 않자, 화가 났는지 소녀가 소리쳤다.

"양굴리! 저기 허수아비를 당장 치워버려!"

양굴리는 거침없이 흑도를 뽑아 광해를 향해 날아갈 듯 달려갔다. 광해 옆에 서 있던 내금위장 차천수가 달려 나와 양굴리를 막아섰다. 그의 오른손에는 왜도가 들려 있었다. 말 그대로 일본도였다. 끝은 뾰족하고, 날은 날카로웠다. 찌르기와 베기에 적합한 공격형 무기였다.

왜도는 토유류 삼십 자세, 운광류 이십오 자세, 천유류 삼십오 자세, 휴피휴 십팔자세로 이루어졌다. 차천수는 즉시 토유류 자세를 취한 뒤 양굴리를 향해 왜도를 흩날렸다. 일초가 실패하자 천유류, 휴피휴를 번갈아가며 베고 찔렀다. 하지만 양굴리의 옷자락 하나 스치지 못했다. 양굴리는 차천수의 왜검을 왼쪽으로 흘려보낸 후, 흑도로 차천수의 오른쪽 허벅지를 노렸다. 화들짝 놀란 차천수가 왜검을 들어 막으려 하는 순간, 양굴리의 주먹이 차천수의 오른쪽 가슴을 강타했다. 용조수였다.

둔탁한 소리와 함께 극심한 고통을 느낀 차천수는 뒤로 세 보 물러났다. 자세를 고쳐 잡으려는 순간 뒤로 벌러덩 넘어지고 말았다. 금군 한 명이 달려가 차천수를 살핀 후 떨리는 목소리로 광해에게 말했다.

"저하. 내금위장이……. 숨을……. 숨을 쉬지 않습니다."

내금위 병사들은 소스라치게 놀랐다. 내금위장이 누구란 말인가? 무예의 정점. 왕의 호위무사. 조선 제일검. 수많은 수식어를 만들어낸 내금위장이 단 일격에 패하고 말다니. 금군들의 사기가 떨어지자 광해가 즉시 명을 내렸다.

"역도의 잔당들을 모두 잡아 들이거라."

금군들은 일제히 칼을 뽑아 들고 김성태의 집을 향해 달려갔다. 김성태가 날아갈 듯 달려가 부엌 옆에 있는 맷돌을 눌러 오른쪽으로 돌리자, 굉음과 함께 땅이 흔들리기 시작했다. 어떤 금군은 너무 놀란 나머지 나무 위로 올라갔고, 어떤 금군은 제자리에 멈춰선 후, 땅 밑을 내려다보았다. 어떤 금군은 옆에 있는 금군의 팔짱을 끼며 두려움에 떨었다. 금군들이 타고 있는 말들도 우왕좌왕하기 시작했다. 소녀는 깜짝 놀란 나머지 양굴리 품에 안기고 말았다. 김인성 역시 화들짝 놀라 김성태 품에 안기며 소리쳤다.

"아버지! 땅이 무너져요!"

김성태는 당황하지 않고 김인성에게 말했다.

"인성아, 어머니 모시고 뒷간 앞으로 가 있거라. 어서!"
"네?"
"어서 움직여, 어서!"

김인성은 영문도 모른 체 부인을 데리고 뒷간 앞으로 가 서 있었다. 김성태는 겁에 질려 벌벌 떨고 있는 소녀를 보자 측은한 마음이 들었는지 양굴리에게 말했다.

"아들을 따라 가시오."

양굴리는 김성태의 행동을 이해할 수 없었다. 하지만 악의는 없다고 생각했는지 소녀를 안고 뒷간 앞으로 가 부인과 김인성 옆에 나란히 섰다. 모든 사람이 뒷간 앞에 서자 김성태는 다시 한 번 맷돌을 오른쪽으로 돌렸다. 그러자 땅속에서 나무 기둥들이 굉음을 내며 올라와서 진입로를 가로막았다. 소녀는 신기한 나머지 박수를 치며 좋아했다. 금군들은 어찌해야 할지 몰랐다. 그러자 양굴리가 김성태를 향해 쓴웃음을 날렸다.

"적의 공격은 일단 막았다 치고. 사방이 모두 막혀 있는데 여기 있는 사람들은 대체 어떻게 빠져나간단 말이오?"

"길은 만들어가는 것이오."

"혹여 적이 화공으로 공격해온다면 어찌할 것이오?"

이 말이 끝나기 무섭게 불화살이 날아오기 시작했다. 김성태는 마구간에 있는 삽을 집어서 뒷간 옆에 있는 열쇠 구멍에 끼워 넣고 오른쪽으로 돌렸다. 그러자 다시 한 번 땅이 흔들리며 뒷간이 땅속으로 들어갔다. 김인성과 부인은 십 년 넘게 사는 동안 집에 이런 장치가 숨겨졌으리라고는 상상도 못했다.

뒷간이 땅속으로 완전히 들어가자 숲이 보였다. 김성태는 아들에게 달려가 진지하게 말했다.

"인성아, 어머니를 뒤에 태우고 말을 몰 수 있겠느냐?"

"두말하면 잔소리죠. 제 꿈은 아버지처럼 파발의 사맹이 되는 것입니다."

"미안하구나. 그동안 신분을 숨겨와서……."

"아닙니다. 저는 아버지가 자랑스럽습니다. 저도 꼭 아버지처럼 파발의 사맹이 될 것입니다."

"어머니를 뒤에 태우고 달리거라."

김인성은 덜컥 겁이 났다.

"아버지는 같이 가지 않는 것입니까?"
"뒤따라 갈 것이다."

김인성은 안도의 숨을 내쉬었다. 김성태는 일어나 양굴리를 바라보았다. 그의 시선을 느꼈는지 양굴리가 말했다.

"할 말이 있으면 하시오."
"돌려 말하지 않겠소. 길을 열어주시오. 뒤는 내가 맡겠소."
"좋소. 대신 선두와 후미의 간격은 삼십 보를 유지할 것이오."
"고맙소."
"어차피 서로 지켜야 할 사람들이 있으니 고맙다는 말은 넣어두시오."

양굴리는 봇짐을 풀어 부드러운 갑옷 하나를 소녀에게 주며 말했다.

"이것을 입으세요."
"난 괜찮아."

소녀는 갑옷을 부인에게 주며 말했다.

"어머니가 입어."

"마음씨도 착해라. 난 괜찮으니 귀여운 꼬마 공주님이 입으세요."

"너무 걱정 마. 대륙으로 돌아가면 아버지에게 저놈들 다 잡아서 가죽을 벗기라고 할 테니까."

"이렇게 예쁜 얼굴로 그런 무서운 말 하는 거 아니에요."

"어."

부인은 미소를 지으며 소녀에게 갑옷을 입혀주었다. 양굴리는 소녀를 번쩍 들어 흑마에 태운 후에 자신도 흑마 위에 올라탔다. 금군들이 지붕을 넘어오려 하자 김성태를 향해 소리쳤다.

"시간이 없소이다!"

김성태는 아들에게 다가가 다시 한 번 신신당부를 했다.

"저기 보이는 양굴리 뒤를 무조건 쫓아가거라. 그가 길을 열 것이다. 절대 뒤를 돌아보아선 아니 된다. 앞만 보고 달려야 한다. 알겠느냐?"

"네! 절대 뒤를 돌아보지 않겠습니다!"

"어머니를 부탁한다."

"소자가 목숨을 걸고 지키겠습니다!"

김성태는 김인성의 머리를 쓰다듬은 후 말 위에 올려주었다. 그리고 부인을 번쩍 들어 김인성의 뒤에 태웠다.

"부인, 일을 이리 만들어 미안하오."

"정말로, 정말로, 전하를 시해하려 하신 것입니까?"

"아니오. 나는 지금까지 전하를 지켜왔소. 누명을 쓴 것이오."

"지금 하신 말은 참말이죠?"

"참말이오. 임무상 어쩔 수 없이 신분을 숨길 수밖에 없었소."

"앞으로는 절대 거짓말을 하면 안 됩니다. 아시겠죠?"

"그렇게 하겠소."

"죽지 마세요."

김성태는 고개를 끄덕인 후 백영 위에 올라탔다. 양굴리가 소리쳤다.

"출발하겠소!"

26. 추격

양굴리는 다혈질 소녀를 뒤에 태우고, 김인성은 어머니를 뒤에 태우고 달렸다. 소녀가 뒤따라오는 김인성을 향해 소리쳤다.

"다람쥐, 달려! 달려!"

김성태는 뒤를 엄호하며 달려갔다. 화살이 날아오면 방패로 막고, 칼을 휘두르면 단도로 막았다. 양굴리 시야로 저 멀리 창과 활을 든 금군들의 모습이 들어왔다. 즉시 이리저리 살펴보고 안전한 퇴로를 찾았다. 하지만 초행길이라 어디가 안전한지 어디가 위험한지 가늠할 수 없었다. 그때였다. 김인성이 소리쳤다.

"양굴리, 바위 앞에서 오른쪽으로 꺾으세요!"

"확실한 것이냐? 모두의 목숨이 너의 말 한마디에 달려 있다는 걸 명심하거라!"

"이곳 숲속은 수백 번도 더 달려봤어요! 빨리 꺾으세요!"

달리 방도가 없다고 생각한 양굴리는 김인성의 말대로 오른쪽으로 말머리를 돌렸다. 넓은 평지가 시야로 들어왔다. 양굴리가 대뜸 소리를 쳤다.

"평지잖아!"

"왜요? 길이 넓어 달리기 편하잖아요!"

"넓은 곳으로 나오면 적에게 노출되어 표적이 된다는 걸 모르느냐!"

"네? 표적? 이, 이런……"

"네놈을 가만두지 않을 것이야!"

소녀가 양굴리의 뒤통수를 때리며 소리쳤다.

"시끄러워 죽겠네! 왜 자꾸 다람쥐한테 뭐라고 하는 거야? 네가 길을 잘 안내하면 되잖아!"

"네!"

소녀는 뒤돌아서 김인성을 향해 방긋 웃으며 소리쳤다.

"다람쥐, 신경 쓰지 마! 양굴리는 내가 이겨!"

양굴리와 일행은 넓은 들판을 쉬지 않고 달렸다. 양굴리 말대로 시야가 넓어 말을 탄 금군들이 하나둘 모여들기 시작했다. 금군들을 따돌려야만 했다. 양굴리는 말머리를 왼쪽으로 돌렸다. 그때 김인성이 소리쳤다.

"왼쪽 말고 오른쪽으로 가세요!"

양굴리가 대답을 하지 않자, 답답한 마음에 김인성이 소리쳤다.

"오른쪽으로 가면 복잡한 저잣거리가 나온다니까요!"

복잡한 저잣거리라면 적들을 따돌릴 수 있었다. 양굴리는 김인성의 말대로 말머리를 오른쪽으로 돌렸다. 저잣거리가 나왔다. 하지만 이곳 역시 금군들이 진을 치고 있었다. 지붕 위에 있던 금군들이 화살을 쏘아댔다. 양굴리는 품에서 주먹 크기의 공을 꺼내 지붕 위로 던졌다. 펑 소리와 함께 하얀 연기가 뿜어져 나왔다. 양굴리는 품에서 공 세 개를 꺼내 하나는 앞을 향해, 하나는 뒤를 향해, 나머지 하나는 오른쪽 우시장을 향해 던졌다. 순식간에 하얀 연기가 저잣거리를 휘감았다.

저잣거리에 모여 있던 사람들이 기침을 하며 우왕좌왕하기 시작했다. 금군들도 시야가 보이지 않아 당황해했다. 양굴리는 이 기회를 틈타 흑도로 적들의 목을 베며 우시장을 향해 질주했다. 김인성은 뒤를 돌아보았다. 김성태가 뒤따라오는 기마대를 상대로 혈전을 벌이고 있었다.

'아버지, 제발……'

김인성은 마음속으로 김성태를 응원하며 다시 앞을 보았다. 순간 이상한 물체 하나가 김인성의 얼굴을 향해 날아오더니, 품 안으로 떨어졌다. 둥글고, 털이 나 있었다. 양굴리가 벤 사람의 머리였다. 김인성이 소스라치게 놀라 비명을 질러댔다.

"으악! 이게 뭐야! 저리 가!"

김인성은 자기도 모르게 시체 머리를 손으로 쳐 내며 말고삐를 움켜쥐었다. 하마터면 말이 급정지를 할 뻔했다. 김인성은 다시 정신을 차리고 채찍질을 해댔다.

"이럇! 이럇!"

김인성은 서둘러 말을 몰아 양굴리의 뒤를 바짝 쫓았다. 양굴리는 복잡한 저잣거리를 질주했다. 저 멀리 막다른 길이 보였다. 오른쪽으로 꺾어야 했다. 그런데 양굴리는 전혀 속도를 줄이지 않고 질주했다. 화들짝 놀란 김인성이 소리쳤다.

"막다른 길이에요. 속도를 줄이세요."

하지만 양굴리는 전혀 속도를 줄이지 않았다. 김인성이 다급하게 소리쳤다.

"속도를 줄여요, 양굴리! 벽에 부딪힌다니까요!"

양굴리는 최대한 왼쪽으로 붙어 달리다가 막다른 길에서 말고삐를 오른쪽으로 돌렸다. 그러자 흑마는 오른쪽 앞다리를 최대한 왼쪽 앞다리 안으로 집어넣은 후, 오른쪽 뒷다리로 균형을 잡고 왼쪽 앞다리로 방향을 바꾸어 오른쪽으로 돌았다. 순식간에 일어난 일이었다. 김인성은 흑마의 귀신같은 움직임에 그만 눈이 휘둥그레졌다.

'세상에 저런 말이 있단 말이야?'

말도 대단하지만 말을 모는 기수의 실력 역시 최고였다. 김인성에게는 아직 그런 재능이 없었다. 말 역시 초라했다. 어쩔 수 없이 속도를 늦춘 후 양굴리의 뒤를 쫓았다. 양굴리가 김인성을 향해 소리쳤다.

"선두와 후미의 간격은 삼십보를 유지해야 한다! 이놈아, 네놈이 늦어지면 간격이 벌어진다는 걸 모르느냐!"

"나도 최선을 다하고 있다고요! 양굴리가 천천히 달리면 되잖아요!"

"이놈! 적들이 사방에 깔렸는데 속도를 늦추라니!"

"알았어요!"

김인성은 소년들과 경마를 했던 기억들을 되짚어보았다. 그리고 달려갔던 길의 특징들을 생각했다.

"양굴리! 오른쪽으로 돌아서 대나무 숲으로 가세요! 그곳이라면 적들을 따돌릴 수 있을 거예요!"

양굴리는 김인성을 믿어보기로 했다. 그의 말대로 오른쪽으로 돌아 대나무 숲으로 들어갔다. 김인성이 소리쳤다.

"앞에 큰 바위가 있습니다!"

김인성의 말대로 큰 바위가 보였다.

"바위를 끼고 왼쪽으로 돌면 길이 좁아집니다!"

김인성의 말대로 왼쪽으로 돌자 길이 조금씩 좁아져갔다.

"양굴리, 오른쪽으로 붙으세요! 왼쪽은 얼음판이에요!"
"그걸 어찌 아는 것이냐?"
"경마하다가 저기서 한 번 넘어졌어요."

말을 마친 김인성은 뒤돌아 아버지에게도 말했다.

"아버지! 오른쪽으로 붙어 달리세요! 얼음판이 있어요!"

양굴리와 김성태는 김인성 말대로 오른쪽으로 붙어 달렸다. 이를 모르고 왼쪽으로 달려오던 금군의 말들이 얼음에 미끄러졌다. 양굴리가 김인성을 향해 소리쳤다.

"다람쥐! 제법이구나!"
"두 말 하면 잔소리, 세 말 하면 헛소리죠! 대나무 숲을 빠져나가면 강이 나올 거예요. 강을 따라 다시 저잣거리로 들어가세요!"

양굴리는 김인성이 지시하는 방향으로 달려갔다. 그렇게 한 시진을 달리자 김인성이 타고 있는 말의 속도가 조금씩 느려져갔다. 양굴리의 잔소리가 시작됐다.

"빨리 달리지 못하겠느냐! 네놈 때문에 네 아비가 위험해지는 걸 모르느냐!"

김인성은 뒤를 돌아보았다. 양굴리의 말대로 김성태의 속도도 느려지고 있었다. 속도가 느려지자 자연스럽게 적들이 가깝게 붙을 수밖에 없었다. 김인성은 울상을 지으며 생각했다.

'이렇게 가다간 아버지가 금군들에게 뒤를 잡히고 말 텐데……. 하지만 속도가 나지 않는 걸 어쩌란 말이야? 답답해 죽겠네!'

소녀가 뒤돌아 김인성에게 소리쳤다.

"다람쥐! 죽고 싶지 않으면 말을 좀 더 빨리 몰아! 네가 죽으면 대륙으로 같이 못 가잖아! 힘을 내! 사정없이 말 엉덩이를 때리란 말이야! 엉덩이에서 피가 튀길 때까지!"

하지만 소녀의 위로 같지 않은 위로는 김인성에게 아무런 도움도 되지 않았다.

뒤에서 화살이 날아오기 시작했다. 김성태는 가죽 방패를 꺼내 부인과 김인성에게 날아가는 화살을 막았다. 하지만 김성태 혼자 막아내기에는 화살의 수가 너무도 많았다. 그때 미처 막지 못한 화살 하나가 빠르게 날아가 부인의 등에 박혔다.

"윽!"

신음과 함께 부인의 몸이 앞으로 기울었다.

"어머니, 무슨 일이에요?"
"우리 인성이……. 어미 말 안 듣고 말만 타더니 말 타는 솜씨가 제법이로구나."
"당연하죠. 저는 커서 아버지처럼 파발의 사맹이 될 것입니다."
"아버지 말씀 잘 들어야 한다. 어미가 널 야단친 건 다 널 위해서였어. 너무 서운하게 생각하지 말고, 알았지? 그리고 밖에서 돌아오면 손, 발 꼭 씻고……, 말 타는 것도 좋지만 글공부도 틈틈이 하고……, 커서 만약 여자를 만나게 되면 예쁜 것보다는 마음씨를 봐야 하고……."

부인은 거친 숨을 한 번 돌린 후에 말을 이었다.

"음식은 짜게 먹지 말고……, 벗들과 싸우지도 말고, 아프지 말고……, 커서 아이를 낳거든 꼭 엄하게 키워야 한다. 알았지?”

“어머니, 왜 이상한 소리만 하세요? 하지 마세요.”

“어디 우리 인성이 얼굴 한번 보자……. 아버지를 닮아 아주 잘생겼
구나, 잘 생겼어. 아들……, 사랑한다.”

“어머니, 괜찮으세요?”

“어미는 괜찮아…….”

부인의 등에서 피가 흘러내렸고, 화살을 맞은 부위가 퍼렇게 변해가
고 있었다. 독화살을 맞은 것이 틀림없었다. 부인은 거친 숨을 내쉬다
끝내 정신을 잃고 말에서 떨어지고 말았다. 화들짝 놀란 김인성은 말
에서 내려 어머니의 상태를 살폈다. 숨은 거칠어졌고, 입에선 검붉은
피가 흘러나왔다. 김인성은 아버지를 불렀다.

“아버지! 아버지!”

하지만 김성태는 금군들과 혈전을 벌이느라 김인성의 말을 듣지 못
했다. 김인성은 울며 어머니에게 말했다.

“어머니, 괜찮으세요? 어머니, 죽지 마세요!”

부인은 거친 숨을 내쉬며 말했다.

"인성아, 우리 인성이."

"어머니, 앞으로 어머니 말씀 잘 듣겠습니다. 죽지 마세요! 손도 잘 씻고, 발도 잘 씻고, 밥 먹다 말고 화장실도 안 갈게요. 말도 이제 안 탈 게요, 어머니."

부인이 검붉은 피를 토하자 김인성은 부인 등에 있는 화살을 뽑으려 했다. 그때 김성태가 소리쳤다.

"인성아, 화살을 뽑으면 아니 된다."

김인성은 깜짝 놀라며 화살을 잡은 손을 놓았다. 표씨 부인의 숨이 거칠어졌다.

"어머니, 괜찮아요?"

"인성아……."

"네, 어머니, 저 여기 있어요! 여기 있어요! 제가 안 보이세요?"

"우리 인성이……, 여기 있구나. 어미가 없어도 아버지 말씀 잘 들어 야 한다. 우리 잘생긴 인성이……."

김인성은 허공에 대고 소리쳤다.

"누가 어머니 좀 살려주세요! 어머니가 죽는단 말이에요! 제발! 누가 어머니 좀 살려주세요!"

이 소리를 들은 소녀가 뒤를 돌아봤다. 김인성이 어머니를 안고 오열하고 있었다. 소녀는 양굴리에게 소리쳤다.

"멈춰, 양굴리!"

양굴리는 즉시 말을 멈췄다. 소녀는 뒤돌아서, 오열하고 있는 김인성을 바라보았다. 지금껏 소녀는 마음에 들지 않은 자는 누구든 가차 없이 양굴리를 시켜 죽였다. 그런데 지금 이 순간 소녀의 가슴속에서 누군가를 살리고 싶다는 마음이 간절히 들기 시작했다. 소녀는 처음으로 양굴리에게 부탁했다.

"양굴리, 다람쥐 가족을 살려줘. 부탁이야."

양굴리는 고개를 푹 숙이고 풀이 죽어 있는 소녀를 보자 안타까운 마음이 들었다. 억지로 웃으며 소녀에게 말했다.

"목숨을 걸고 다람쥐 가족을 구하겠습니다. 그리고 명을 내리실 때는 공주님답게 당당하게 말하세요. 공주님답지 않습니다."

"너나 웃지 마! 흉악해 보이니까."

"다녀오겠습니다."

"양굴리."

"네!"

"죽지 마."

"명 받들겠습니다."

양굴리는 말에서 내려 뒤를 돌아보았다. 김성태는 아들과 부인을 지키기 위해 필사적으로 금군들과 혈전을 벌이고 있었다. 금군들이 하나씩 몰려와 원을 그리며 김성태 가족을 포위했다. 저 멀리 금군들을 지휘하는 광해의 모습도 보였다.

양굴리는 흑도를 뽑아들고 김성태 가족에게로 달려갔다. 금군들은 양굴리에게 화살을 쏘기도 하고, 창과 칼을 휘두르기도 했다. 금군들은 조선의 임금을 지키는 조선 최고의 무사들이었다. 하지만 양굴리 앞에서는 어린아이에 불과했다. 양굴리는 흑도를 들고 있는 오른손으로는 달마검법을, 갈고리 모양을 한 왼손으로는 용조수를 펼쳐나갔다. 양굴리가 흑도를 휘두르면 금군들의 칼과 창은 두부처럼 싹둑 잘려져 나갔고, 양굴리의 용조수에 걸리면 팔이고 다리고 살이 찢겨져 나갔다.

"이놈들! 이 양굴리가 모두 상대해 주마!"

금군들을 막고 있는 김성태가 부인을 향해 소리쳤다.

"부인, 정신을 놓으면 아니 되오. 정신을 잡아요. 부인! 부인!"

하지만 부인은 끝내 숨을 거두고 말았다. 김인성은 부인을 흔들어 깨웠다. 하지만 일어나지 않았다. 김인성은 부인이 신고 있는 버선을 벗긴 후에 손가락으로 발바닥을 비볐다. 이렇게 하면 언제나 웃으며 일어나곤 했었다. 하지만 아무 소용없었다. 부인은 끝내 숨을 거두고 말았다. 김인성은 사람이 죽는 모습을 생전 처음 보았다. 더욱이 그 사람이 사랑하는 어머니였다. 김인성은 오열을 했다.

"어머니! 일어나요, 어머니!"

김인성의 눈에서는 하염없이 눈물이 흘러내렸고, 목에서는 쉰소리가 날 때까지 절규가 터져나왔다. 동시에 김인성의 정신줄이 끊어지기 시작했다.

"용서할 수 없어. 어머니를 죽인 저들을 절대 용서할 수 없어."

김인성은 끊어지는 정신줄을 끝까지 붙잡으며 주변을 둘러보았다. 한곳에 시선이 멈췄다. 말을 타고 있는 광해였다.

"용서하지 않겠어! 절대로!"

눈이 서서히 감겨왔다. 김인성은 눈을 감는 순간까지 광해의 얼굴을 뇌리에 새겼다.

'용서하지 않겠어……. 어머니 죽인 자……. 절대……, 절대…….'

김인성은 끝내 고통을 이기지 못하고 기절해버렸다. 부인의 죽음 앞에 김성태도 하염없이 눈물을 흘렸다. 부인이 했던 말이 그의 가슴을 더욱더 아프게 했다.

"서방님은 대체 누구십니까?"

김성태는 혼란스러웠다.

'난 대체 누구란 말인가? 가족 하나 지키지 못한 난 누구란 말인가? 왕을 지키지 못한 난 누구란 말인가? 부하 하나 지키지 못한 난 누구란 말인가? 백성을 지키지 못한 난 대체 누구란 말인가? 대체 난 누구란 말인가?'

그의 생각은 분노로 변해갔다.

'절대 저하를 용서하지 않을 것입니다. 절대!'

김성태는 지금껏 파발 활동을 하면서 한 명도 죽이지 않았다. 그런데 지금 그의 손끝에서 살수가 펼쳐지기 시작했다. 김성태는 인간의 급소인 눈, 백회, 독고, 도처, 비중, 성문, 인중을 사정없이 찔러댔다. 그뿐 아니었다. 겨드랑이와 발목, 팔목, 눈, 허벅지, 동맥을 단도로 사정없이 베기 시작했다. 단도로 찌를 수 있는 곳은 다 찔렀고, 단도로 벨 수 있는 곳은 무조건 베었다. 단도 하나로 부족했는지 왼손에도 단도를 잡고 금군들을 베고 또 찔렀다.

그의 몸은 피로 얼룩져 버렸다. 지금 그는 살수였고, 피에 굶주린 짐 승이었다. 하지만 금군의 수가 너무 많았다. 양굴리 역시 금군에게 조금씩 밀리기 시작했다. 양굴리는 김성태를 향해 소리쳤다.

"우선 이곳을 빠져나가야겠소! 아들을 데리고 먼저 떠나시오! 어서!"

김성태는 정신을 차린 후, 기절한 김인성을 품에 안고 백영 위에 올라 도망쳤다. 양굴리는 부인의 시신을 안고 흑마에 올라탔다. 저 멀리 소녀의 모습이 보이자 소녀까지 말 뒤에 태우고 달렸다. 흑마는 셋을 태우고도 쉬지 않고 달렸다.

"양굴리! 다람쥐랑 다람쥐 아버지는 어떻게 됐어?"

"무사히 도망쳤습니다!"

일다경 정도를 달리자 금군들을 따돌릴 수 있었다. 소녀가 대뜸 소리
쳤다.

"양굴리! 어머니가 죽은 것 같아!"

양굴리는 말을 멈춘 후, 부인을 땅으로 내렸다. 그리고 맥을 짚어보
았다. 맥박이 뛰지 않았다. 부인의 등이 퍼렇게 물들어 있는 것으로 봐
독에 중독된 것이 틀림없었다.

"양굴리, 살려내."

"이 세상 사람이 아닙니다."

"독에 중독된 거 아니야? 그걸 한번 써봐."

"하오나 그것은 칸의 명령으로 공주님을 위해 특별히 만들어진 것입
니다."

"난 멀쩡하잖아."

"하오나……."

소녀의 뜻이 완강한 탓에 양굴리는 어쩔 수 없이 부인을 곧게 펴서

엎드리게 했다. 그리고 품에서 단을 꺼내 손바닥으로 문질러 화살이 꽂힌 부위에 발랐다. 신기하게도 흰색이었던 단이 퍼렇게 물들어갔다. 단이 표씨 부인의 몸에 있는 독을 빨아들이고 있었던 것이었다. 단이 독을 다 빨아들이자 양굴리는 기다렸다는 듯 등에 꽂힌 화살을 뽑아냈다. 부인의 등에서는 검붉은 피가 뿜어져 나왔다. 고래가 수면에 올라와 물을 뿜어내듯 쭉쭉 뿜어냈다. 양굴리는 단 하나를 더 꺼내, 처음과 같이 손바닥으로 비빈 후 부인의 등에 발랐다. 다행히 피는 더 이상 나오지 않았다.

이번엔 부인의 등을 땅에 대고 똑바로 눕힌 후, 마지막 남은 단을 꺼내 부인의 입속에 넣어주었다. 부인이 단을 삼키지 못하자, 양굴리는 부인의 허리를 들어 똑바로 앉히고 입안을 들여다보았다. 단이 목구멍에 걸려 있었다. 양굴리는 난처한 얼굴로 소녀를 바라보았다. 소녀는 팔짱을 끼고 새침한 표정을 지었다.

"더러워."

소녀가 뒤돌아섰다. 양굴리는 제 입을 부인에 입에 대고 바람을 불어넣었다. 그리고 다시 입안을 살펴보았다. 다행히 단은 보이지 않았다. 이번에는 수통을 꺼내 부인의 입속에 물을 천천히 부었다. 이제 할 수 있는 건 다 했다. 기다리는 것만 남았다.

잠시 후, 부인이 검붉은 피를 토하며 거친 숨을 내쉬었다. 소녀는 손

뼉을 치며 좋아했다. 하지만 기쁨도 잠시, 소녀가 풀 죽은 목소리로 양굴리에게 말했다.

"양굴리, 다람쥐를 다시 만날 수 있겠지?"
"인연이 있다면 다시 만날 수 있을 것입니다."

이 다혈질 소녀는 장차 청나라가 될 후금을 세운 누르하치의 둘째 딸, 화석이었다.

27. 김인성의 시련

"어머니, 이것도 좀 드세요."

"맛있구나. 인성이가 잡아온 물고기라서 더 맛있어."

 들판은 흰 눈 대신 푸른 잎들과 예쁜 꽃들로 가득 차 있었다. 수만 그루의 소나무들이 산을 가득 메웠으며, 저 멀리는 유유히 이어진 봉우리가 옅은 안개에 싸여 병풍을 이루고 있었다. 봉우리들 중에 망경봉이 가장 먼저 눈에 들어왔다. 산세가 험하고 길게 뻗은 돌계단 사이로는 맑은 시냇물이 흘러내렸다. 새들은 지저귀며 저 멀리 노루도 뛰놀았다. 청계산의 초록은 평화로운 가운데 일대장관을 이루었다.

 눈부신 햇살이 내리쬐는 시냇가에 김성태와 김인성 그리고 표씨 부인이 바위에 걸터앉아, 행복한 표정을 지으며 막 잡은 물고기를 구워 먹고 있었다. 바로 옆에선 고양이 한 마리가 소나무 위에 앉아 따뜻한 햇살을 맞으며 하품을 했다.

"아이 참, 살도 좀 드시라니까요. 어머니는 왜 맨날 대가리만 드세
요?"

"인성이 많이 먹어. 어미는 대가리를 좋아한단다."

"치. 대가리를 좋아하는 사람이 어디 있어요?"

"인성이가 아직 모르는구나. 생선은 대가리가 가장 맛있는 법이야.
아버지 보렴."

김인성은 고개를 돌려 아버지를 쳐다보았다. 아버지는 생선 대가리
를 게걸스럽게 물어뜯고 있었다.

"아버지, 정말 대가리가 맛있어요?"

"설마 대가리가 맛있겠느냐?"

"그럼, 대가리만 드시지 말고 여기 살도 좀 드세요."

김인성은 몸통 살을 발라 아버지의 입에 넣어주었다. 그런데 갑자기
김성태가 팔을 뻗어 아들의 팔목을 내리쳤다. 그 때문에 김인성의 손
에 들려 있던 생선살이 땅에 떨어지고 말았다. 김인성이 쳐다보니 김
성태의 미간이 구겨져 있었다. 눈썹은 치켜 올라가 있었으며, 눈동자도
무섭게 변해 있었다. 김인성은 그런 아버지의 모습에 당황하여 뒤로

물러섰다. 그때 김성태가 벌떡 일어나더니 아들에게 소리쳤다.

"어째서 아비와의 약조를 지키지 않은 것이냐?"

"무슨 말씀이세요?"

"저잣거리 문방구 김 씨에게 서찰 한 장을 전해주라고 하지 않았더냐? 어째서 그 말대로 하지 않은 것이냐?"

"그것이……."

"경마를 했다지?"

"죄송합니다, 아버지……."

"네가 어미를 죽인 것이야. 네가!"

"아닙니다. 어머니는 돌아가시지 않았습니다. 제 옆에 있다고요. 보세요."

김인성은 고개를 돌려 옆을 바라보았다. 그런데 조금 전까지 옆에 있던 어머니의 모습이 보이지 않았다. 김인성은 벌떡 일어나 주변을 살폈다. 하지만 어디에도 어머니는 보이지 않았다.

"아버지, 어머니가 없습니다. 아버지?"

김인성은 고개를 돌려 아버지가 서 있던 곳을 쳐다보았다. 하지만 아버지도 보이지 않았다.

"아버지! 어머니!"

김인성은 목이 터져라 아버지와 어머니를 불렀다. 하지만 돌아오는
건 공허한 메아리뿐이었다. 덜컥 겁이 났다. 눈에선 눈물이 하염없이
흘렀다.

갑자기 주변이 어두워지기 시작했다. 그 순간 있을 수 없는 일들이
일어났다. 바위들은 멧돼지로 변했고, 나무들은 귀신으로 변해 긴 머리
칼을 풀어헤치고 걸어왔다. 소나무 위에서 졸고 있던 고양이는 큰 호
랑이로 변했다. 김인성은 자신의 눈을 의심했다. 눈을 비비고 다시 쳐
다보았지만, 달라진 건 아무것도 없었다. 멧돼지와 나무, 호랑이는 김
인성을 향해 무섭게 달려왔다.

"저리 가! 가란 말이야! 따라오지 마! 따라오지 말란 말이야! 사람
살려! 아버지!"

→•←

비명을 지르며 잠꼬대를 하던 김인성이 벌떡 일어났다.

"저리 가란 말이야!"

이마에서 식은땀이 흘러내렸다. 꿈이란 것을 깨달은 김인성은 주변

을 둘러보았다. 다행히 호랑이와 귀신들은 보이지 않았다. 대신 피를 흘리며 쓰러져 있는 김성태의 모습이 보였다. 화들짝 놀란 김인성은 김성태를 흔들어 깨웠다.

"아버지, 일어나세요. 아버지!"

김인성은 아버지의 코를 확인했다. 다행히 숨은 쉬고 있었다.

"이를 어쩐다."

도움을 청할 곳도, 지나가는 행인도 없는 첩첩산중이었다. 김인성은 벌떡 일어나 주변을 둘러보았다. 다행히 저 멀리 숲속에 집이 하나 보였다. 하지만 불이 꺼져 있었다. 김인성은 무작정 발걸음을 옮겼다. 눈이 무릎까지 쌓여 걷기가 불편했지만, 이대로 포기할 순 없었다. 일다경 정도 눈을 헤치고 걸어서 그 집에 도착했다.

"안에 누구 없어요? 도와주세요! 아버지가 쓰러져 있어요! 안에 아무도 없어요?"

지친 목소리로 간절히 불렀지만, 아무 대답도 들리지 않았다.
김인성은 호흡을 가다듬은 후, 일단 김성태를 이곳까지 옮겨오기로 했다. 하지만 어떻게 옮겨올까 하는 것이 문제였다. 아직 아버지를 업고 오기엔 힘이 부족했다. 그때 김인성의 눈에 부서진 문짝이 들어왔다.

"그래 저거라면."

김인성은 문짝을 들고 김성태가 있는 곳으로 갔다. 김성태를 들고 문짝 위에 눕힌 후, 문짝을 끌고 그 집으로 갔다.

김인성은 어머니의 죽음이 도저히 믿기지 않았다. 아니 믿고 싶지 않았다. 하지만 현실을 회피하려고 하면 할수록 어머니가 죽어가던 모습과 광해의 얼굴이 그의 눈과 뇌리에 더 깊숙이 박혀왔다. 김인성은 다시 한 번 복수를 다짐했다. 어머니를 죽게 한 그자를 결코 용서하지 않겠다고 힘주어 다짐했다.

힘겹게 문짝을 끌고 언덕을 올라온 김인성은 아버지를 방 안으로 옮겼다. 방 안이나 밖이나 추운 건 매한가지였다. 밖으로 나가 찌그러진 화로를 찾아 방 안으로 가지고 들어와 불을 피웠다. 그리고 화로를 들어 김성태 곁에 놓은 후 간절하게 빌었다. 아버지까지 데려가진 말아 달라고…….

화로의 불이 약해지자 다시 밖으로 나가 땔감을 구해 왔다. 그때 김인성의 품에서 서찰 한 장이 떨어졌다. 김성태가 전해주라고 한 서찰이었다. 정말 까맣게 잊고 있었다. 김인성은 서찰을 편 후 읽어 내려갔다. 서찰에는 문방구 김 씨에게, 김성태가 사시까지 돌아오지 않으면 부인과 아들을 데리고 전주로 도망가라고 전하는 내용이 적혀 있었다. 김인성의 손이 파르르 떨렸다. 이런 중요한 정보를 전하지 않고 경마나 하고 있었다니……. 김인성은 허리를 숙이고 하염없이 눈물을 흘렸다.

'아버지가 전해주라고 했던 이 서찰만 전했다면……, 그랬다면 어머니는 죽지 않았을 거야. 다 나 때문이야. 내가 어머니를 죽인 거라고. 경마에 정신이 팔려서 어머니를 죽게 한 거라고…….'

김성태가 깨어났는지 몸을 움찔 거렸다. 김인성은 놀라 소리를 쳤다.

"아버지! 제 말 들리세요!"

김성태가 힘겹게 고개를 끄덕였다. 그리고 살며시 눈을 뜨더니, 화로의 불을 보자 벌떡 일어나 불을 껐다.

"아버지, 오줌이 나오다가 얼 정도로 춥습니다. 불을 끄시면……."
"쉿!"

김성태는 귀를 기울였다. 멀리서 말발굽 소리가 들려왔다. 하지만 김인성의 귀에는 그 소리가 들리지 않았다.

"아버지, 무섭습니다. 누가 오는 것입니까?"

잠시 후, 밖에서 말발굽 소리와 함께 사내들의 목소리가 들려왔다.

"틀림없이 이곳에서 불빛이 나왔습니다."
"반딧불을 잘못 본 것 아니더냐?"
"제 두 눈으로 똑똑히 보았습니다."
"주변을 샅샅이 뒤져라! 김성태는 조선 최고의 싸움꾼이다! 발견하거든 혼자 상대하지 말고 소리를 쳐라!"
"네, 대장."

김성태는 김인성에게 속삭였다.

"이곳에 잠시 있거라."
"같이 가겠습니다."
"금세 돌아올 테니 기다리거라. 무슨 일이 있어도 절대 소리를 지르면 아니 된다. 알겠느냐?"
"하지만……."
"아비 얼굴을 똑똑히 보거라. 아비는 돌아올 것이야. 그러니 기다리고 있거라."

김인성이 무겁게 고개를 끄덕이자, 김성태는 김인성을 번쩍 들어 대들보 위에 올려주었다. 그리고 문을 열고 밖으로 뛰어나갔다. 밖에서 사내들의 목소리가 들렸다.

"김성태다!"
"잡아라!"

병기 부딪히는 소리와 말발굽 소리가 점점 멀어져갔다. 김인성은 김성태가 돌아오기만을 손꼽아 기다렸다. 하지만 한 시진이 지나도, 두 시진이 지나도 김성태는 돌아오지 않았다. 밖에선 부엉만 울어 젖혔다. 어머니가 했던 말이 생각났다.

"인성아, 밤에 돌아다니면 부엉이가 눈을 파먹는다."

김인성은 겁이 나서 양손으로 두 눈을 가렸다. 그렇게 또 한 시진을 기다렸다. 잠시 후, 말발굽 소리가 났다.

'누구지? 아버지인가? 아니야. 다른 사람일 수도 있어. 기다려보자.'

누군가 방문을 열었다. 김인성의 심장이 두근두근 뛰었다. 다행히 김성태였다. 김인성은 소리쳤다.

"아버지!"

"쉿!"

김인성은 목소리를 낮춰 말했다.

"적들은 따돌렸습니까?"

김성태는 김인성을 대들보에서 내려주며 고개를 끄덕였다.

"그럼 여기서 빨리 도망쳐요. 또다시 올 수도 있잖아요."

"등잔 밑이 어두울 수도 있단다."

"그럼."

"이곳에서 며칠 쉬면서 치료를 좀 해야겠구나."

"죄송합니다, 아버지. 저 때문에 어머니께서……. 아버지께서 전하라
고 하신 서찰만 전했다면……."

"읽어본 것이냐?"

"네, 아버지. 철없이 경마만 하고 있었습니다. 제가 어머니를 돌아가
시게 했습니다. 하늘에 계신 어머니께서 절대 저를 용서하지 않을 것
입니다."

김성태는 쓸쓸하게 죽은 부인을 생각하자 참을 수가 없어 그만 눈물

을 흘리고 말았다. 하지만 아들 앞이었다. 김성태는 정신을 가다듬고 김인성에게 말했다.

"인성아."

"네, 아버지."

"돌아가신 어머니가 가장 아끼고 사랑했던 사람이 누군지 아느냐?"

"그건……."

"바로 인성이 너였다."

"어머니가 보고 싶습니다."

"죽은 영혼은 이틀 동안 구천을 떠돌아다닌다고 한다. 그 연유를 아느냐?"

"모르겠습니다."

"저승사자가 배려해준 것이야. 하늘로 올라가기 전에 이틀 동안 사랑하는 사람 곁에 머물다 가라고 말이다."

"그럼 지금 제 옆에 어머니가 있다는 말입니까?"

"아마도 그럴 것이야. 계집처럼 질질 짜는 모습을 보여주겠느냐? 아니면 당당한 아들의 모습을 보여주겠느냐?"

"당당한 모습을 보여주고 싶습니다."

"그래. 어머니도 당당하게 살아가는 우리 인성이의 모습이 보고 싶을 것이야. 그러니 자책하지 말거라, 알았지?"

"네."

김성태가 곁에 있어 김인성은 마음이 편했다. 하지만 자신도 알고 있었다. 평생 어머니에 대한 죄책감을 안고 살아가야 한다는 것을……

김성태는 쉬면서 치료를 했고, 김인성은 땔감을 구해 와 화로에 불을 피웠다. 먹을 것이 필요할 땐 김성태가 토끼를 잡아 요리를 했다. 그렇게 이틀이 지나자 김성태가 입을 열었다.

"이제 떠나야겠다."

"아직 상처가 다 낫지 않았습니다, 아버지. 조금 더 있어야 합니다."

"약조를 했다."

"누구랑요?"

28. 이주영과의 약조

서파발의 하루는 마당 쓰는 일부터 시작됐다. 이주영과 발장, 색리, 다섯 명의 군정은 빗자루를 들고 마당에 눈을 쓸고 있었다. 불이 났던 곳은 어느새 말끔하게 정리되어 있었다. 군정들은 마당을 다 쓸고 마구간으로 가 말들에게 여물을 주고 말똥을 치웠다. 이주영은 색리와 함께 마구간에 있는 주작을 살폈다. 색리가 입을 열었다.

"다행히 하혈이 멈췄습니다. 기력도 어느 정도 회복되었습니다. 피를 많이 흘려 가망이 없어보였는데······. 명실상부한 조선 최고의 명마가 틀림없습니다."

이주영은 주작의 눈을 보며 부드럽게 말했다.

"건강한 새끼를 낳아주시오. 그리만 해준다면 내 그대의 새끼를 그 누구도 따를 수 없는 조선 최고의 명마로 만들어주겠소."

그러다가 이주영이 갑자기 한숨을 내쉬며 밖을 보았다. 색리가 물었다.

"혹시 백영이 보고 싶어 그런 것입니까?"
"백영과 함께 지낸 지가 오 년이 되었소. 단 하루도 백영과 떨어진 적이 없었는데……. 밥은 거르지 않고 잘 먹고 있는지, 잠자리가 불편하진 않은지……. 잠깐! 백영이 물갈이를 하지는 않았소?"
"네, 나리. 다른 지역의 물을 마셨을 때 구토 증세를 조금 보였습니다."
"이런……, 이를 어찌한단 말이오."
"김성태 사맹 역시 말을 아낀다 들었습니다. 심려치 않으셔도 될 듯합니다."

그때였다. 이주영의 오감이 반응했다. 즉시 몸을 가볍게 날려 마구간 지붕 위로 올라가 주변을 살폈다. 나무로 가득한 사방, 저 멀리 누군가 말을 타고 달려오고 있었다. 서파발 부사맹 이역참수였다. 이역참수 역시 팔 척 장신이었다. 몸은 여인 같이 호리호리했고, 눈썹은 초승달 모양을 하고 있었다. 입술은 작고, 코는 반듯하게 서 있었다. 이주영이 휘파람을 불자 이역참수는 이주영이 있는 지붕 위로 올라가 예를 갖추었다.

"나리, 그간 별일 없으셨습니까?"

"괜찮소."

"아직 백영은 돌아오지 않았습니까?"

"김성태가 백영을 돌려주기로 한 날이 오늘이오."

"한성에선 큰 사건이 있었습니다."

"관심 없소."

"김성태 사맹이 왕을 시해하려 했다고 합니다."

"김성태는 왕의 심복일 터. 어찌 시해를 하려 했겠소?"

"혹시 들으셨습니까? 김성태가 이순신 장군님의 전사 날짜를 속인 후에 저하를 궁지로 몰아넣은 이야기를요."

"들었소."

"분노한 저하께서 함정을 파 김성태와 남파발을 섬멸하려고 한 것 같습니다."

"관심 없소."

"김성태는 이제 역적이 되었습니다. 설마 그런 그가 이곳에 오겠습니까?"

"김성태는 약조를 지키는 자입니다. 김성태가 오거든 잡지도 말고, 그렇다고 도와주지도 마세요. 대신 백영이 위험한 상황에 놓이게 되면 그땐 가차 없이 활시위를 당기세요."

"이번 작전의 이름은 무엇입니까?"

"백영 무사 구출 작전!"

"그럼, 이번에도 서파발은 움직이지 않는 것입니까?"

"나와 그대만 움직일 것이오. 고조선의 상을 가진 자가 나타나기 전까지 서파발은 중립을 지킬 것입니다."

"분부 받들겠습니다."

"식사하십시다."

"네, 나리."

이주영은 뒤돌아 색리에게 물었다.

"오늘의 찬은 무엇이오?"

"나리께서 두 번째로 좋아하시는 불고기입니다."

"식사는 두 사람 분을 준비해주시오."

"네, 나리."

"식사가 준비될 때까지 한숨 자겠습니다."

"깨워드리겠습니다."

이주영은 지붕 위에서 그대로 누워 잠을 청했다. 눈이 내리기 시작했다. 마구간 위에도, 부엌 위에도, 지붕 위에도, 저 멀리 숲속 소나무 위에도, 그리고 소나무 위에 숨어 서파발을 감시하고 있는 사달수와 사주 머리에도 눈이 내렸다. 사주가 코를 파며 말했다.

"아니 저 파락호는 왜 지붕 위에서 잠을 자고 지랄입메까. 하여간 별종입메다. 그나저나 저 여인들은 아까부터 저켠에서 뭘 하고 있는 것입메까?"

마을 처녀들이 이주영을 보기 위해 참 주변을 기웃거리고 있었다. 지붕 위에서 자고 있는 이주영을 발견하고 하나 같이 얼굴을 붉히며 한마디씩 했다.

"저기야, 저기. 도련님이 저기 지붕 위에 있어."
"어디? 정말이네. 어쩜 자는 모습에서도 저리 귀티가 날 수 있을까?"
"쉿, 조용히 해. 도련님 깨겠어. 그나저나 도련님 이름이 뭐야?"
"나도 이름은 몰라. 나이도 모르고. 뭐하는지도 몰라. 그냥 여기 사는 것만 알고 있어."
"궁금하니까 더 멋있어 보인다."

색리가 지붕 위에 대고 소리쳤다.

"내려오시면 됩니다."

이주영은 벌떡 일어나 처녀들이 있는 지붕 아래로 사뿐히 내려왔다. 가까이에서 이주영의 얼굴을 본 처녀들의 심장은 두근거렸다. 어떤 처녀는 다리에 힘이 풀려 땅바닥에 풀썩 주저앉았고, 어떤 처녀는 손으로 입을 가리고 감탄사를 토해냈다. 또 어떤 처녀는 넋을 잃고 이주영의 얼굴만 빤히 바라보았다. 처녀들 중 하나가 용기를 내 이주영에게 물었다.

"저기……, 존함을 여쭈어도 되겠습니까?"
"여쭙지 마시오."
"네?"
"이름 따위가 뭐가 대수겠습니까. 사람의 인연이 중요한 것이죠."

처녀들은 속으로 탄성을 토해냈다.

'어머, 너무 멋있어!'
'사람이 아니야. 저 분은 하늘에서 내려오신 것 같아.'
'도련님 품에 한 번만 안겨보면 소원이 없겠다.'
'아버님께 말씀드려서 도련님과의 혼사를 준비해달라고 해야겠어.'

처녀들 중 한 명이 용기를 내어 말했다.

"저는 한성 포도대장의 둘째 딸 선아라 합니다."

그러자 다른 처녀들도 용기를 내어 말했다.

"저는 강원도 별장의 첫째 딸로, 이름은 화입니다. 꽃 화. 꽃처럼 아름답다 하여 화입니다."
"저는 경기도사의 막내딸로, 이름은 심미입니다. 마음이 아름답다는 뜻입니다."

멀리서 목소리가 들려왔다.

"식사 준비 다 됐습니다."

이주영은 밥이라는 소리에 처녀들에게 인사도 하지 않고 뒤돌아 가버렸다. 전혀 예상하지 못한 이주영의 행동에 처녀들은 잠시 당황했다. 하지만 오늘 이주영의 얼굴을 가까이에서 봤고, 그와 대화까지 했다. 그걸로 대만족이었다. 처녀들은 서로의 얼굴을 보며 기분 좋은 비명을 지른 후, 돌아갔다. 이를 모두 지켜본 사주는 화가 나 참을 수가 없었다.

"아주바이, 아니 저런 자가 왜 저리도 여인들에게 인기가 많단 말입메까. 아니 남자라면 아주바이나 나같이 남자답게 어깨 딱 벌어지고 허벅지는 말 허벅지처럼 이렇게 짐승 같아야 하는 거 아닙메까? 여우같이 생긴 저 파락호가 뭐가 좋다고."

"귀에 침 튀긴다, 이놈아."

"기런데 김성태가 이켠으로 온다는 보장이 있는 것입메까? 이번에도 증엄없이 아주바이의 촉은 아니갔죠?"

"김성태는 약조를 지키는 자다. 틀림없이 이곳으로 와 백영을 돌려줄 것이다."

"이게 다 저하 때문입메다. 아니 왜 김성태를 잡는 데 금군들을 움직이냐 이겁메다. 개구리 잡자고 화살까지 쏠 필요까진 없는데. 파발은 파발만 잡을 수 있소. 금군들이 몰려가서 김성태 하나 못 잡고. 한심함메다."

"저하께서는 일부러 금군들을 이용하신 것이다. 저하 역시 금군들로는 김성태를 잡을 수 없다는 것을 알고 계셨다."

"기게 무슨 육갑 떠는 소립메까?"

"금군들이 누구를 위해 움직이느냐?"

"기야 당연시리 전하를 위해 움직이죠."

"그런데 금군들은 전하를 시해하려 했다는 이유로 저하를 위해 움직였다."

"기 말은?"

"저하께서는 지금 분조 활동을 할 때처럼 왕의 역할을 하려는 것이다. 왕으로서 입지를 굳히려는 것이야. 밖이 아닌 궁 안에서."

"하지만 김성태를 놓쳤잖소."

"김성태를 영원히 잠재울 명분을 만든 것이다. 김성태는 이제 역적이다. 더 이상 전하를 위해 움직일 수 없다. 전하는 연, 김성태는 실. 실이 없는 연은 더 이상 자신이 가려는 곳으로 움직일 수 없게 되지. 전하께서는 이제 이성을 잃고 방황할 것이다. 김성태가 없는 남파발은 이제 저하께서 접수할 것이다."

사주는 내심 혀를 내둘렀다. 스승인 양굴리가 했던 말이 생각났다.

"다음 왕은 세자가 될 것이다."

사주는 주변을 둘러봤다. 별다른 움직임이 보이지 않자 불만을 토해냈다.

"저번에는 나무를 베지 않나. 이번엔 눈 맞으며 오지도 않는 자를 하염없이 기다리질 않나. 심심한데 육포나 좀 드시라요."
"너나 처 먹거라."
"아주바이, 꼭 나무 위에서 매복을 해야 하는 것입메까? 나뭇가지에 엉덩이가 껴서 불편합메다."
"이곳이 가장 높아 매복하기에는 딱 좋다, 이놈아."
"내려가서 소변 좀 보고 오갔소."
"여기서 보거라."
"네? 지금 그게 무신 말이오? 지금 이 허허벌판에서 바지를 내리고 소변을 보란 말이오? 알았소, 눈 좀 기렇게 흘기지 마시라요."

사주는 바지 끈을 풀고 소변을 봤다. 그때 사주의 눈에 숲속에서 달려오는 백영의 모습이 들어왔다.

"아주바이! 저 말 혹시?"
"백영이다!"
"누군가 말 위에 타고 있소!"
"김성태다! 가자!"
"잠깐! 내래 지금 볼 일을! 이런 빌어먹을! 왜 하필!"

오줌을 끊은 사주는 나무에서 내려와 심상사성을 타고 사달수 뒤를 따랐다.

백영은 김성태를 태우고 숲속을 질주했다. 사달수가 휘파람을 불자 매복해 있던 북파발꾼 이십 여 명이 일제히 말을 타고 나와 김성태의 뒤를 쫓았다. 참 안에서 밥을 먹고 있던 이주영과 이역참수는 휘파람 소리를 듣고 벌떡 일어났다.

이주영이 그토록 그리워했던 백영이 북파발꾼들에게 쫓기고 있었다. 이주영은 즉시 마구간으로 가 말을 타고 나왔다. 하지만 백영을 따라 잡기엔 역부족이었다. 북파발꾼들의 말도 모두 덩치가 큰 북방의 호마이기에 좁은 숲속에서는 자유롭지 못했다. 백영은 좁은 숲속을 지나 능선을 타고, 계곡을 지나 달렸다. 하지만 그 어떤 말도 백영을 따라 잡지 못했다. 백영의 뒤를 쫓는 사람들은 같은 생각을 했다.

'백영은 단거리 말이다. 언젠간 지구력이 떨어질 것이다.'

예상대로 백영의 속도가 줄어들었다. 거리가 가까워지자 북파발꾼들은 품에서 표창을 꺼내 김성태 등을 향해 던지려 했다. 그러자 어디선가 화살이 날아와 북파발꾼들이 타고 있는 말 엉덩이에 꽂혔다. 말들은 크게 울며 쓰러졌다. 표창만 뽑아들면 화살이 날아와 여지없이 말 엉덩이에 꽂히고 마니, 북파발꾼들의 말은 하나씩 쓰러져갔다. 사달수와 사주는 주변을 살폈다. 하지만 화살이 대체 어디서 날아오는지 알 수가 없었다. 사주가 설마 하는 마음에 물었다.

"혹시 이역참수가 숨어 있는 거 아닙메까?"
"이 정도의 실력을 가지고 화살을 쏠 수 있는 자는 이순신과 그의 제자 이역참수뿐이다."
"서파발 사건 때는 분명 저희를 공격하지 않았습메다. 기런데 왜 갑자기 서파발이 북파발을 공격한단 말입메까. 혹시……?"
"그럴 일은 없을 것이다."
"기런데 왜 공격을 하냔 말입메다."

사주는 서파발이 남파발과 손을 잡은 것이 아닐까 염려했다.

북파발꾼들은 더 이상 표창을 쓰지 않기로 하고 백영의 뒤를 쫓았다. 백영과의 거리가 좁혀지자 사달수는 마상월도를 들어 김성태의 허리를 노렸다. 그때였다. 누군가 말을 타고 바람처럼 나타나 칼로 마상월도를 튕겨냈다. 이주영이었다.

사달수가 노발대발했다.

"이놈! 김성태는 역적이다! 역적의 편에 선 것이냐?"

"백영이 다칠 수도 있었소."

"뭐, 뭐라? 고작 말 한 마리 때문에 주상 전하의 어명을 어긴다는 것이냐?"

"김성태는 관심 없소. 단지 백영을 지키려는 것뿐이오. 백영은 나에게는 자식과도 같소."

사달수는 노기가 치밀었다. 하지만 지금은 김성태를 잡는 일이 급선무였다. 북파발꾼들은 말을 타고 김성태를 공격했다. 그런데 그때마다 이주영의 사인도와, 어디서 날라온 것인지도 모르는 화살 때문에 공격이 차단되었다. 사달수는 화가 머리끝까지 치밀어 마상월도를 들고 이주영을 향해 휘둘렀다. 이주영은 즉시 사인도로 마상월도를 봉쇄하며 말했다.

"그대는 김성태를 잡지 않고 어찌 날 잡으려 하는 것이오?"

"네놈이 김성태를 돕고 있지 않느냐!"

"나는 백영을 보호하는 것뿐이오."

"저, 저런 개대가리 같은 놈을 보았나!"

　사달수는 이주영의 괴팍한 성격을 잘 알고 있었다. 말려들지 않으려고 해도 이상하게 이주영의 한마디 한마디가 모두 거슬리는 건 어쩔 수 없는 일이었다. 하지만 지금은 이주영과 노닥거릴 시간이 아니었다.

　사달수가 사주에게 눈빛을 보내자 사주는 고개를 끄덕인 후, 품에서 표창을 얼른 꺼내 김성태의 등을 향해 던졌다. 여지없이 정체 모를 화살이 사주가 타고 있는 심상사성의 엉덩이를 향해 날아왔다. 그와 동시에 사달수가 품에서 표창을 꺼내 날아오는 화살을 향해 던졌다. 사달수가 던진 표창은 날아오는 화살을 봉쇄하고, 사주가 던진 표창은 김성태의 등에 그대로 꽂히고 말았다. 김성태는 결국 말에서 떨어져 하얀 눈밭을 굴렀다. 사달수와 사주, 북파발꾼들은 말에서 내려 마상월도를 들고 김성태를 포위했다. 그런데 이상하게도 김성태는 전혀 움직이지 않았다. 사달수는 또 무슨 함정이 있나 싶어 주변을 꼼꼼히 살폈다. 하지만 철질려도 없고, 별다른 움직임은 보이지 않았다. 사달수가 소리쳤다.

"역적 김성태는 듣거라! 네놈은 남파발의 수장이라는 중책을 맡고 있는 자다. 그런 자가 왕을 시해하려 하다니. 순순히 포박을 받거라."

아무 대답이 없자 사달수는 다시 소리쳤다.

"다람쥐 같은 놈! 또 무슨 계략을 꾸미는 것이냐! 어서 일어나 포박을 받아라!"

사주가 끼어들었다.

"아주바이, 혹시 뒤진 거 아닙메까?"
"김성태가 표창 하나에 죽겠느냐!"
"하지만 움직이질 않습메다."

사달수가 다시 김성태를 불렀다. 하지만 아무런 대답이 없었다. 순간 사달수의 뇌리에 뭔가가 스쳐지나갔다. 김성태가 표창 하나 피하지 못하고 땅에 떨어지다니, 있을 수 없는 일이었다. 사달수는 몸을 날려 김성태를 발로 찼다. 이상하게도 발에 닿는 촉각이 너무도 가벼웠다.

'설마.'

사달수는 달려가 김성태의 얼굴을 확인했다. 하지만 그것은 김성태가 아니었다. 지푸라기에 김성태 옷을 입혀 놓은 인형이었다. 그 사이에 이주영은 백영을 타고 참으로 돌아갔다. 사달수는 서파발 참을 향해 소리쳤다.

"김성태!"

사달수가 얼굴을 붉히며 서파발 참으로 들어왔다. 사달수는 백영과 즐거운 시간을 보내고 있는 이주영을 보자 화가 치밀어 참을 수가 없었다.

"이 여우같은 놈아! 거기서 무얼 하고 있는 것이냐?"
"백영과 인사를 나누고 있었소. 오랜만에 본 것이니 그대가 좀 이해해주시오."
"백영이 가장 빠르니 당장 가서 역적 김성태를 잡아들이거라!"
"그리하겠소."

이주영은 백영 위에 오르다 발을 헛디뎌 엉덩방아를 찧고 말았다. 그 광경을 지켜보던 사달수가 어이없다는 듯이 소리쳤다.

"지금 뭐하는 것이냐, 이놈!"
"보면 모르겠소? 말에 오르다 넘어지고 말았소."

"천하의 이주영이 말을 타다 넘어졌다는 말을 지금 나보고 믿으란 말이냐?"

"원숭이도 나무에서 떨어질 때가 있다지 않소? 보시다시피 지금 원숭이가 나무에서 떨어졌소. 이러고 있을 때가 아니오. 그대는 어서 역적을 잡으러 가시오. 나는 곧 뒤를 따라가겠소."

"저, 저, 저런!"

사주는 이주영에게 욕을 해대는 사달수의 어깨를 잡으며 말했다.

"아주바이, 지금 이러고 있을 때가 아닙메다. 아니 왜 꼭 저 파락호의 말에만 이리 민감하게 대하는 것입메까. 김성태가 서파발에 있는 주작을 다시 되찾아갔다고 해도 주작은 새끼를 가졌습메다. 지금이라도 쫓아가면 충분히 잡을 수 있습메다. 갑세다."

사달수는 끓어 오르는 화를 억누르고 사주와 함께 마구간으로 갔다. 예상대로 주작의 모습은 보이지 않았다. 사달수는 지붕 위로 올라가 사방을 살폈다. 북동쪽을 향해 누군가 말을 타고 달려가는 것이 보였다. 주작을 타고 있는 김성태와 김인성이었다. 사달수가 소리쳤다.

"북동쪽으로 도망쳤다."

사달수와 사주, 북파발꾼들은 말을 타고 김성태를 쫓았다.

→•←

김성태와 김인성은 주작을 타고 쉬지 않고 달렸다. 김인성이 말했다.

"아버지, 좀 쉬어가세요. 꽤 오랫동안 달렸습니다. 몸도 아직 성하지 않습니다."

"그자는 절대 포기하지 않는다."

"그자라면?"

"북파발 사맹 사달수."

"네? 지금 북방의 호랑이 사달수 사맹이 저희를 쫓고 있는 것입니까?"

"그렇단다."

"아버지, 혹시 서파발 사맹 이주영 님도 오고 있는 것입니까?"

"이주영은 정치에 관심이 없는 자다."

"네."

"왜? 이주영이 보고 싶은 것이야?"

"아닙니다. 솔직히 서파발 사맹 이주영에게는 관심이 없었습니다. 저는 남파발 사맹님인 김성태를 더 존경했습니다."

"조금 전까지 탔던 말이 누구 말인지 아느냐?"

"백마요?"

"이주영의 백영이었다."

"네? 정말요? 정말 이주영 사맹님의 백영이었다고요. 그 말도 안 들는 말이 말입니까? 그 말이 백영이었다고요? 이주영 사맹님이 탔던 백영을 내가 탔다니……. 백영인 줄 알았다면 좀 더 잘해줄 걸 그랬습니다. 매일 구박만 했습니다."

"인성아, 조금 전까지 이주영한테 관심이 없다고 하지 않았더냐?

"네? 그게 그러니까……."

그때 뒤에서 우렁찬 목소리가 들렸다.

"김성태, 이놈!"

사달수였다.

"아버지, 누구입니까?"

"사달수."

"북파발 사맹 사달수요?"

"인성아, 아비의 허리를 단단히 잡거라."

"네 아버지. 잠깐! 아버지가 남파발 사맹 김성태잖아요. 그럼 지금 타고 있는 말이 설마……?"

"주작이다."

"네?

김인성은 기분이 좋아졌다. 서파발 사맹 이주영의 백영도 모자라 조선 최고의 명마인 주작까지 타고 있다니……. 하지만 기쁨도 잠시였다. 눈에 눈물이 고였다. 돌아가신 어머니가 생각난 것이다.

"김성태 서지 못하겠느냐!"

김성태가 김인성에게 말했다.

"잠시 떨어져야겠구나."
"왜요? 지금 타고 있는 말은 주작입니다."
"주작이 새끼를 가졌단다."
"네? 새끼를요? 그럼 많이 힘들 텐데요. 어머니도 제가 뱃속에 있을 때 힘드셨다고 하셨습니다. 그런데 아버지, 주작이 새끼를 낳으면 저 주실 거죠?"
"이미 이주영에게 주기로 했단다."
"하지만……."
"인성아, 사내란?"
"약조를 지키라 하셨습니다."
"인성아, 저기 보이는 바위 뒤에 내려줄 테니 옥녀봉 약수터에서 기다리고 있거라."

"하지만……. 아닙니다! 기다리고 있겠습니다."

"아비가 누구지?"

"그 이름도 찬란한 남파발 사맹 김성태 님이십니다."

"걱정 말고 기다리고 있거라."

김성태는 바위 뒤에 김인성을 내려줬다.

"아버지, 조심해서 다녀오세요."

"인성아, 미안하구나. 어린 너에게 이런 시련을 주어서."

"아닙니다."

"눈이 많이 쌓여서 위험하니 조심하거라."

"네, 아버지도요."

29. 또 다른 전설

김인성은 계곡을 향해 무작정 달려갔다. 아버지가 걱정되어 뒤돌아보고 싶었지만 그러지 않았다. 어머니처럼 아버지도 죽을까 두려웠다. 숲 속으로 들어가면 들어갈수록 쌓인 눈의 높이는 높아져갔다. 소년은 무릎까지 올라온 눈을 작은 두 다리로 헤치며 앞으로 나아갔다.

숲속을 벗어나자 가파른 협곡이 나왔다. 협곡 맞은편이 아버지와 만나기로 한 옥녀봉 약수터였다. 소년은 경사가 심한 협곡을 한 발 한 발 조심조심 내딛었다. 다행히 저잣거리에서 김성태가 사준 설피를 신고 있어서 바닥이 미끄럽지는 않았지만, 경사가 심해 위험하긴 마찬가지였다. 소년은 주변의 나무와 돌들을 지팡이 삼아 천천히 내려갔다. 그러던 중 나뭇가지 하나가 맥없이 부러지면서 중심을 잃고 눈밭을 구르기 시작했다. 계속해서 구르다 보니 얼핏 저 멀리 낭떠러지가 보였다. 가까이에 있는 나무를 힘껏 붙잡았다. 그리고 천천히 위로 올라갔다.

저 멀리 옥녀봉 약수터가 보였다. 나뭇가지에 찔려 흘러내린 피가 흰 눈밭을 물들였다.

"저기 있슴메다!"

김인성은 화들짝 놀라 뒤를 돌아봤다. 팔 척 장신의 짐승 같은 북파 발꾼 세 명이 뒤를 따라오고 있었다.

"거기 서라, 이놈! 네가 김성태의 아들이렸다!"

김인성은 발걸음을 재촉했다. 하지만 길이 미끄러워 더뎠다. 이대로 가다간 일다경도 되지 않아 잡힐 게 뻔했다. 숨을 곳이 필요했다. 소년 의 눈에 얼어 죽은 시체들이 보였다. 뒤를 돌아보니, 북파발꾼 세 명이 빠른 걸음으로 다가오고 있었다. 시체만 보면 온몸이 부르르 떨렸다. 하지만 어쩔 수 없었다. 김인성은 얼어 죽은 시체 사이로 몸을 숨겼다. 잠시 후 사람들 목소리가 들렸다.

"감쪽같이 사라졌슴메다."
"발자국이 이켠에서 끝겠지비. 다들 찾아보라우!"

분주한 발걸음 소리가 들리더니 다시 목소리가 들렸다.

"없슴메다."

"아무리 찾아도 없슴메다. 얼어 뒈진 시체뿐입메다."

"혹시 시체 사이에 있는 거 아닙메까?"

"꼬맹이가 급하다고 설마 시체 속에 숨었갔어?"

"날도 추운데 돌아갑세다. 김성태가 중요하지, 그깟 꼬맹이 하나가 뭐가 중요하갔슴메까?"

발자국 소리가 점점 멀어져갔다. 김인성은 안도의 한숨을 쉬었다. 혹시 하는 마음에 잠시 시체들 사이에 붙어 있었지만, 사람들이 사라지자 서둘러 시체를 밀어냈다. 하지만 엉겨 있는 시체들이 얼어붙어 잘 밀어지지 않았다. 김인성은 있는 힘껏 밀어냈지만, 시체들은 꼼짝도 하지 않았다. 이번엔 다리로 밀어보았다. 시체들이 조금씩 밀리기 시작했다. 김인성은 조금 더 다리에 힘을 줘 시체들을 밀었다. 다행스럽게 시체들이 길을 열어주었다. 그런데 하필 시체 하나가 움직여지면서 소년의 입술에 입을 맞추고 말았다.

"으아!"

화들짝 놀란 소년은 입을 틀어막고 뒤를 돌아보았다. 북파발꾼 세 명이 그 소리를 듣고 다시 달려오고 있었다. 소년은 시체들을 비집고 나와 가파른 협곡을 따라 도망쳤다. 한 식경 정도 내려오자 저 멀리 동굴이 하나 보였다. 생각할 겨를도 없이 동굴을 향해 뛰어 들어갔다.

북파발꾼들도 동굴로 들어왔다. 김인성은 어쩔 수 없이 동굴 안으로 더 깊숙이 들어갔다. 잠시 후 앞이 보이지 않을 정도로 깜깜해졌다. 손으로 주변을 더듬어 보았다. 손끝에 벽의 차가운 촉감이 전해졌다. 김인성은 손으로 벽을 짚으며 안으로 들어갔다. 날씨는 춥지만 등에선 땀이 나기 시작했다. 호랑이가 있을 수도 있었고, 늑대나 곰이 있을 수도 있었다.

그때였다. 김인성의 오감이 조금씩 열리기 시작했다. 들리지 않던 풀벌레 소리가 들려왔고, 피부는 작은 바람의 움직임까지 감지하기 시작했다. 물이 고여 썩은 냄새와 동물들의 똥 냄새가 코를 자극했다. 순간 동굴 안쪽에서 거친 숨소리가 들려왔다.

'뭐지? 호랑이? 아니면 늑대? 아무것도 아닐 거야. 아무것도 아니야!'

두려운 마음을 애써 진정시키려고 했지만, 김인성의 심장은 심하게 요동쳤다. 그때 밖에서 소리가 들려왔다.

"발자국이 동굴 안쪽으로 나 있습메다. 하지만 앞이 보이지 않아 찾기가 쉽진 않을 것 같습메다."
"오감을 열라우."

발자국 소리가 조금씩 가깝게 들려왔다. 그때였다. 김인성 앞에서 거친 숨을 내쉬던 정체 모를 그것들이 조용하고 은밀하게 움직여 곁을 지나갔다. 잠시 후, 사람들의 비명이 들려왔다.

"으악? 이게 뭐네?"
"누군가 다리를 물었습메다!"
"이곳에도 있습메다!"
"사람 살리라우!"

그것들의 으르렁거리는 소리와 벽에 부딪히는 금속성 소리, 사람들의 비명소리가 한동안 들려왔다. 김인성은 머리카락이 곤두서는 것을 처음 경험했다.

잠깐의 정적 후, 뼈 으스러지는 소리와 가죽 씹는 소리가 들렸다. 그것들이 배를 채우고 있는 것이 틀림없었다. 김인성은 마른 침을 꿀꺽 삼켰다. 배를 채운 그것들은 김인성의 곁을 지나 다시 동굴 깊숙한 곳으로 들어갔다. 미치고 팔짝 뛸 노릇이었다. 지금 움직였다간 저것들이 몰려 올 것이고, 그대로 있다간 얼어 죽을 것이 뻔했다. 김인성의 눈은 조금씩 감겨왔다.

그때였다. 밖에서 또 다른 목소리가 들렸다.

"인성이 안에 있는 것이냐? 인성아?"

이런! 김성태였다. 김인성은 마음속으로 외쳤다.

'돌아가세요, 아버지! 이곳에 무서운 것들이 있어요! 돌아가세요!'

하지만 김성태는 아들의 이름을 부르며 동굴 안으로 들어왔다. 그것들이 김성태의 목소리에 반응하기 시작했다.

'돌아가세요, 아버지!'

그것들은 조용하고 은밀하게 김인성의 곁을 지나 김성태를 향해 다가갔다. 김인성의 심장이 심하게 요동쳤다. 김인성은 몸을 낮춰 네 발로 조용히 움직여봤다. 다행히 그것들은 김인성의 움직임을 감지하지 못한 눈치였다.
이번엔 네 발로 느리게 걸어봤다. 그리고 다시 두 발로 서서 천천히 걸어봤다. 그리고 좀 더 빨리 뛰어봤다. 그것들은 여전히 김인성의 움직임을 파악하지 못한 눈치였다. 이번엔 전속력으로 뛰어봤다. 그것들보다 더 조용하게, 더 빠르게, 더 은밀하게……. 바람이 스쳐 지나가는 것처럼……. 김인성은 그것들의 곁을 지나 아버지의 손을 잡으며 외쳤다.

"뛰어요, 아버지!"

김성태는 김인성의 손에 이끌려 동굴 밖으로 뛰어나갔다. 김성태는 놀라움을 금치 못했다. 김인성의 기척을 전혀 느끼지 못했기 때문이다.

기에는 모두 세 가지 종류의 기가 있다. 하나는 사달수나 양굴리 같이 호랑이 기운을 가진 호기, 또 하나는 왕의 기를 가진 패기, 나머지 하나는 모든 오감을 숨길 수 있다는 영기. 김성태는 일본의 첩보원인 닌자 중에 모든 오감을 숨길 수 있는 영기를 지닌 자가 있다는 말을 들은 적이 있었다. 뜬소문이라고 생각했었다. 하지만 그 영기를 지닌 아이가 지금 그의 눈앞에 있다. 도저히 믿겨지지 않았다.

김성태는 소년의 손을 잡고 밖으로 나왔다. 그것들 역시 밖으로 뛰어나와 김성태와 소년을 향해 으르렁거렸다. 그것들은 다름 아닌 늑대였다. 모두 십여 마리는 되어 보였다. 김성태는 소년을 등 뒤에 숨기고 늑대들과 혈전을 벌였다. 늑대들은 김성태의 적수가 되지 못한다는 것을 본능적으로 느끼고 동굴 안으로 도망을 쳤다. 소년은 김성태 품에 안겨 흐느껴 울었다.

"무서웠어요, 아버지"

"이젠 괜찮다. 괜찮아, 인성아."

순간 소년은 김성태의 왼팔이 없는 것을 보고 소스라치게 놀랐다.

"아버지, 아버지 팔이……. 팔이 하나가 없습니다!"

"괜찮아. 아비는 괜찮아. 그만 울어."

"하지만……."

"괜찮아. 괜찮대두."

아들은 다시 아버지 품에 안겨 한참을 울었다. 요 며칠 새 일어난 모든 일들이 꿈만 같았다. 양굴리와 다혈질 소녀를 만났고, 정든 집을 떠나 아버지와 도망을 쳤고, 늑대에게 잡혀 먹힐 뻔했고……, 그리고…… 사랑하는 어머니를 잃었다. 어머니를 죽인 자를 절대 용서하지 않겠다고 다짐하고 또 다짐했다.

긴장이 풀리자 아들의 몸은 영혼 없는 허수아비처럼 땅을 향해 뚝 떨어졌다. 아버지는 얼른 손을 내밀어 아들을 안았다. 그리고 먼 산을 쳐다보았다. 찬란한 태양이 떠오르고 있었다. 태양이 떠오르자 둘의 그림자가 길게 늘어져 폭포 위에 그려졌다.